BOW

VIDA Y DISCOGRAFÍA

PAOLO HEWITT INTRODUCCIÓN DE ROBERT ELMS

BLUME

BLUME

Título original:
Bowie. Album by Album

Edición:
Colin Webb, Kevin Cann, Robby Elson

Edición de fotografía:
Phil King y Emma O'Neill

Dirección de arte:
Simon Halfon

Diseño:
Ben Hamilton

Traducción:
Roberto R. Bravo
Remedios Diéguez Diéguez

Revisión de la edición en lengua española:
Llorenç Esteve de Udaeta
Historiador de música

Coordinación de la edición en lengua española:
Cristina Rodríguez Fischer

Primera edición en lengua española 2013
Reimpresión 2014
Nueva edición actualizada 2016
Reimpresión 2017

Carrer de les Alberes, 52, 2.º, Vallvidrera
08017 Barcelona
Tel. 93 205 40 00 e-mail: info@blume.net

ISBN: 978-84-9801-930-8

Impreso en China

WWW.BLUME.NET

Este libro se ha impreso sobre papel manufacturado con materia prima procedente de bosques de gestión responsable. En la producción de nuestros libros procuramos, con el máximo empeño, cumplir con los requisitos medioambientales que promueven la conservación y el uso sostenible de los bosques, en especial de los bosques primarios. Asimismo, en nuestra preocupación por el planeta, intentamos emplear al máximo materiales reciclados y solicitamos a nuestros proveedores que usen materiales de manufactura cuya fabricación esté libre de cloro elemental (ECF) o de metales pesados, entre otros.

Página 6: Fotografía de Ziggy Stardust and The Spiders from Mars: guitarrista Mick Ronson, batería Mick «Woody» Woodmansey, bajista Trevor Bolder, y David Bowie. Fotografía de Mick Rock, San Francisco, octubre de 1972.

FUENTES

Clave s: superior; i: inferior; d: derecha; iz: izquierda; c: centro

Páginas 12, 27iz, 63, 98, 109, 150-151 En *Q*, mayo de 1993; **15** En *Any Day Now: David Bowie The London Years* por Kevin Cann, Adelita, 2010; **16, 69** Entrevista con Mark Stuart en *Music Scene*, junio de 1973; **22, 25, 27c, 30s** Entrevista con Chris Welch en *Melody Maker*, octubre de 1969; **27s, 30c, 54, 63** En *Moonage Daydream: The Life And Times Of Ziggy Stardust*, por David Bowie y Mick Rock, 2.ª ed. Cassell Illustrated, 2005, pág. 70, ibid, pág. 72, págs. 11-12, p14; **30i** Lindsay Kemp entrevista a Mick Brown en *Crawdaddy*, septiembre de 1974; **32** Entrevista con John Mendelsohn en *Rolling Stone*, abril de 1971; **37** Entrevista con Raymond Telford en *Melody Maker*, marzo de 1970; **38si** Entrevista en la BBC Radio, 1976; **40** En «Turn and Face the Strange: David Bowie and the Making of *Hunky Dory*», *Uncut*, abril de 2011; **43** Entrevista con Steve Turner en *Beat Instrumental*, agosto de 1972; **44, 239** Entrevista con Bill DeMain, *Performing Songwriter*, septiembre de 2003; **50** Entrevista con Cameron Crowe en *Rolling Stone*, febrero de 1976; **58** En *BowieStyle* por Mark Paytress, Omnibus Press, 2000; **59** Entrevista con Paul Du Noyer en *Q*, abril de 1990; **60, 70** Entrevista con Charles Shaar Murray, *NME*, junio de 1973; **64s** Entrevista con Clark Collis, *Blender*, agosto de 2002; **64i** Entrevista con Charles Shaar Murray, *NME*, enero de 1973; **73s** De www.5years.com; **73i, 101, 105, 115** Entrevista con Robert Hilburn, *Melody Maker*, febrero de 1976; **74** Entrevista con Charles Shaar Murray, *NME*, agosto de 1973; **80** Entrevista con Richard Cromelin, *Rolling Stone*, octubre de 1974; **85** De *The David Bowie Story*, BBC Radio, 1993; **88, 94** Entrevista con Anthony O'Grady, *RAM*, julio de 1975; **91** Entrevista con Robert Hilburn, *Melody Maker*, septiembre de 1974; **91-93, 108** Geoff MacCormack en *From Station To Station: Travels With Bowie, 1973-1976*, por Geoff MacCormack, Genesis Publications, 2007, pág. 143, ibid, pág. 183; **96** Entrevista con Timothy White, *Musician*, mayo de 1983; **112, 228, 232i, 234i** Entrevista con Chris Roberts, *Uncut*, octubre de 1999; **118, 124** Entrevista con Allan Jones, *Melody Maker*, octubre de 1977; **121si** Entrevista con Tim Lott, *Record Mirror*, septiembre de 1977; **127** Entrevista con Charles Shaar Murray, *NME*, noviembre de 1977; **128, 130, 141si** Entrevista con *Uncut*, febrero de 2001; **136** Entrevista con Cynthia Rose, *City Limits*, junio de 1983; **139, 160** Entrevista con John Tobler, *Zigzag*, enero de 1978; **140** Tony Visconti, entrevista con *Uncut*, febrero de 2001; **144** Entrevista con *Musician*, julio de 1990; **149, 150s** De *Scary Monsters Promo Interview*, RCA DJL1-3840, 1980; **150i** Entrevista con Andy Peebles, BBC Radio One, 1980; **156, 159, 161, 162si** Entrevista con Chris Bohn, *NME*, abril de 1983; **164, 167, 170sc, 177, 232** Entrevista con Charles Shaar Murray, *NME*, septiembre de 1984; **170i, 184i, 186, 189, 190c** Entrevista con Adrian Deevoy en *Q*, junio de 1989; **172** Entrevista con Stephen Dalton, *NME*, febrero de 1997; **175, 176** Entrevista con *Movieline*, junio de 1986; **180, 217** Entrevista con Chris Roberts, *Ikon*, octubre de 1995; **184s** De 'Stardust Memories' por Kurt Loder, *Rolling Stone*, abril de 1987; **184c** Entrevista con *Interview*, septiembre de 1995; **190si** Entrevista con Charles Shaar Murray, *Q*, octubre de 1991; **192** Entrevista con Mat Snow, *Mojo*, octubre de 1994; **195** Entrevista con Glenn O'Brien, *Interview*, mayo de 1990; **196, 198, 203i** Entrevista con *New Zealand Herald*, 1993; **201, 205** Entrevista con *Record Collector*, mayo de 1993; **202, 203s** De 'Black Tie White Noise Video EP', 1993; **206, 210, 211** Notas de *The Buddha Of Suburbia*, 1993; **212, 216s, 218** Entrevista con Steven P. Wheeler, *Music Connection*, septiembre de 1995; **215** Entrevista con Dominic Wells, *Time Out*, agosto de 1995; **216i** De *1.Outside* EPK, 1995; **216c** Entrevista con Paul Gorman en *Musicweek*, 1995; **220, 227i** Entrevista con David Cavanagh, *Q*, febrero de 1997; **223** Entrevista con Linda Laban, *Mr Showbiz*, 1997; **227sc** Entrevista con Andy Gill, *Mojo*, marzo de 1997; **231** Entrevista con Robert Phoenix, *Dirt*, octubre de 1999; **232a** De *'hours...'* EPK, 1999; **234s** Entrevista con William Harms, www.GameCenter.com, octubre de 1999; **235** Entrevista con Steffen Jungerson, *B.T.*, diciembre de 1999; **236, 242si, 243** Entrevista con www.concertlivewire.com, junio de 2002; **243** Entrevista con Paul Du Noyer, *Word*, octubre de 2003; **244, 249i** Entrevista con Dylan Jones, *GQ*, octubre de 2002; **247** MSN chat, junio de 2002; **249s** Entrevista con Anthony DeCurtis de www.beliefnet.com, 2003; **249c** Entrevista con Ingrid Sischy, *Interview*, octubre de 2003; **249d** Entrevista con Richard Buskin, *Sound On Sound*, octubre de 2003; **250** Comunicado de prensa, 2004; **252** Tony Visconti, entrevista con *Rolling Stone*, enero de 2013; **257, contra** Discurso en el Berklee College of Music, clase del 1999, 8 mayo de 1999.

CONTENIDO

INTRODUCCIÓN: «TODO EL MUNDO ERA BOWIE»

POR ROBERT ELMS

Desde el instante en que apareció en el programa *Top of the Pops* interpretando «Starman» aquella tarde decisiva de un jueves de julio de 1972, delgado, pálido y atractivo, con una ropa ajustada y el pelo de un anaranjado muy subido, la guitarra acústica colgada a la espalda y el brazo sobre los hombros de Mick Ronson en un gesto capaz de dejar sin aliento a cualquier chica adolescente..., todo era Bowie, y todo el mundo era Bowie.

No importa de dónde hubieras salido, si eras un skinhead o un suedehead, un rocker o un entusiasta del reggae, un simple adolescente pueblerino, un estirado pijo o un urbanita sobrado, desde ese glorioso jueves que hizo época tu vida había cambiado bajo el efecto del toque del «Starman», y así continuaría para siempre. Lo que tiempo atrás había sido «Elvis y su pelvis» para una generación de jóvenes estadounidenses (un catalizador y una *cause célèbre*, una razón para rebelarse, crear y hacer cosas nuevas) lo era ahora Bowie, con sus curiosos ojos, para aquellos chicos que estaban creciendo en el desastroso y agotado ambiente de la decadente y plomiza Gran Bretaña de la década de 1970.

Carecía por completo de importancia que David Bowie/Jones hubiera estado la mayor parte de la década anterior tratando desesperadamente de encontrar su propia imagen y su voz. ¿Quién podía saber, y a quién le hubiera importado, que este nuevo mesías de la comunidad de los parias tenía un montón de vidas pasadas? De pronto alguien daba el tono perfecto, y durante la docena de años aproximadamente que vendrían a continuación, él estaría en la vanguardia de prácticamente cuanta cosa de interés y novedosa surgiera de Inglaterra. No hubo una banda ni un artista, diseñador o escritor, fotógrafo o peluquero cuyo linaje creativo no se remontara a Bowie, en especial a Ziggy Stardust and the Spiders From Mars.

Para entender toda la fuerza que desplegó Bowie en ese entonces, hay que detenerse un momento en lo triste y decaído del ambiente de Gran Bretaña a principios de la década de 1970. Si la década anterior había sido una gran fiesta, este era el momento de la resaca: un país deprimente, deprimido y dominado por un corporativismo sofocante, que iba dando bandazos de una a otra crisis, mientras el pesado ambiente musical lo ocupaban bandas de rock de largo pelo y anchos pantalones acampanados. Con la mirada puesta en el pasado y una clara tendencia al conservadurismo, propensa a ocasionales estallidos de violencia y todavía librando viejas batallas, Gran Bretaña era la hermana enferma de Europa, que poco tenía que ofrecer a su juventud adolescente.

Antes, tras su monótona fachada había surgido una vibrante cultura juvenil, allí mismo, en las calles: vastas reservas de impulso y creatividad que se manifestaron bajo la forma de lo que habían sido los teddy-boys y los beatniks, mods, rockeros, hippies y skinheads, toda una serie de tribus urbanas al son de una gloriosa banda sonora. Pero en 1972 toda esa energía parecía haberse agotado. La nueva década empezaba sin una auténtica cultura propia. Se echaba de menos una figura carismática, un líder capaz de organizar las tropas con música y estilo. Y ese fue el momento del «hombre que vino de las estrellas».

El glam rock no fue una cultura como tal. Unos fornidos obreros envueltos en ropas de aluminio, como Sweet o Slade, no podían provocar un cambio generacional y liderar un movimiento unificado, pero la magnífica pareja de camaleones *cockney* formada por Bowie y Bolan (los «glitter twins», los mejores amigos y los más intensos rivales) tocó un riff que hizo estremecerse a muchos. Y fue Bowie, únicamente Bowie, quien con su sola presencia, su elegante artificio y su aire como de otro mundo dejó boquiabiertos a miles de desprevenidos golfillos urbanitas, abriéndoles los ojos a otra realidad.

Bowie, con su peinado y su vestimenta, sus *artslabs* y su mímica, sus insinuaciones bisexuales y sus descaradas letras, su *kabuki* y las referencias a Nietzsche, era como un portal de entrada a un planeta prohibido y glamuroso cuya existencia nadie sospechaba. Antes de que David apareciera como Ziggy Stardust, vestido con modelos de Kansai Yamamoto y haciéndole una felación a la guitarra LesPaul de Mick Ronson, los adolescentes británicos ya usaban chaquetas de cuero y leían a escondidas revistas como *Razzle*. Pero después de esto, los «Bowie-boys», como entonces se los llamaba, se veían plácidamente por las calles y en los locales y las tiendas del momento. Estos inconformistas frustrados, exóticos habitantes de viviendas de protección social, de marcados pómulos, con fabulosos peinados y sobrados de actitud, al estilo de David y aún más exagerados, presumían de ser los más avanzados del lugar donde vivieran. También había «Bowie-girls», desde luego: bonitas, sexys y distantes..., y, además, era difícil distinguir unos de otras en el nuevo escenario andrógino donde lo único que se perseguía era estar en escena.

Casi todo lo que vino después: los habilidosos muchachos soul con los zapatos de cuña y las camisas entalladas, los punks originales con sus radicales atuendos, los nuevos románticos con sus poses y engalanamientos..., todo puede retrotraerse a la sísmica impresión ocasionada por Ziggy, que hizo que generaciones enteras de jovencitos británicos lo emularan como a un ídolo. Por supuesto que Bowie no se detuvo ahí. Para el muchacho de Brixton, 1972 fue un año sorprendente. Primero, Ziggy lo convirtió en estrella; luego, con su canción «All The Young Dudes», él convirtió en estrellas al grupo Mott The Hoople; contribuyó a hacer de Lou Reed un completo artista al coproducir su magnífico álbum *Transformer*; y por último, hizo de Iggy Pop (de quien obtuvo su inspiración para Ziggy) un nombre conocido.

Como un equivalente musical de Andy Warhol, en su estudio The Factory de Nueva York, Bowie era en Londres el centro de un *maelstrom* de creatividad, cuya fuerza centrífuga generaba talento a partir de su llamativa imagen en el escenario, extendiéndose como una tela de araña que atrapaba a miles de jóvenes, la mayoría de los cuales aún soñaban con planes de futuro en sus casas de la periferia londinense. Armados con una botella de agua oxigenada y talento suficiente para resultar provocativos, gente como Siouxsie Sioux y Steven Morrissey, Boy George y Phil Oakey eran todos seguidores de Ziggy. Y entonces..., este se detuvo.

Claro que hoy sabemos que acabar con Ziggy Stardust fue para David Bowie el comienzo de un viaje a través de un sucesivo cambio de formas en una deslumbrante secuencia de encarnaciones musicales y estilísticas, cada una de las cuales sería perfecta para los turbulentos tiempos que se iban sucediendo. El jubiloso paso de «The Jean Genie» fue la banda sonora ideal de las gradas de fútbol y las discotecas juveniles... era Ziggy celebrando la agresividad del juego y los esteroides; mientras que «John, I'm Only Dancing» es una canción sublimemente ambigua, con muchos cambios de personalidad; fue su siguiente gran éxito y una señal de lo que estaba por venir.

En las calles, a altas horas de la noche, lo nuevo que se oía era el jazz-funk importado de Filadelfia y otros lugares de Estados Unidos: un sonido nítido y sibilante, ideado para el baile y aceptado por la juventud más moderna, que se entregaba a un frenesí nocturno en torno al insistente ulular de los metales. Grabada en 1974 (aunque no salió hasta 1979), «John, I'm Only Dancing (Again)», con su vívido instrumental de saxo, era un signo premonitorio del giro funk de Bowie; pero el cambio de ruta que vino después fue uno de los más marcados y acertados del momento.

Junto a los vibrantes clubes soul de mediados de la década de 1970 siempre hubo también «Bowie Nights», donde los jóvenes más avispados se reunían para bailar al compás de la música de Bowie y algunas de las canciones de sus compañeros de viaje, los Roxy Music. Y en una de esas «noches de Bowie» de 1975, todas las piezas encajaron. Todavía recuerdo el emocionante momento. Yo iba vestido al más puro estilo soul, con pantalones rosados con pinzas, sandalias de plástico (iguales a las que usó Bowie en la película *The Man Who Fell To Earth*), corte de pelo con el flequillo sobre un ojo, moviendo cadenciosamente los pies en la sala de baile del West End londinense, cuando me sorprendió un ritmo seductor que oía por primera vez. Era soul, pero no el que todo el mundo conocía: límpido, sugerente, artificial y, a la vez, perfecto. Y cuando los primeros acordes de «Young Americans» empezaron a inundar la sala, surgieron de las sombras algunos jóvenes vestidos de un modo que nunca antes había visto: de estilo artístico y decadente, con el pelo teñido de azul metálico y del mismo tono rojo de los buzones de correos, ataviados con pantalones plásticos, las chicas vistosamente maquilladas, con sujetadores visibles bajo las camisetas rasgadas y sujetas con imperdibles... Estaba presenciando el futuro estilo de baile Bowie, que todavía no se llamaba «punk».

Ese grupito de jóvenes de avanzada que empezaban a exhibir su elegante radicalismo en el vestir al ritmo del nuevo plasticismo brillantemente marcado por el soul de Bowie llegaría a conocerse como «el Contingente de Bromley». Eran la tropa de choque de la vanguardia punk, y no era coincidencia que provinieran de la misma zona sur de Londres en la que había crecido Bowie cuando su familia se mudó allí desde Brixton. Siouxsie Sioux, Billy Idol, Steve Severin, Adam Ant, Catwoman y otros más eran asiduos seguidores de Bowie, y todos imprimirían su imagen en la revolución punk que se avecinaba.

Una imagen que estaba a punto de cambiar otra vez para adaptarse a los tiempos. Porque Bowie lucía ahora su mejor peinado rojo y sus más finos trajes como acompañamiento de su más elaborado nuevo sonido. Él y su pandilla de seguidores formaban un punk incipiente estrechamente interconectado, un compacto grupo de chicos y chicas Bowie con su moda y sus guitarras, del que surgirían casi todas las estrellas de la escena punk. Era también el momento cumbre de su poder en el escenario, una época de geniales extravagancias en las que el disparatado actor marcaba la pauta. Fueron sin duda los años dorados de Bowie.

El punk fue toda una gloriosa conflagración de estudiantes de arte obsesionados con Bowie, acompañados de una horda de peluqueros y jóvenes anarquistas solitarios reunidos en torno a una estrafalaria tienda de Kings Road llamada Sex. Pero aunque contaba con la inspiración de su propio «Thin White Duke» [el «Delgado Duque Blanco»] y los demás personajes creados por él al estilo de Iggy Pop, Bowie no se sentiría cómodo limitándose a los estrictos confines musicales del punk. Así que, con su peinado y sus chaquetas, se marchó a Berlín con la intención de buscar, con un perfil más bajo, la siguiente línea con la cual seguir componiendo su peculiar trama.

Sus siguientes producciones, *Low* y *"Heroes"*, de corte teutón y electrónico, épico y agudo, eran claramente distintas de la tendencia musical del momento, basada en el triple acorde, pero pronto se convirtieron en el modelo a seguir por el estallido de creatividad que estaba a punto de surgir. El punk había tenido una breve y brillante vida, pero su explosión ya se había calmado en 1978. En los días posteriores al punk empezó a propagarse una nueva escena que surgía de los espacios subterráneos en los que un grupo de jóvenes destacados lucían una nueva y elaborada música electrónica.

El Blitz y todos los demás clubes de la época que marcaron los comienzos de los ochenta eran, básicamente, un renacimiento de las «noches de Bowie», impulsado esta vez por una generación más joven que aún estaba impresionada por el espectáculo ofrecido por Ziggy en 1972 y que ahora pensaba que era su turno de poder ser los héroes durante algo más de un día. Boy George, Steve Strange, Gary Kemp, Toyah Wilcox, Pete Burns, Gary Numan, Ultravox, la tropa de los Duran... La lista de los músicos que surgieron de esa escena es casi interminable y puede añadírsele, además, un montón de diseñadores, artistas, escritores, bailarines y cineastas, muchos de los que llegarían a tener gran éxito y todos los cuales habían recibido la inspiración y la influencia del Thin White Duke a su regreso. Pero este, otra vez, volvería a colocarse, como siempre, en la avanzadilla de la próxima oleada cultural.

El baile, no obstante, se mantuvo, y los discos se fueron sucediendo, hasta culminar en *Scary Monsters* y la brillante canción «Ashes To Ashes» que, a pesar de haber salido en 1980, se convirtió en una de las canciones y vídeos definitivos de toda la década que empezaba. Sin renegar de su ilustre pasado mientras iba construyendo el futuro, David Bowie, acompañado de sus activos seguidores, avanzaba marcando el paso, como el flautista de Hamelin, como el explorador que abre el camino. Tal como siempre ha hecho.

El enorme impacto cultural de Bowie todavía se siente como una vibración cada vez que aparece un nuevo artista con esa combinación de arte y pop, de *avant-garde* y corriente del momento, ampliando los límites de la música y la teatralidad, con la capacidad de llegar a toda la juventud. Es imposible imaginar el firmamento pop, especialmente en Gran Bretaña, sin la duradera influencia del hombre que hace varias décadas se convirtió en Ziggy Stardust, esparciendo su polvo de estrellas sobre las generaciones que lo seguirían.

WHAT'S NEW

FROM THE PRESS ROOM OF THE DECCA RECORD COMPANY

01 439 9521

. . . . artist's news . . . . song news . . . . record news . .

INTRODUCING DAVIE JONES WITH THE KING-BEES . . . AND THEIR FIRST DISC "LIZA JANE"

Pop Music isn't all affluence. Just ask new seventeen year old recording star Davie Jones. Time was (two months ago, in fact) when he and his group were almost on their uppers. No money, bad equipment. Then Davie had a brainwave. "I had been reading a lot in the papers about John Bloom," says Davie. "So I put pen to paper and wrote him a letter." David told Bloom that he had the chance of backing one of the most talented and up-and-coming groups on the pop scene. All he had to do was advance the several hundred pounds it requires to outfit a pop group with the best equipment.

Davie didn't get the money, but he did get a telegram next day from John Bloom giving the phone number of Artist's Manager Leslie Conn. Davie got in touch, was rewarded with a booking at Bloom's Wedding Anniversary Party. "We were a dismal failure", recalls Davie. "It was a dinner dress affair and we turned up in jeans and sweat shirts and played our usual brand of rhythm and blues. It didn't go down too well. Still we'll know better next time."

However, all's well that ends well. Leslie Conn liked the earthy type of music the group played, arranged an audition with Decca Records which resulted in a contract and the first release by David Jones with the King-Bees, "Liza Jane", released by Decca (Decca F 13807) on September 29th.

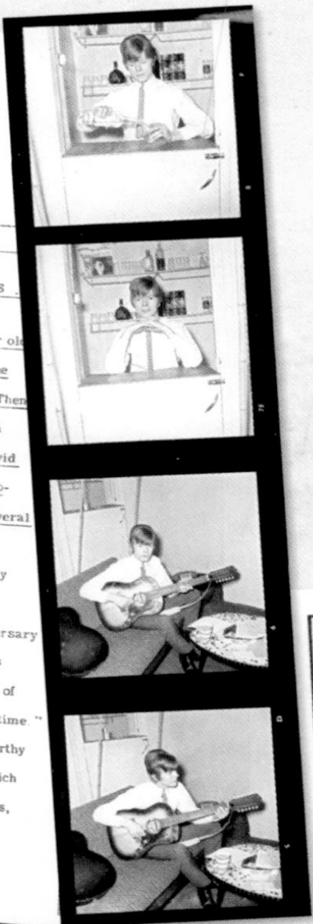

«Who can I be Now?» («¿Quién voy a ser ahora?») Bowie ha cambiado de aspecto (y de compañeros musicales) con pasmosa frecuencia. En las imágenes, en mayo de 1963, lo vemos con solo dieciséis años, tocando el saxofón en un local juvenil de Biggin Hill (*véase* pág. siguiente, inferior). En 1964, al frente de The King Bees, vestido con botas y chaqueta sin mangas, con un aire de Robin Hood, interpreta su primer single, «Liza Jane» (*superior izquierda*). Con el grupo The Lower Third se convirtió en un mod genuinamente vestido (secuencia de fotos, *superior*). En abril de 1966 apareció con otro grupo, The Buzz, en la primera de una serie de conciertos los domingos por la tarde durante dos meses en el Marquee Club del Soho, titulada «Bowie Showboat» (*véase* pág. siguiente, imagen superior).

marquee club

GERRARD 8923 | 90, WARDOUR STREET, LONDON W.1.

JUN
196
Program

Wed. 1st	ALEX CAMPBELL plus his Special Guests
Thur. 2nd	THE MOVE The Triad
Fri. 3rd	GARY FARR and the T-BONES The Objects
Sat. 4th	Modern Jazz TONY KINSEY QUINTET RAY WARLEIGH QUINTET
Mon. 6th	GRAHAM BOND ORGAN-ISATION The Soul Agents
Tue. 7th	MANFRED MANN The Alan Bown Set (Members' tickets 7/– in advance from May 31st)
Wed. 8th	GERRY LOCKRAN Johnny Silvo Martin Winsor
Thur. 9th	Let's go Surfin' TONY RIVERS and the CASTAWAYS SUMMER SET
Fri. 10th	GARY FARR and the T-BONES The Soul System
Sat. 11th	Modern Jazz DICK MORRISSEY QUARTET RONNIE ROSS QUINTET
Mon. 13th	JIMMY JAMES and the VAGABONDS Felder's Orioles
Tue. 14th	SPENCER DAVIS GROUP Jimmy Cliff Sound (Members' tickets 7/– in advance from June 7th)
Wed. 15th	THE SPINNERS THE FRUGAL SOUND and Guests
Thur. 16th	JOHN MAYALL'S BLUES BREAKERS featuring Eric Clapton Amboy Dukes
Fri. 17th	GARY FARR and the T-BONES Graham Bell Trend
Sat. 18th	Modern Jazz DICK MORRISSEY QUARTET GORDON BECK QUARTET fe the voice of NORMA WINSTO
Sun. 19th	Sunday Special JIMMY WITHERSPOON with TUBBY HAYES BIG BAND Robert Stuckey Trio (Members: 7/6 Non-members: 10/- (Tickets available in advance from J
Mon. 20th	SHOTGUN EXPRESS Peter B'S, Beryl Marsden, Ro Sands
Tue. 21st	THE YARDBIRDS James Royal Set (Members' tickets 7/– in advance fr
Wed. 22nd	RAM HOLDER BROS. NEW HARVESTERS Mike Rogers
Thur. 23rd	THE MOVE The Rift
Fri. 24th	GARY FARR and the T-BON and supporting group
Sat. 25th	Modern Jazz DICK MORRISSEY QUART and A. N. Other
Sun. 26th	Sunday Folk Special ALEX CAMPBELL and Gue (Members: 6/- Non-members: 8
Mon. 27th	THE STEAM PACKET Long John Baldry, Julie Dri Brian Auger Trinity The Herd
Tue. 28th	THE SMALL FACES Sands (Members' tickets 7/6 in advance
Wed. 29th	THE CHRIS BARBER BA featuring Kenneth Washin RAM HOLDER BROS. (Members: 5/- Non-members:
Thur. 30th	THE ACTION The Alan Bown Set

(All Programmes are subject to alteration and cannot be held responsible for non-appearanc

Every Saturday afternoon, 2.30–5.30 p.m.

"THE SATURDAY SHOW"

Top of the Pops both Live and on Discs
Introduced by Guest D.J.s,
featuring Star Personalities

Members: 3/6 Non-members: 4/6

Every Sunday afternoon, 3.00–6.00 p.m.

"THE BOWIE SHOWBOAT"

DAVID BOWIE and the BUZZ

Top Ten Discs
Guests

Members: 3/- Guests: 5/-

COMING IN JUL

Mon. 4th	GRAHAM BO
Tue. 5th	ALAN PRICE
Tue. 12th	MANFRED MA
Tue. 19th	SPENCER DA

1947
8 de enero
David Robert Jones nace en el n.° 40 de Stansfield Road, en Brixton, Londres.

1953
La familia Jones se muda a Bromley, zona residencial del sur de Londres.

1957
David entra a formar parte del coro de la iglesia de St. Mary, en Bromley, junto con sus amigos, que lo serán toda la vida y, en ocasiones, colaboradores, George Underwood y Geoffrey MacCormack.

1958
Agosto
Primera actuación conocida, en el 18.° campamento de verano de los Bromley Cub Scouts, en la isla de Wight, con George Underwood.
Septiembre
Inicia sus estudios de Secundaria en la Bromley Technical High School.

1959
25 de diciembre
Recibe su primer instrumento musical, un saxofón alto de plástico.

1962
David tiene una pelea con George Underwood, en la que recibe un golpe en el ojo izquierdo, que le deja la pupila permanentemente dilatada.
Junio
David se une a The Kon-rads.

1963
El medio hermano de David, Terry Burns, manifiesta los primeros síntomas de esquizofrenia.
Verano
Deja la escuela solo aprobando arte y empieza a trabajar como aprendiz de diseño comercial en la empresa publicitaria Nevin D. Hirst Advertising, en New Bond Street, Londres.
29 de agosto
Primera grabación, con The Kon-rads: «I Never Dreamed».
Diciembre
Deja The Kon-rads.

1964
Abril
Forma The King Bees, quinteto musical de rhythm & blues, que incluye también a George Underwood.
Primavera
Firma contrato con su primer manager, Leslie Conn.
h. mayo
David firma, formando parte de The King Bees, su primer contrato de grabación con Vocalion Records (perteneciente a Decca).
Junio
Deja su trabajo en Nevin D. Hirst Advertising.
5 de junio
Sale en el Reino Unido el disco «Liza Jane» / «Louie Louie Go Home», de Davie Jones and The King Bees (no llega a las listas de los más vendidos).
6 de junio
Primera aparición en televisión, promocionando «Liza Jane» en el programa *Juke Box Jury* de la BBC (el voto recibido fue «insuficiente»).
Julio
Deja The King Bees y se une a The Manish Boys.

1965
Marzo
Sale en el Reino Unido «I Pity The Fool» / «Take My Tip», de The Manish Boys (no llegó a las listas).
Abril
Deja The Manish Boys.
Mayo
Se une a The Lower Third.
Agosto
Ralph Horton se convierte en el primer manager de Bowie a tiempo completo.
Sale en el Reino Unido «You've Got A Habit Of Leaving» / «Baby Loves That Way», de Davy Jones (no llega a las listas).
16 de septiembre
Cambia su nombre artístico por David Bowie para evitar ser confundido con Davy Jones (quien posteriormente formaría parte de The Monkees).
Noviembre
The Lower Third firma un contrato de grabación con Pye.

1966
Enero
Sale en el Reino Unido «Can't Help Thinking About Me» / «And I Say To Myself», de David Bowie & The Lower Third (no llegó a las listas).
Deja The Lower Third.
Febrero
Forma el grupo The Buzz.
Abril
Sale en el Reino Unido «Do Anything You Say» / «Good Morning Girl», de David Bowie (no llega a las listas).
10 de abril – 12 de junio, y 21 de agosto – 13 de noviembre
Se presenta en los conciertos «Bowie Showboat» en el Marquee, Londres.
Agosto
Sale en el Reino Unido «I Dig Everything» / «I'm Not Losing Sleep» (no llega a las listas).
Octubre
Firma un contrato de grabación con Deram.
Diciembre
El grupo The Buzz se disuelve.
Sale en el Reino Unido «Rubber Band» / «The London Boys» (no llega a las listas).

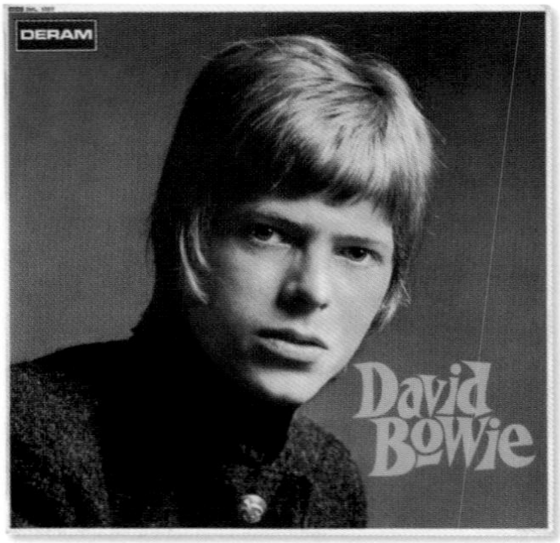

"NUESTRO TOCADISCOS
SOLO FUNCIONABA A 78 RPM...
ESO, A UNA EDAD MUY TEMPRANA,
ME DIO UNA IMPRESIÓN MUY RARA
DE CÓMO SONABA EL ROCK'N'ROLL,
LO QUE PODRÍA EXPLICAR
MUCHAS COSAS".

DAVID BOWIE, 1993

1967

Febrero

Sale en Estados Unidos «Rubber Band» / «There Is A Happy Land» (no llega a las listas).

Marzo

David se une a The Riot Squad.

Abril

Kenneth Pitt se convierte en manager exclusivo de Bowie. Sale en el Reino Unido «The Laughing Gnome» / «The Gospel According To Tony Day» (no llega a las listas).

Mayo

David deja The Riot Squad.

1 de junio

Sale en el Reino Unido *David Bowie* (no llega a las listas).

Julio

Sale en el Reino Unido «Love You Till Tuesday» / «Did You Ever Have A Dream» (no llega a las listas).

Agosto

Sale en Estados Unidos *David Bowie* (no llega a las listas).

Página 13: Retrato, por Dezo Hoffmann, 1967.

Página anterior: Ensayo de «Can't Help Thinking About Me» para el programa musical de culto de la televisión británica de los viernes en la noche *Ready Steady Go!*, que hizo famosa la frase «The weekend starts here!» [«¡El fin de semana empieza aquí!»], 3 de marzo de 1966.

Era una época distinta, en la que las compañías de discos daban a sus artistas la libertad para cometer errores, confiadas en que pronto encontrarían su propio estilo y el sonido que haría que el mundo se fijara en ellos.

En ese espíritu, hoy olvidado, Deram Records firmó con David Bowie y le concedió plena libertad en el estudio en 1967. El resultado fue que David no hizo un álbum, sino un musical, entregado en vinilo. Ideó una serie de personajes que representarían los metales, las cuerdas, las flautas..., todo instrumento concebible excepto la guitarra eléctrica. Y eso en el año de Jimi Hendrix.

Bowie escribió canciones que trataban de niños, amargos soldados retirados y un tal «Uncle Arthur»; escribió sobre la «Maid of Bond Street», el «Little Bombardier» y el tonto y entristecido «Silly Boy Blue». Todos esos personajes los combinó sobre un fondo de pasajes musicales y teatrales, y melodías inspiradas en el tradicional teatro de variedades británico.

El resultado fue un álbum fuera de su tiempo y de lugar, pero sorprendente. Es el tipo de trabajo que un músico de importancia podría concederse una vez que tuviera asegurado su público, como un placer personal y solo por una vez. No suele ser el disco que hace un joven que está empezando, y menos aún en aquel año de 1967, que vio aparecer tal cantidad de álbumes de Pink Floyd, Traffic, Captain Beefheart, Procol Harum, Jimi Hendrix, Tim Buckley, The Byrds, The Small Faces, Mothers Of Invention y The Doors; el año, en suma, del LSD, los alucinógenos y la moda psicodélica.

Curiosamente, el hecho es que Bowie no tenía interés por los caminos fáciles. Lo que quería era expresar su estilo único, y esa fue la forma en que escogió hacerlo en el año de *Sgt. Pepper*. Más tarde, diría en relación a aquello:

Me dieron un espacio, como dicen en el medio. Pero no había nadie que comprara lo que estaba haciendo, y tampoco se me había pedido que interpretara nada. Creo que, en ese sentido, era un poco como un fracasado. Pero la idea de escribir historias cortas era toda una novela..., si se me permite el juego de palabras.

D. B., 1976

¿Quién es, exactamente, este personaje de peinado levantado y chaqueta de piel, que muestra tanta bravura nadando a contracorriente y contra marea? David Bowie nació con el nombre de David Robert Jones el 8 de enero de 1947 en Brixton, Londres, en tiempos difíciles. La guerra había terminado hacía poco y todo escaseaba. A los tres años de edad entró en la habitación de una vecina y se embadurnó la cara con su maquillaje y su pintura de labios. Cuando su madre le dijo que los chicos no se pintaban la cara, le respondió: «Pero tú te pintas».

Sus padres son personas de su época: distantes, no demasiado propensas al contacto físico. Años más tarde, Bowie apenas recordará haber recibido una frase cariñosa de su madre o un abrazo de su padre. Pero esa actitud viene compensada por otras cosas. Su padre, persona «muy humanitaria», lo anima a conocer otras religiones, distintas culturas. Ese ánimo que recibió de él le sería siempre de gran utilidad.

A los cinco años, en una de las ocasiones en que se vistió para la representación navideña del colegio, con una túnica y un cayado, sus ideas se van encaminando y, de algún modo, la suerte está ya echada porque, en palabras de su madre, Margaret Jones, conocida como «Peggy», «le encantaba vestirse y participar en el acto. En esa época ya nos dimos cuenta de que había en él algo muy especial. Si sonaba una música [en la radio] que le llamara la atención, ordenaba a todos silencio para poder escuchar y se precipitaba hacia el lugar de donde venía la música. Por aquel entonces pensamos que podría llegar a ser un bailarín de ballet».

La señora Jones no se equivocó mucho. El progresista director de su escuela primaria tuvo en una ocasión la idea de dividir a los alumnos en grupos de cuatro, a los que les repartió instrumentos de percusión para que bailaran con la música que ellos mismos interpretaran. Experiencias como esa calaron profundo en David, haciéndole cobrar conciencia de que, a pesar de su timidez, era capaz de bailar en público. Toda una valiosa lección.

Cuando escucha la canción «Inchworm», que canta Danny Kaye en la película *Hans Christian Andersen* (*El fabuloso Andersen*), se le queda resonando en los oídos. Más tarde la describirá como una canción que fue de importancia vital para él, y su influjo puede incluso apreciarse, bajo la forma de melodías a contrapunto, en la estupenda canción de su primer álbum «Sell Me A Coat».

Bowie empezará a explorar los sonidos del mundo. Un amigo del colegio recuerda que le entusiasmaba la idea de conocer Estados Unidos y Japón ya a los ocho años de edad. A los trece, cuando los demás niños se dedican a jugar al fútbol, David se pone el uniforme del equipo de fútbol americano (que le había regalado la embajada de Estados Unidos en respuesta a su carta en la que les pedía información sobre el deporte del que tanto oía hablar en la emisora de las Fuerzas Armadas estadounidenses) y se pasea por su escuela con un casco y una pelota bajo el brazo. «Bastante raro», recuerda su compañero, pero es la imagen perfecta de lo que será en el futuro: Bowie, ataviado con extrañas ropas y en contra de la corriente que sigue todo el mundo.

En 1961, vio a Anthony Newley en el musical *Stop the World – I Want To Get Off*. El espectáculo le causó una honda impresión. Se sintió fascinado por la voz de Newley, su inteligente uso del escenario y el hecho de que cantara con «palabras comunes y corrientes, que todo el mundo podía entender, sin que resultara empalagoso. En ese momento empecé a elaborar mi propio estilo», recuerda:

En los inicios, cuando formaba parte de una banda de rhythm & blues, no quería cantar sobre Estados Unidos, sino sobre las cosas que me afectaban a mí en ese momento. Y Anthony Newley... era el único que no intentaba cantar con un falso acento estadounidense.

D. B., 1973

Cuando su medio hermano Terry le dio el libro de Jack Kerouac *On The Road*, Bowie se obsesionó con los beatniks y la música de

Superior: El primer álbum de Bowie, que salió al público en el verano del ambiente psicodélico y el LSD, le debía, sin embargo, mucho más al teatro de variedades y a los musicales de Danny Kaye y Anthony Newley.

Página siguiente: Para la fiesta de fin de año de 1965, Bowie ya había realizado su primer concierto en el extranjero, en París. La foto corresponde a una aparición en Alemania, en el programa *4-3-2-1 Musik Für Junge Leute*, que se emitió el 16 de marzo de 1968.

1
4
d
y

jazz, y aprendió a tocar el saxo. Aprendió también a cantar y tocar la guitarra, así como a presentarse en escena.

En la escuela secundaria conoce a George Underwood. Si había alguien que iba a ser una estrella, ese era George, con su carisma y su agradable presencia. George se une a una banda llamada The Kon-rads y, por esa época, tanto él como David se enamoran de la misma muchacha. Bowie, ingeniosamente, le roba la chica, que deja plantado a George. Este le propina a David un puñetazo en el ojo que le deja la pupila dilatada de por vida. Poco después, un George afligido invita a David a unirse al grupo, donde Bowie cantará y tocará el saxo.

Mas tarde formarán The Hooker Brothers (nombre inspirado en la leyenda del blues John Lee Hooker), y luego serán Davie Jones and The King Bees.

Entre una y otra actuación, Bowie le escribe una carta a un empresario de artistas pop, en la que le dice descaradamente que son los próximos Beatles, y que él podría ser el nuevo Brian Epstein. El empresario, John Bloom, divertido ante semejante atrevimiento, les recomienda un manager de nombre Leslie Conn, quien se hace cargo de la banda y los contrata para la boda del propio Bloom. Entre los invitados estarán también Adam Faith y Lance Percival.

Lo siguiente que hace Conn es acordar una audición con Decca, y en junio de 1964 sale el primer single de The King Bees, «Liza Jane» / «Louie Louie Go Home», canciones ambas con influencias de blues y de rhythm & blues. De algún modo, Conn termina apareciendo en los créditos como compositor. El disco atrajo cierta atención y fue comentado en el popular programa de televisión *Juke Box Jury*, aunque la única persona que dijo que le había gustado fue el cómico Charlie Drake; el influyente programa *Ready Steady Go!* llegó incluso a invitar al grupo para una actuación, pero las ventas fueron bajas y el grupo acabó por disolverse.

El siguiente grupo se llamó The Manish Boys, y otra vez la inspiración musical era el rhythm & blues, aunque el aspecto de Bowie, con el pelo largo y atuendo a lo Robin Hood, no era precisamente lo que se esperaba de un cantante de ese estilo de música. El primer sencillo que sacaron fue «I Pity The Fool» / «Take My Tip», producido por el productor de The Who, Shel Talmy, pero de nuevo las ventas fueron escasas.

La banda que siguió fue The Lower Third. Bowie se deshizo de Conn y acudió a Ralph Horton en busca de un nuevo manager. Este le hizo vestir al estilo mod, y el nuevo single, «You've Got A Habit Of Leaving», de tono frenético y movido, logró granjearle al grupo un cierto público entre la escena mod londinense.

Su siguiente disco sencillo, producido esta vez por Tony Hatch, «Can't Help Thinking About Me» / «And I Say To Myself», contenía

Superior y página siguiente: Tratando de vivir un sueño... En 1967, Bowie no había conocido aún el éxito comercial, pero se estaba labrando una reputación como cantante y compositor con talento y estilo propio, cuyas fotos empezaban a tener repercusión en la prensa.

el mejor esfuerzo de Bowie hasta el momento: un sonoro disco pop con letras bastante reflexivas.

Siguió un nuevo grupo, The Buzz, cuya inspiración ya no era el sonido pop londinense típico de artistas como The Who o The Yardbirds. La banda es la que graba el disco, pero el crédito se lo lleva David Bowie. «Do Anything You Say» / «Good Morning Girl» tiene buenos acordes de guitarra y buen acompañamiento vocal, pero sobre todo destaca la animosa voz solista de Bowie, que presagia lo que será un signo inconfundible. En este trabajo, encuentra su propio estilo como cantante y, aunque tampoco esta vez llega a las listas de los más vendidos, los pasos musicales que va dando probarán ser muy útiles en el futuro.

Ese mismo año saldrá otro single, «I Dig Everything» / «I'm Not Losing Sleep», para el que el productor, Tony Hatch, en lugar de usar al grupo, contratará a músicos experimentados. Pero una vez más la muestra del estilo pop londinense propio de Bowie se quedará lejos de las listas. No obstante, no parece preocuparle mucho: simplemente decide volver a cambiar de enfoque.

Su nuevo disco, «Rubber Band» / «The London Boys», en el que ensaya un estilo inspirado en Newley, cuenta en su cara A con una banda de acompañamiento de metales. Tampoco funcionó. Sin desanimarse, Bowie lanza un nuevo single: «The Laughing Gnome» / «The Gospel According To Tony Day». Cuando unos años más tarde, en 1973, la «Bowiemanía» se apodere del mundo y millones de adolescentes se lancen a las tiendas de discos ansiosos por descubrir álbumes anteriores de Bowie, como *Hunky Dory*, y canciones como «The Man Who Sold The World», al encontrarse con «The Laughing Gnome» no sabrán qué hacer. Es algo que puede verse como una gran composición infantil o como uno de esos momentos en la carrera de un músico en el que uno no sabe qué tenía en la cabeza.

Durante su primer álbum, Bowie mantiene su obsesión con Newley, y hasta adopta un particular estilo vocal inglés justo por delante de cada tema. Tampoco es Newley en cada una de las canciones: en «There Is A Happy Land», por ejemplo, se detectan rasgos de Syd Barrett, de Pink Floyd y de Ray Davies, de los Kinks, en su elogio a la niñez y la inocencia, y también hay por doquier ecos de Burt Bacharach. No obstante, Newley es la influencia que más destaca.

En su voz se aprecia la nostalgia típica de un niño solitario. Es verdad que David tiene amigos íntimos, en especial George Underwood, pero ha pasado mucho tiempo solo en su habitación, el lugar donde todos los compositores se han sentido como niños y han soñado con dar forma a su vida.

Claro que el rock'n'roll, y especialmente Little Richard, le llaman la atención, como a todos los demás jóvenes británicos. Pero también busca inspiración en otras fuentes, en lugares donde otros nos se fijan.

¿Qué vio la discográfica Deram en este joven? Talento musical, por descontado; su primer álbum incluye algunas melodías impresionantes, de las que son un buen ejemplo las encantadoras canciones «Silly Boy Blue» y «Sell Me A Coat». En ocasiones el disco está perfectamente a tono con el Londres de 1967: «Little Bombardier» y «She's Got Medals» entran muy bien en la moda eduardiana de ese año. Pero la mayor parte del álbum parece aislada. La cultura pop del momento pedía una música que rompiera fronteras. Es precisamente lo que hizo Bowie, presentando un disco sin sonidos de guitarra, con ritmo de valses y de music-hall, que culmina en un poema llamado «Please Mr. Gravedigger» [Por favor, señor sepulturero], en el que se le oye estornudar mientras declama como si tuviera un fuerte resfriado.

No es de extrañar que el álbum se vendiera poco. Nadie sabía bien cómo interpretarlo. Nadie sabía tampoco a quién ofrecerlo, quiénes serían los compradores. Solo ahora se aprecia la brillantez del trabajo realizado y el genio que desplegaba Bowie, ese extraño joven de tan solo veinte años.

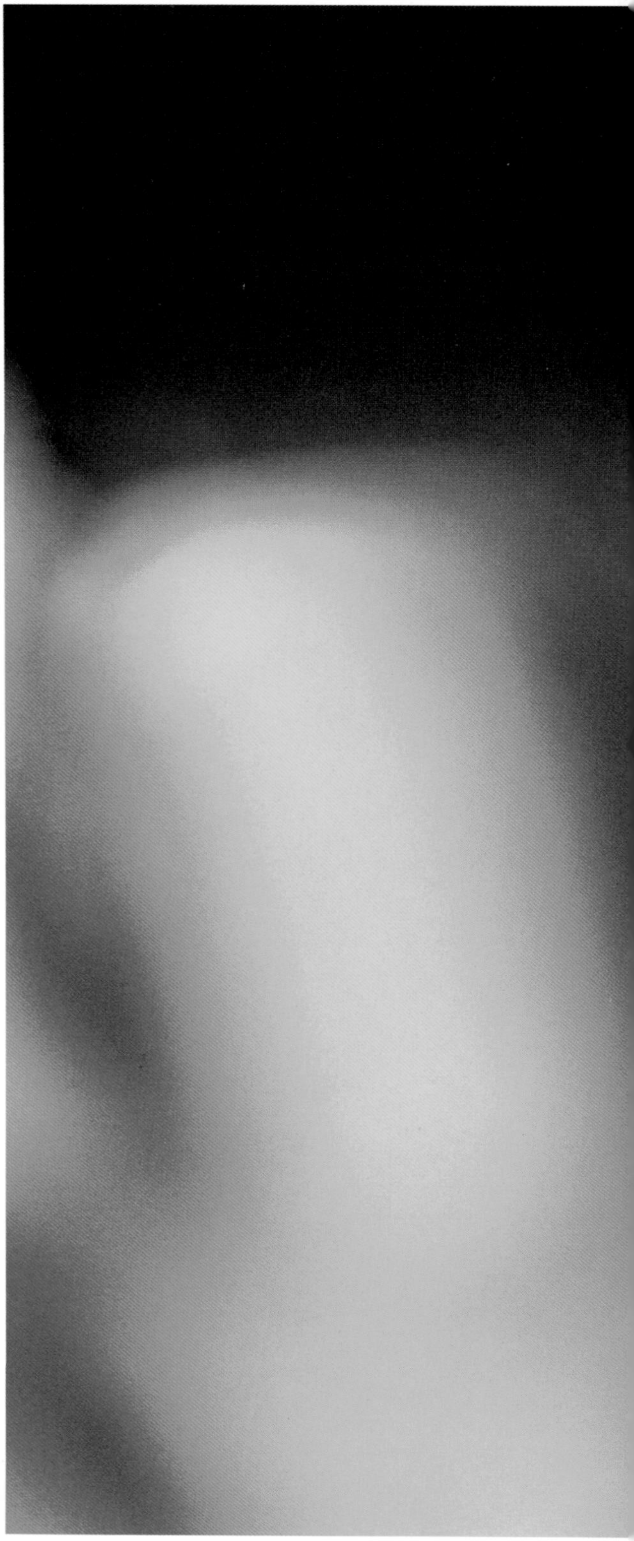

DAVID BOWIE/SPACE ODDITY 1969

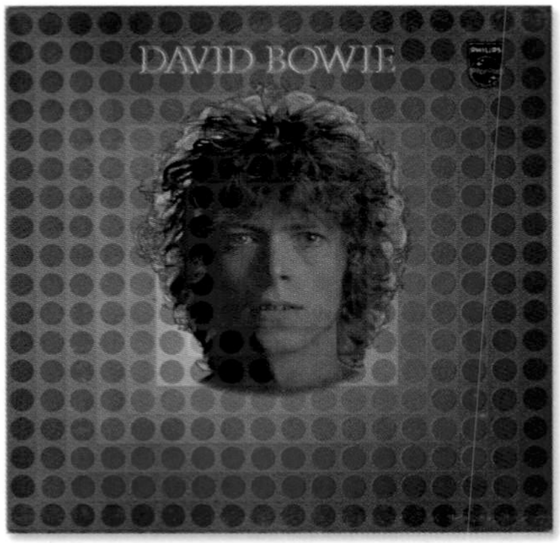

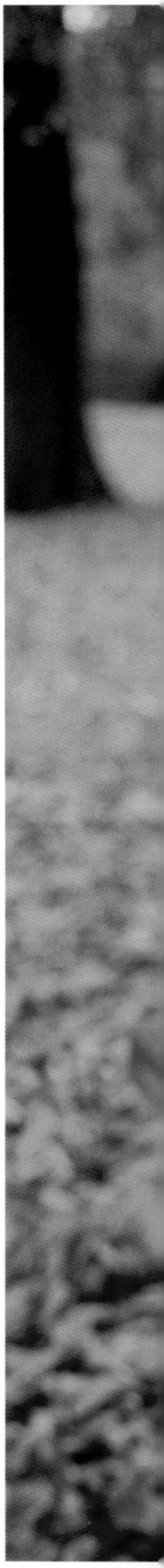

"EL DISCO TIENE MUCHO DE LA PELÍCULA *2001*. ES UNA MEZCLA DE SALVADOR DALÍ, *2001* Y LOS BEE GEES. EN REALIDAD, ES UN DISCO QUE ENTRETIENE".

DAVID BOWIE, 1969

1967

18 de diciembre

Graba su primera sesión radiofónica con la BBC, para el programa de John Peel *Top Gear.*

28 de diciembre

Primera presentación de la obra teatral de Lindsay Kemp *Pierrot In Turquoise*, en la que Bowie representa el personaje de la «Nube».

1968

30 de marzo

Última presentación de *Pierrot In Turquoise.*

Septiembre

Forma el trío multidisciplinar Turquoise (que más tarde se llamaría Feathers) con su compañera Hermione Farthingale y Tony Hill.

1969

Enero – febrero

Graba el cortometraje promocional *Love You Till Tuesday.*

Febrero

El grupo Feathers se disuelve.

Verano

Tiene numerosas apariciones en el Beckenham Arts Lab.

Junio

Sale en el Reino Unido «Space Oddity» / «Wild Eyed Boy From Freecloud» (que alcanza el 5.° lugar en las listas de los más vendidos).

Julio

Sale en Estados Unidos «Space Oddity» / «Wild Eyed Boy From Freecloud» (que no llega a figurar en las listas).

5 de agosto

Muere su padre, Haywood Stenton (conocido como «John») Jones, a la edad de 56 años.

9 de octubre

Primera aparición en el programa de la BBC *Top Of The Pops*, donde interpreta «Space Oddity».

14 de noviembre

Sale el álbum *David Bowie*, al que cambiaría el título después por *Space Oddity* (no llega a las listas).

Página 23 y página anterior: El nuevo álbum de Bowie, como su nueva imagen, era una combinación de lo rural y bucólico con la era espacial.

El Bowie de 1969 es muy diferente al de 1967. Ha dejado atrás los trajes y el pelo estilo mod, así como las canciones ambientadas en Londres y con un aire de Anthony Newley. Ahora lleva el pelo largo y pantalones acampanados, y, empuñando una guitarra acústica, escribe canciones con letras muy comprometidas, al estilo de Bob Dylan. Ha cambiado con los tiempos, de modo que ahora parece haber desarrollado una actitud despreocupada hacia su propia música. Esto es lo que decía a la revista *Melody Maker* tras la salida a la venta de su segundo álbum:

Durante mucho tiempo no había querido hacer ningún disco, pero mucha gente me lo ha pedido, por lo que volví a los estudios de grabación. He estado haciendo mímica durante un año y medio, así que este es mi regreso. El primer álbum lo hice en quince minutos, por una ganancia mínima, una menudencia. Podría decirse que con prisas. Estaba desanimado con el pop por la falta de trabajo.

D. B., 1969

Pero no debemos creerlo. Es una pose, un disfraz. Todos los compositores buscan reconocimiento, todos quieren ver su obra viva en el mundo. Y Bowie, desesperado por que lo tomen tan en serio como a Dylan, sabe que para lograrlo debe cortar su propia tela, abrir su propio camino.

Una prueba de ello es que desde la salida de su primer álbum se ha sumergido en el budismo y en el arte de la mímica, actividades ambas que no están tradicionalmente asociadas con jóvenes músicos que tratan de empezar. Es un rasgo que definirá toda su carrera, siempre a la búsqueda de nuevas experiencias y formas de expresión, que trasladará, indefectiblemente, al mundo musical.

Bowie había llegado al budismo a través de las novelas del escritor de la generación *beat* Jack Kerouac. En el verano de 1967 se hallaba muy volcado en la religión, y hasta había ido a conocer la sede de la Sociedad Budista en Gran Bretaña. Pronto empezó a hablar de abandonar toda ambición, de dar un giro a su vida y hacerse monje budista. Su primer biógrafo, George Tremlett, cita sus palabras de entonces: «No me interesan las cosas materiales. Tengo un buen traje por si tuviera que ir a algún sitio importante, pero no tengo coche, y vivo con mis padres. Y, en realidad, tampoco me interesa la ropa».

Que en ese momento estuviera cambiando la elegancia por la iluminación muestra la seriedad de sus ideas. David mantuvo un profundo interés por el budismo hasta 1970, cuando empezó a tener dudas sobre su gurú. Sobre ello, diría más tarde: «Como puede ver-

se, no soy el único que está haciendo un papel». Por esa misma época, una amiga le ofreció una entrada para ir al Covent Garden, a la actuación de un mimo llamada *Clown's Hour*:

Un mimo, ¡qué cosa tan aburrida!... Entonces me dijo que utilizaba mi álbum en su intervalo musical... Un mimo, ¡qué interesante!

D. B., 2002

Bowie quedó fascinado. Tras la función, se acercó al creador del acto, Lindsay Kemp. Enseguida se entendieron y Bowie empezó a asistir a las clases que Kemp impartía en Londres. En una entrevista de 1974, este último recordaba: «Le enseñé a exagerar con el cuerpo, además de con la voz, y le hablé de la importancia del atractivo tanto físico como sonoro. Desde que empezó a trabajar conmigo, comenzó a practicarlo, y ahora en cada una de sus actuaciones sus movimientos corporales son más exquisitos».

Bajo la tutela de Kemp, Bowie aprendió mucho sobre el manejo del escenario, el uso del espacio y de la audiencia. En diciembre de 1967 aparecieron juntos en una producción titulada *Pierrot In Turquoise*, en la que Bowie hacía de mimo e interpretaba sus propias canciones. La impresión general en el público fue la de que era un buen artista de la mímica.

Tenía un gran interés por la mímica en ese momento..., por la manera en que se puede transformar un espacio abierto y crear cosas mediante la mera sugestión... Por entonces tenía claro que quería presentar la música de una manera teatral, pero no sabía muy bien cómo hacerlo. Solía ir a ver las obras de The Living Theatre y de esos grupos conceptuales estadounidenses que se presentaban en la Roundhouse, y pensaba: «Si pudiera dar esta forma a un grupo musical, sería fantástico».

D. B., 1993

Por mediación de Kemp, Bowie conoció a una joven bailarina de nombre Hermione Farthingale, de la que quedó prendado. Posteriormente actuaron juntos, con el guitarrista Tony Hill, en un trío acústico que llamaron Turquoise. Cuando Hill abandonó el grupo, se incorporó a ellos John Hutchinson, y los tres formaron el trío multidisciplinar Feathers, en el que cantaban, bailaban, recitaban poesía y hacían mímica.

Ensayo, hacia finales de 1968, con su compañera de por aquel entonces Hermione Farthingale, dentro del trío multidisciplinar Feathers. Aunque tanto el grupo como la relación se disolverían al poco, la influencia de Hermione en el segundo álbum de Bowie es considerable, ya que tres de sus canciones las escribió sobre ella o para ella.

En febrero de 1969, la pareja se separó. David, profundamente afectado, se retiró a Beckenham. En abril estaba saliendo con una joven escritora llamada Mary Finnigan, y juntos decidieron abrir un club de folk en la parte trasera de un pub local. La idea era la de un centro de artes alternativas, algo que había puesto en marcha originalmente un estadounidense de gran iniciativa llamado Jim Haynes, con el Drury Lane Arts Lab.

Aquí no hay ningún pseudonada. Los centros de arte alternativo tienen la mala fama de ser pseudocentros de algo. Hay mucho talento en los alrededores de la ciudad, y como el triple en Drury Lane. Creo que el movimiento de las artes alternativas es sumamente importante, y que debería reemplazar a la idea de los clubes juveniles como un servicio social.

D. B., 1969

Las funciones nocturnas tuvieron mucha aceptación, con Bowie haciendo de mimo, declamando y actuando para un público que cada semana era más numeroso. Algunos de los que acudieron a estos actos dicen que la actuación de Bowie era fascinante. Y fue precisamente aquí donde cobraron forma muchas de las canciones de su segundo álbum.

Para entonces ya había abandonado los aires musicales londinenses en favor de un sonido de rock acústico. Las nuevas canciones eran largas, con letras bien pensadas, y en ellas exhibía todas sus habilidades musicales. Sus influencias eran Bob Dylan y Simon and Garfunkel, y la mejor manera de apreciar el importante cambio que estaba experimentando su música es repasando el desarrollo de la pieza que da nombre al disco, *Space Oddity*, el cual en un principio iba a llamarse simplemente como su antecesor, *David Bowie*.

En noviembre de 1968, Bowie se quedó fascinado con la película de Stanley Kubrick, *2011: A Space Odyssey* (*2001: Una odisea del espacio*). Desde ese momento, todo lo relacionado con el espacio, las formas de vida extraterrestre y los astronautas tendría una gran influencia sobre él.

Bajo la inspiración de Kubrick, en diciembre había escrito la canción a la que puso como título «Space Oddity», jugando con el nombre de la película. Después de mostrársela a Mercury Records (además de interpretarla en el cortometraje promocional *Love You Till Tuesday*, que fue financiado por su manager, Kenneth Pitt) y llegar a un acuerdo con la compañía discográfica, empezó a grabar en el mes de junio. La NASA había anunciado que para mediados de julio tendría lugar la llegada del primer hombre a la Luna, y Mercury Records quería sacar la canción de Bowie como un single para esa misma fecha.

El que iba a ser el productor del resto del álbum, Tony Visconti, a quien Bowie había conocido con motivo del interés de ambos por el misticismo oriental, pensó que «Space Oddity» era un mero producto comercial, así que Bowie inició la grabación con el productor Gus Dudgeon, además del pianista Rick Wakeman, el bajista Herbie Flowers, el batería Terry Cox y el guitarrista Mick Wayne. Todos produjeron un single casi perfecto: un arreglo musical pegadizo con curiosos efectos de sonido y un tema conciso sobre las dificultades de un astronauta, el mayor Tom, que se queda flotando para siempre en el espacio.

Con «Space Oddity» terminada para diciembre de 1968, las demás canciones que completaban el álbum serían en general más largas y llenas de cambios de tempo y texturas; muchas empezaban con guitarra acústica para terminar con toda la orquesta. Pero ninguna llega a la exquisitez de los arreglos pop y la precisión de «Space Oddity», que le proporcionaría a Bowie su primer single dentro de los diez primeros puestos de las listas del Reino Unido.

Tres de las canciones que siguieron las había escrito para Hermione Farthingale o sobre ella: «Letter to Hermione», «Unwashed And Somewhat Slightly Dazed» y «An Occasional Dream». En todas ellas hay un sentido de dolor y confusión que revela que fue Hermione la que decidió romper, no David.

Escribió también una canción sobre un festival libre que había ayudado a organizar, «Memory Of A Free Festival», a la que añadió un coro final al estilo de «Hey Jude». Fue regrabada y lanzada como un single en junio de 1970, pero no consiguió llegar a las listas de los más vendidos.

La canción «Janine», inspirada en la novia de su mejor amigo, sonaba como Peter Sarstedt, que había dominado las listas de ventas de aquel año en el Reino Unido con *Where Do You Go To (My Lovely)*. Al leer una noticia en un periódico acerca de una mujer de mediana edad a la que habían atrapado robando, Bowie escribió una canción desde la posición de la mujer, que tituló «God Knows I'm Good» [«Dios sabe que soy buena»]. La canción, por cierto, era buena. Y criticó el fondo de servilismo del movimiento hippy en la larga y compleja «Cygnet Committee».

En 1969, los hippies habían reemplazado el estilo mod como el centro de referencia de la cultura juvenil, pero a Bowie le desagradaban sus aires presuntuosos; en una entrevista de ese año para *Disc and Music Echo*, dijo que prefería a los skinheads, una declaración muy radical dada la reputación de peligrosos de ese grupo, y añadió: «Un cisne puede ser muy bonito, pero es completamente incapaz de nada».

Pero aun estando «Space Oddity» en la lista de éxitos, el álbum no se vendió demasiado. Bowie tendría que seguir esperando hasta el éxito de *Ziggy Stardust* para verlo remontar el vuelo. Mientras tanto, parecía una buena idea no seguir buscando aceptación como cantante y compositor de gran sensibilidad y tratar más bien de cambiar de aires con un álbum de heavy metal.

El manager de Bowie, Kenneth Pitt, intentó que George Martin produjera «Space Oddity», pero al legendario productor de los Beatles la canción no le pareció lo bastante buena. La misma pobre opinión tuvo el productor del álbum, Tony Visconti, que cedió la producción de la canción a Gus Dudgeon.

BECKENHAM ARTS LAB

No tenía idea de que hubiera tantos músicos que tocaran el sitar en Beckenham.

D. B., 1969

El original Arts Lab fue fundado en 1967 por el estadounidense Jim Haynes, una figura prominente de la contracultura en Gran Bretaña, cofundador, además, junto con Barry Miles y John Hopkins, del periódico *International Times* y, posteriormente, de *Suck*.

El Drury Lane Arts Lab solo estuvo en funcionamiento durante quince meses, pero tuvo una influencia enorme, habiendo llegado a exhibir incluso el primer *artwork* de John Lennon y Yoko Ono, en mayo de 1968.

Bowie fundó su propio «lab» el 4 de mayo de 1969 con su compañera de por aquel entonces, Mary Finnigan, y sus amigos Christina Ostrom y Barrie Jackson, en The Three Tuns, un pub situado en Beckenham High Street. El que antes había sido el club Growth resultó ser todo un éxito, y entre 1969 y 1973, una gran cantidad de talentos pasaron por sus puertas, entre ellos Marc Bolan, Steve Harley, Peter Frampton, Rick Wakeman y Lionel Bart.

Con el fin de recaudar fondos para las actividades del centro, el 16 de agosto de 1969 Bowie organizó un festival en el Beckenham Recreation Ground. Fue un evento discreto, casi más típico de pueblo que de ciudad, que su mirada idealizada inmortalizaría después en la canción «Memory Of A Free Festival».

LA IMPORTANCIA DEL MIMO

Yo cantaba las canciones de mi vida usando mi cuerpo, mientras él cantaba las canciones de su vida con su voz, de manera fabulosa; y pensamos que uniendo ambas cosas el público quedaría hechizado.

LINDSAY KEMP, 1974

El bailarín, coreógrafo y actor Lindsay Kemp nació en 1938 en South Shields, en el nordeste de Inglaterra. De niño, le gustaba maquillarse y subirse a bailar en la mesa de la cocina. Más tarde estudiaría danza con Hilde Holger y mímica con Marcel Marceau, antes de formar su propia compañía de danza a principios de la década de 1960.

Kemp, más que un artista de la mímica, se considera un bailarín conceptual, especialmente interesado en la técnica de danza japonesa conocida como *butoh*, de la que deriva el aspecto típico «tradicional» del mimo con la cara pintada de blanco y vestido del mismo color.

Es imposible exagerar la influencia que ha tenido Kemp sobre Bowie. Puede decirse que su estudio del teatro es lo que distingue a Bowie de otros artistas que luchaban por surgir en la década de 1960, y cuyos resultados se aprecian en sus elaboradas creaciones de personajes como Ziggy Stardust y el Thin White Duke, por no mencionar el interminable número de ingeniosas representaciones en vivo.

Desde el maquillaje al atuendo, las ideas [de Lindsay Kemp] de una realidad elevada y el compromiso de derribar los parámetros que establecen la diferencia entre el escenario y la vida se han mantenido firmes en mi espíritu.

D. B., 2002

Bowie recitando poesía en el Beckenham Arts Lab durante el verano de 1969 (*izquierda*).
Lindsay Kemp, interpretando a Salomé en la Roundhouse de Londres (*superior*). Kemp ha ejercido una profunda influencia en Bowie, que interpretó el papel de Cloud en la producción itinerante de Kemp *Pierrot In Turquoise*, de diciembre de 1967 a marzo de 1968.

THE MAN WHO SOLD THE WORLD 1970

“ME NIEGO A SER CONSIDERADO MEDIOCRE. SI ALGUNA VEZ LLEGO A SERLO, ME RETIRO”.

DAVID BOWIE, 1971

1970

Febrero – mayo
Se presenta con el grupo de acompañamiento The Hype.

Marzo
Sale en el Reino Unido «The Prettiest Star» / «Conversation Piece» (no llega a las listas).

h. marzo
Tony Defries y Laurence Myers, de Gem Productions, son los nuevos managers de Bowie.

20 de marzo
Se casa con Mary Angela «Angie» Barnett.

10 de mayo
Gana el premio Ivor Novello por la «mejor canción original» con «Space Oddity».

Junio
Sale en el Reino Unido «Memory Of A Free Festival (Part 1)» / «Memory Of A Free Festival (Part 2)» (no llega a las listas).

4 de noviembre
Sale en Estados Unidos *The Man Who Sold The World* (no llega a las listas).

1971

Enero
Sale en el Reino Unido «Holy Holy» / «Black Country Rock» (no llega a las listas).

Febrero – mayo
Viaja por primera vez a Estados Unidos para promocionar su nuevo álbum.

Abril
Sale en el Reino Unido *The Man Who Sold The World* (no llega a las listas).

Página 33: Durante un descanso en una grabación para el programa de la televisión holandesa *Ready, Eddy, Go!*, el 18 de julio de 1970.

Página anterior: En el umbral de la fama, Bowie dirige la mirada hacia lo más alto. Haddon Hall, Beckenham, Kent, 1970.

Superior: el matrimonio Bowie posa en el día de su boda con la madre de David, Peggy, a la salida del Registro Municipal de Bromley, el 20 de marzo de 1970.

Con la perspectiva de los derechos por cobrar provenientes del single «Space Oddity», que había alcanzado el 5.° lugar en las listas de ventas, en el verano de 1969 Bowie se mudó a Beckenham, donde alquiló un piso en los bajos de una gran casa de estilo gótico llamada Haddon Hall para vivir con su nueva compañera, Angie Barnett. Se habían conocido durante una actuación de la banda King Crimson en el Speakeasy, y desde entonces habían sido inseparables. Se casaron al cabo de un año.

Haddon Hall sería de gran importancia en el cambio de personalidad que se produciría en Bowie, que empezó, junto con Angie, a experimentar a todos los niveles, entre ellos el sexual. El ambiente de la casa se tornó decadente; las drogas y las exploraciones sexuales en las que se embarcaba Bowie se reflejaron en su música. En «The Man Who Sold The World» sonaba como un ser desenfrenado cantando pleno de lujuria y provocación.

Y es que, en el fondo, artísticamente estaba deprimido, inseguro de sí mismo. Su padre había muerto hacía poco, y su segundo álbum no había tenido buenas ventas. Tony Visconti y su novia, Liz Hartley, tenían también una habitación en la casa de Haddon Hall. En una entrevista para la BBC Radio en 1976, Visconti recordaba: «Bowie no sabía qué quería hacer. Cuando al fin terminamos el álbum *Space Oddity*, nos dijimos que esa no era la dirección que queríamos seguir, porque a una canción tan buena, el álbum en realidad no le aportaba nada».

Otro single, «The Prettiest Star», grabado a principios de enero de 1970, no hizo más que aumentar el malestar. Era una buena canción pop, que contaba incluso con la guitarra de Marc Bolan, pero, una vez más, no había conseguido impresionar al público británico.

Las cosas empezaron a mejorar cuando Bowie se presentó en el Marquee a principios de febrero y conoció a quien podía ayudarlo a escalar la cima del mundo musical. Se llamaba Mick Ronson, y congeniaron casi al instante.

Una evidencia de esa compenetración fue que solo dos días más tarde los dos estaban presentando la nueva creación de Bowie, «Width Of A Circle», para una emisión del programa *John Peel Radio Show*. Ronson admiraba a Jeff Beck y Eric Clapton, así como a los Cream; los sonidos del heavy rock inspirados por estos ídolos y su incuestionable habilidad como primera guitarra eran exactamente lo que Bowie necesitaba para lo que estaba haciendo en ese momento.

Cuando Visconti le dijo a Bowie que tenía que cambiar de enfoque, este estuvo de acuerdo. Lo que necesitaban, añadió, era una banda. Con Ronson en la guitarra y Visconti en el bajo, Bowie trajo al batería John Cambridge. Se llamaron David Bowie and The Hype,

y negociaron una actuación para el 22 de febrero en la Roundhouse de Londres. Según Visconti, ese concierto fue el precursor del fenómeno del glam rock que poco después arrasaría en el Reino Unido. Si resultó así, fue gracias a la relación de David con Angie.

Bowie era muy consciente de la importancia del vestuario y la imagen. En 1967 había adoptado un estilo mod. En cambio, en su intento de penetrar en el mercado como cantante-compositor con *Space Oddity*, había estado vistiendo de la manera que convencionalmente lo hacían las estrellas de rock del momento: pelo largo, pantalones de campana y camisas desteñidas. Para este nuevo proyecto, él y Angie decidieron dejar los vaqueros y vestir de manera extravagante y llamativa:

Llamamos a algunas amigas, que nos hicieron esos trajes con los que nos parecíamos al Dr. Strange o al increíble Hulk. Me sentía un poco aprensivo con esas ropas, no sabía si debía presentarme así en la Roundhouse porque no sabía cómo reaccionaría el público. Si lo veían como una gigantesca burla todo podía salir mal, pero parecieron aceptarlo, lo que estuvo bastante bien.

D. B., 1970

La banda también se incorporó al proyecto con nuevo vestuario y nuevos nombres. Visconti se llamaría «Hyperman» y llevaría una capa y unos calzoncillos plateados. Ronson sería «Gangsterman», vestido con un traje de lamé dorado, y Cambridge pasaría a ser «Cowboyman». La multitud quedó sorprendida y fascinada a partes iguales, aunque Bowie recuerda la actuación como un desastre, hasta el punto de que el único que aplaudió fue Marc Bolan, que estaba al frente de la multitud vestido de soldado romano con un peto de juguete.

Ese mismo año Bowie volvió a reunirse con Lindsay Kemp para otras actuaciones, lo que no hizo sino confundirlo interiormente aún más. ¿Qué era él? ¿Un cantante y compositor de rock, o un mimo? Y fue precisamente en su casa de Haddon Hall donde al fin vio claro su futuro.

Sopesando sus opciones con una baraja de cartas desparramada por el suelo: en la *chaise longue* de Haddon Hall, Bowie asume la pose con la que saldría en Gran Bretaña la portada original del álbum *The Man Who Sold The World*. Después se puso una ropa algo más cómoda. La versión estadounidense del disco apareció con una portada menos controvertida, al estilo del lejano Oeste (*véase* pág. 35).

Comprendí que todo se debía a mi deseo de ser conocido. Quería que se me viera no como una tendencia del momento, sino como alguien que marca tendencias. No quería ser una tendencia, sino el instigador de nuevas ideas. Quería llevarle a la gente cosas y perspectivas nuevas. Me planteé usar el medio más sencillo, que era el rock'n'roll, e ir añadiéndole cosas y detalles a lo largo del tiempo, de modo que al final yo fuera mi propio medio de expresión.

D. B., 1976

Como más tarde confesaría Ronson, «sabíamos que había algo en David, aunque no supiéramos exactamente qué».

El grupo empezó a grabar en abril de 1970, cuando solo contaban con una canción terminada, «Width Of A Circle». Bowie tenía algunos títulos más y unos cuantos acordes, pero eso era todo. Uno de esos títulos, «The Man Who Sold The World» [«El hombre que vendió el mundo»], estaba inspirado en la novela corta de ciencia ficción de 1950 de Robert Heinlein *The Man Who Sold The Moon* (*El hombre que vendió la Luna*), acerca de un individuo que quiere viajar a la Luna para apoderarse de ella.

El productor, Visconti, trataba siempre de que todo marchara bien, pero recuerda que en toda aquella grabación tenía los pelos de punta, principalmente porque a Bowie no se le veía tan concentrado como en otros proyectos.

El encanto de su joven esposa, Angie, y el estilo decadente que habían adoptado en los últimos tiempos parecían estarlo distrayendo de su objetivo. Sin embargo, Bowie logró escribir ocho canciones en el tiempo fijado, muchas de ellas bastante densas, musicalmente hablando. Solía reunir a la banda para mostrarle su trabajo, grabar la parte de cada uno, y dejarles a Visconti y Ronson la responsabilidad de los arreglos y la producción.

Ronson le pidió a Visconti que tocara como Jack Bruce para combinarlo con su propio estilo de guitarra inspirado en Clapton y Beck. El resultado fue un álbum de heavy rock, cuyos temas eran los problemas familiares de Bowie expresados a través de una imaginería inspirada en elementos de ciencia ficción (todos decían que «All The Madmen» trataba sobre su medio hermano Terry) o en ideas filosóficas radicales extraídas de los libros que leía por aquel entonces. En 1975 reconoció que después de leer un libro solía destilar su esencia en una canción, como hizo con «The Supermen», inspirada en el libro de Friedrich Nietzche *Jenseits von Gut und Böse* (*Más allá del bien y del mal*).

Aunque el álbum no se vendió bien, no son pocos (Morrissey entre ellos) los que citan *The Man Who Sold The World* como su álbum favorito entre todos los de Bowie. Su creador, en cambio, no está tan seguro.

Fue una pesadilla. Llegué a detestar todo el proceso. Nunca había hecho un álbum con ese nivel de profesionalidad, y eso me asustaba: de algún modo, me hacía sentir incapaz. Habría querido hacerlo en un cuatro pistas cada vez. Al final resultó demasiado rebuscado...

D. B., 1976

Poco después de terminar la grabación, Bowie, Mick Ronson, Tony Visconti y Mick Woodmansey, conocido como «Woody» (que había reemplazado a John Cambridge en la batería en marzo de 1970) siguieron caminos separados. El álbum salió en el Reino Unido en abril de 1971 (después de hacerlo en Estados Unidos en noviembre de 1970 con una portada diferente), y todos quedaron boquiabiertos cuando vieron la portada: era Bowie, echado en una *chaise longue* con un naipe en la mano, mirando despreocupadamente a la cámara... ¡y llevaba puesto un vestido!

El vestido en cuestión lo había confeccionado una sastrería de Londres llamada Mr. Fish, situada en Clifford Street, Mayfair, donde trabajaba un viejo amigo del colegio de Bowie, Geoff MacCormack, que participaría después en varias grabaciones con el nombre de Warren Peace. Fish era el mismo que había diseñado el vestido que llevó Mick Jagger en el concierto que dieron los Stones en Hyde Park, solo dos días después de la muerte del guitarrista Brian Jones, en julio de 1969. Bowie decidió hacer suya aquella imagen, pero de una manera más provocativa.

Y es que, tal como comentaría Visconti en 1975, «siempre quiso ser rompedor. Invitaba a toda clase de gente extravagante a donde estábamos viviendo, que es otra razón por la que me fui de allí. No pude aguantar la constante ida y venida por la casa de tanta gente estrafalaria. Y en cuanto alguien se iba, si por ejemplo tenía un estilo teddy-boy, David se precipitaba al espejo del baño para ensayar su peinado. Definitivamente, estaba a la busca de una imagen por aquel entonces».

Pero el instigador de nuevas ideas ya nos llevaba la delantera.

Página anterior: En una actuación en la Roundhouse de Londres con su nueva banda, The Hype, 11 de marzo de 1970.

Esta página, imagen superior: El guitarrista de The Hype, Mick Ronson, contribuiría de forma muy notable al desarrollo de la carrera de Bowie durante los tres años siguientes, no solo por su magistral manejo de la guitarra, sino también por sus múltiples habilidades como arreglista.

Imagen inferior: Bowie «investido» como estrella del rock delante de Haddon Hall, la mansión gótica en la que tuvo un piso de 1969 a 1973 y que utilizó como fondo para varias de sus provocadoras imágenes.

HUNKY DORY 1971

"NO ERA UN ARTISTA DEL RHYTHM & BLUES NI UNO POP, Y NO LE VEÍA SENTIDO A TRATAR DE SER PURISTA... ME GUSTABA LA IDEA DE PONER A LITTLE RICHARD JUNTO CON JACQUES BREL Y THE VELVET UNDERGROUND DE FONDO PARA VER CÓMO SONABA".

DAVID BOWIE, 2011

DAVID BOWIE
Exclusively on RCA
RCA Records and Tapes

1971

Mayo

Sale en el Reino Unido «Moonage Daydream» / «Hang On To Yourself», con el nombre de grupo Arnold Corns (no llega a las listas).

30 de mayo

Nace su hijo, Duncan Zowie Haywood Jones.

23 de junio

Se presenta en el festival Glastonbury Fayre.

Septiembre

Viaja a Nueva York para firmar un contrato discográfico con la RCA. Conoce a Andy Warhol.

17 de diciembre

Sale *Hunky Dory* (3.er lugar en las listas del Reino Unido y n.° 93 en Estados Unidos).

Página 41: Fotografía publicitaria para *Hunky Dory*, el primer álbum de Bowie con la discográfica RCA.

Página anterior y superior derecha: En su primera visita a Estados Unidos, Bowie toca informalmente en una fiesta de un amigo del publicista Rodney Bingenheimer, en Los Ángeles, febrero de 1971.

Superior izquierda: Fotografía con el diseñador de ropa Freddie Burretti para la portada de *Curious*, «revista de educación sexual para hombres y mujeres». Además de diseñar muchos de los trajes de Bowie para el escenario, Burretti sería también la aparente cabeza visible del grupo Arnold Corns, uno de los proyectos secundarios de Bowie.

A Bowie siempre le habían llamado la atención Estados Unidos, así como Japón. Veía Norteamérica como un lugar lleno de promesas y oportunidades, en franco contraste con la gris y estirada Inglaterra, donde la gente se iba a la cama a las doce acompañada de una taza de té y del himno nacional. En cambio, Estados Unidos era un espacio vivo, en permanente expansión y abierto a quienes tenían la determinación de triunfar, como él. Cuando llegó allí en febrero de 1971, se sintió enseguida fascinado por la energía y la sensación de grandeza que se respiraba en el país.

Ha ido para promocionar el álbum *The Man Who Sold The World*, pero no tiene mucho éxito. A pesar de haber atraído bastante atención, no llega a las listas de los más vendidos. Al contrario, queda bastante lejos. Pero desde otro punto de vista, el viaje es todo un éxito: Bowie asimilará todo aquello que representa Estados Unidos, y ello cambiará su música irrevocablemente, poniéndolo en la vía del estrellato. Pasará de lo épico a lo concreto. *Hunky Dory* será el primero de sus discos en acusar el cambio, de ahí que, con el tiempo, se haya convertido en su primer álbum realmente clásico.

Hubo razones para el cambio. Sucedieron dos cosas importantes... En primer lugar, fui a Estados Unidos para promocionar The Man Who Sold The World *durante tres meses y, cuando regresé, tenía una percepción completamente nueva de la composición, por lo que mis canciones empezaron a cambiar desde ese mismo momento. En segundo lugar, a mi vuelta contaba con una nueva discográfica, RCA, así como con una nueva banda.*

D. B., 1972

Hunky Dory es un trabajo espontáneo y seguro, un disco de revelación, no de decepción. Aunque en la portada aparece David evocando el espíritu de Greta Garbo, en las canciones se muestra tal cual es, sin asumir ningún personaje. *Hunky Dory* es Bowie, el compositor, el artista que se mueve con soltura entre distintos estilos, el autor de letras de gran fuerza expresiva. Como todo álbum clásico, es un producto cuyo valor reside en sí mismo, contenido dentro de su propio sentido lógico. Grabado en solo dos semanas, no tiene, sin embargo, un aire apresurado, sino que fluye con ideas musicales inteligentes y una imaginería impactante y también, a veces, ligeramente turbadora.

Bowie empezó a grabar a principios de junio de 1971 sintiéndose optimista y seguro de sí mismo, cuando ya había escrito la mayoría de las canciones del álbum..., y otras que luego aparecerían en *Ziggy Stardust*. Su canción «Oh! You Pretty Things» estaba a punto de convertirse en un éxito del cantante Peter Noone (alcanzó la 12.ª posición en las listas del Reino Unido en mayo de 1971). La compañía de management de Bowie, Gem (que poco después cambiaría por MainMan) no había conseguido firmar con Stevie Wonder, por lo que habían puesto todo su empeño en él. Y Bowie se había reunido con el guitarrista Mick Ronson (se cuenta que le dijo, simplemente: «Tú no quieres quedarte en Hull, ¿verdad?») y con el batería Mick «Woody» Woodmansey, que trajo al bajista Trevor Bolder, para formar un núcleo musical en el que pudiera sentirse a gusto. Los cambios produjeron un resultado inmediato.

Hunky Dory contiene dos clásicos incuestionables: «Changes» y «Life On Mars?». Dentro del espíritu abierto del álbum, ambas exigían que Bowie diera todo de sí como cantante. En particular, «Changes», plena de melodía, tiene uno de los coros más entusiastas del autor, que deja bien clara su nueva actitud e inspiración: *Ah, strange fascination fascinating me* [«Ah, extraña fascinación que me fascina...»].

«Life On Mars?» es pop épico, con letra y música típicamente de Bowie. Es una canción inspirada en el rechazo; no, como se ha dicho, por el fin de la breve pero intensa relación con la actriz y bailarina Hermione Farthingale, sino por el éxito que estaba teniendo Frank Sinatra con la versión en inglés de una canción francesa, «Comme d'Habitude», para la cual Bowie había escrito su propia versión, «Even A Fool Learns To Love», que finalmente había sido rechazada en 1968. La versión de Sinatra, escrita por Paul Anka, se llamó «My Way».

El desquite de Bowie, aparte de la dedicatoria a «Frankie» en las notas de la carátula interior, fue incorporar unos acordes de «My Way» en la canción «Life On Mars?». Llena de evocaciones de Estados Unidos, posteriormente la definió como una canción de amor sobre una chica de un pueblo pequeño que sueña con una vida de grandeza.

Lo más notable de *Hunky Dory*, y lo que quizás explique su fracaso inicial en las listas (aunque más tarde se convertiría en el segundo álbum más exitoso de Bowie, después de *Ziggy Stardust*, permaneciendo durante semanas en las listas), es que en realidad tiene muy poco que ver con el ambiente musical de 1971. Aparte de la guitarra de Mick Ronson al estilo Faces en «Eight Line Poem», la apropiación ocasional que hace Bowie de Ray Davies en su interpretación de «Lola» y el hecho de que una buena parte del álbum tenga como instrumento principal el piano (como el exitoso *Tapestry*, de Carole King), hacen que *Hunky Dory* sea un álbum que se sostiene por sí solo.

Es un trabajo que nos permite apreciar a Bowie como compositor, admirar la impresionante facilidad con que puede crear una melodía o cambiar de ritmo, desde la encantadora canción «Kooks» (escrita para su hijo recién nacido, Zowie, que después se llamará Duncan), pasando por el sentimiento de «Fill Your Heart» (originalmente de Biff Rose), hasta sus más comprometidas incursiones como compositor y cantante en «Quicksand» y «The Bewlay Brothers».

A propósito de «Quicksand», ya la versión demo (en la que Bowie toca la guitarra acústica) es de una belleza extraordinaria, pero en el disco tiene una cadencia algo más lenta, con mayor énfasis en la letra, lo que hace que las dramáticas disminuciones y avances de la expresión musical destaquen la fuerza de las imágenes transmitidas por Bowie junto con las incertidumbres del compositor.

La participación de Mick Ronson en la canción toma relevancia. Bowie le dio plena libertad en los arreglos, lo que el guitarrista aprovechó para incorporar un conjunto completo de elementos musicales que nunca desembocan en lo obvio.

La inspiración y el influjo de Estados Unidos queda patente desde el mismo título del álbum [*Hunky Dory*, «Está todo bien»], que era una expresión todavía poco conocida en Gran Bretaña, así como en las canciones «Andy Warhol», «Song For Bob Dylan» y «Queen Bitch», además de «Fill Your Heart», escrita junto con el cantante y comediante estadounidense Biff Rose.

El pop-art de Andy Warhol y su enfoque de los iconos culturales casaban bien con la estética de Bowie. Cuando se conocieron en Nueva York, estuvieron juntos durante una hora sin decir una palabra, hasta que el primero mostró interés por los zapatos de Bowie.

Eran unos bonitos zapatos, pequeños, amarillos y con una tira por encima, como los de una chica. Le encantaron. Me enteré de que, siendo más joven, había hecho muchos diseños de zapatos. Tenía algo así como un cierto fetichismo.

D. B., 2003

Cuando, mucho después, la canción de Bowie llegó a oírse por la radio, Warhol preguntaría directamente si no le correspondía el cobro de derechos por el uso de su nombre. El hecho es que no.

«Don't pick fights with the bullies or the cads, 'cause I'm not much cop at punching other people's dads» [«No busques pelea con matones o camorristas, porque no soy un poli para pegarles a los papás de los demás»] (de la letra de «Kooks»): de paseo con Angie y el hijo de ambos recién nacido, Zowie, en Beckenham, junio de 1971. Zowie, que luego escogió el nombre de Joe, ya adulto volvió a su nombre original, Duncan Jones, y se convirtió en un exitoso director de cine, creador de *Moon* (2009) y *Source Code* (*Código fuente*, 2011).

«Song For Bob Dylan» es otra pieza de *pop art*, el saludo de David a un artista que ha cautivado a toda una generación. El retiro de Dylan de la locura que se había formado a su alrededor a mediados de la década de 1960 había dejado confundida a mucha gente, y la pretensión de Bowie es mostrar a Dylan como la cara visible del auténtico Robert Zimmerman, un reconocimiento de que detrás de cada estrella hay un ser humano.

«Queen Bitch» es el tributo de Bowie a The Velvet Underground. Gran entusiasta del grupo, tenía un disco original en acetato de su primer álbum, que le había regalado Kenneth Pitt, quien se lo había comprado directamente a Andy Warhol en noviembre de 1966. Los elementos de la canción no son únicamente la Nueva York que pinta Lou Reed de *drag queens*, hoteles cochambrosos, drogas y sexo desenfrenado e ilícito, sino que además apunta ya en la dirección de *Ziggy Stardust*.

La pieza que cierra el álbum, «The Bewlay Brothers», es portentosa y está llena de trampas y pistas falsas deliberadamente colocadas, como confesaría Bowie más tarde, para confundir a los desaforados seguidores del significado oculto de sus letras.

A pesar de todo eso, *Hunky Dory* tuvo muy poco éxito cuando apareció, llegando a vender tan solo 5.000 copias en los primeros tres meses, y no conseguiría despegar comercialmente hasta el momento en que estalló la Ziggymanía. Era un álbum adelantado a su época, que no guardaba ninguna relación con el rock o el pop en boga por aquel entonces. Carente de un gran tema general o un propósito manifiesto, es solo una colección de canciones que son, no obstante, intemporales. Pero el hecho de que mientras Bowie estaba escribiendo y grabándolas ya estuviera trabajando simultáneamente en el fabuloso álbum que vendría después demuestra por qué no tardaría en convertirse en la deslumbrante estrella que finalmente llegó a ser.

«La colección más inventiva de canciones que se hayan reunido en disco durante mucho tiempo».

Melody Maker, enero de 1972

ANDY, IGGY Y LOU

Cuando Bowie llegó a Nueva York en 1971, se encaminó directamente al centro del escenario artístico *avant-garde* de la ciudad, en torno a la Factory de Andy Warhol y el Max's Kansas City, el local nocturno de Mickey Ruskin. La gente a la que conoció allí pasaría a desempeñar un papel de gran importancia en su vida y en su carrera.

Por una parte estaban Cherry Vanilla y Leee Black Childers, habituales del Max's Kansas City, quienes se involucraron en la compañía de management de Bowie, MainMan; y por la otra, el legendario Lou Reed y el que también muy pronto sería legendario, Iggy Pop.

Bowie ayudó a reavivar la carrera de Lou Reed después de que abandonara The Velvet Underground cantando sus canciones, invitándolo a presentarse en el Royal Festival Hall de Londres y coproduciendo *Transformer* en pleno auge de la Ziggymanía. Pero después de llegar a las manos en el transcurso de una cena en 1979, no se hablaron durante casi veinte años, hasta que Reed actuó en un concierto en 1997 con motivo del 50.° cumpleaños de Bowie. Posteriormente, en 2003, este aparecería como cantante invitado en el álbum de Reed *The Raven*.

En 1972, Bowie colaboró también en la producción del clásico *Raw Power*, de Iggy and The Stooges. Y tres años después, cuando Iggy Pop ingresó en el hospital para tratarse de su adicción a las drogas, Bowie lo visitó con frecuencia. Luego, en 1976, ambos viajaron a Berlín con la intención de superar sus respectivas adicciones. Después de grabar *Low*, Bowie ayudó a Iggy en su primer disco como solista, *The Idiot*, escribiendo y participando en la grabación de sus canciones, y lo acompañó en su gira como un miembro más de la banda, tocando los teclados y tratando de mantener un bajo perfil. Al terminar la gira, en solo ocho días le ayudó a escribir y producir su siguiente disco, *Lust For Life*, y en 1986 coprodujo el álbum de Iggy *Blah Blah Blah*.

La relación de Bowie con Warhol fue más distante; nunca llegaron a intimar, aunque interpretaría el papel del artista en la película de 1996 *Basquiat*.

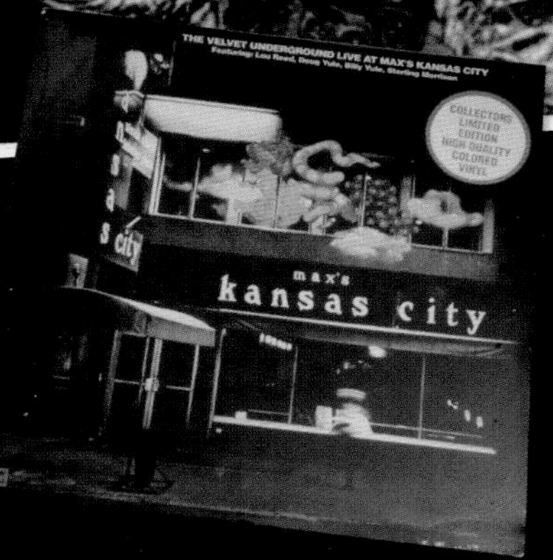

¿Un día perfecto? David Bowie, Iggy Pop y Lou Reed en el hotel Dorchester de Londres, en julio de 1972. Bowie había estado el año anterior en Nueva York con Iggy y Lou, en locales como el Max's Kansas City, que se ve en esta página en la cubierta del disco de los Velvet Underground, *Live At Max's Kansas City*, pero no ofreció un concierto como tal en Estados Unidos hasta el 22 de septiembre de 1972, en el Cleveland Music Hall (*véanse* págs. 48-49, con Mick Ronson).

"ME CONVERTÍ EN ZIGGY STARDUST. DAVID BOWIE DESAPARECIÓ POR COMPLETO, COMO SI HUBIERA SALIDO POR LA VENTANA. TODOS TRATABAN DE CONVENCERME DE QUE ERA UN MESÍAS... Y YO ACABÉ PERDIÉNDOME DEL TODO EN ESA FANTASÍA".

DAVID BOWIE, 1976

1972

Enero

Sale «Changes» / «Andy Warhol» (no llega a las listas en el Reino Unido; en Estados Unidos alcanza la posición 41).

22 de enero

Se declara bisexual en una entrevista para la revista *Melody Maker.*

29 de enero

Primera presentación de Ziggy Stardust and The Spiders From Mars, en el Friars de Aylesbury, Buckinghamshire.

Abril

Sale «Starman» / «Suffragette City» (alcanza el 10.° lugar en el Reino Unido y el 65.° en Estados Unidos).

6 de junio

Sale en el Reino Unido *The Rise And Fall Of Ziggy Stardust And The Spiders From Mars* (5.° en las listas).

17 de junio

Por primera vez simula una felación a la guitarra de Mick Ronson, en el Oxford Town Hall.

30 de junio

Tony Defries constituye MainMan y se convierte en manager exclusivo de Bowie.

Julio

Sale en el Reino Unido «All The Young Dudes», del grupo Mott The Hoople.

6 de julio

Legendaria emisión de «Starman» en el programa televisivo de la BBC *Top Of The Pops.*

8 de julio

Se presenta a dúo con Lou Reed en el concierto benéfico Save The Whale [Salvemos a las ballenas], en el Royal Festival Hall de Londres, en la primera presentación de Reed en el Reino Unido.

Agosto

Sale en el Reino Unido «Hang On To Yourself» / «Man In The Middle», con el nombre de grupo Arnold Corns (no llega a las listas).

19-20 de agosto

Relanzamiento de la gira de Ziggy Stardust, con actuaciones en el Rainbow Theatre de Londres.

Septiembre

Sale en el Reino Unido «John, I'm Only Dancing» / «Hang On To Yourself» (alcanza la 12.ª posición).

1 de septiembre

Sale en Estados Unidos *The Rise And Fall Of Ziggy Stardust And The Spiders From Mars* (75.° en las listas).

Página 51: Tocando informalmente (aquí sin Weird y Gilly, de The Spiders From Mars) en el Birmingham Town Hall, el 17 de marzo de 1972. Fotografía tomada por Mick Rock, un asiduo observador de Ziggy; conocido como «el hombre que fotografió la década de 1970». Rock también dirigió los vídeos de «John, I'm Only Dancing», «The Jean Genie», «Space Oddity» y «Life On Mars?».

Página anterior: Fotografía tomada durante una entrevista celebrada en su casa, en abril de 1972. La prensa musical mostró gran interés en Bowie desde que se declarara bisexual en enero de ese año.

Con ese gesto, David Bowie pasó de ser una estrella pop a todo un fenómeno. Al día siguiente, chicos y chicas de todo el país comentaban en el patio de la escuela: «¿Viste anoche al tipo que se presentó en *Top Of The Pops* echarle el brazo encima al guitarrista?».

Y esos chicos, esa misma tarde del viernes, a la salida del colegio, estaban en las tiendas de discos comprando un álbum llamado *The Rise And Fall Of Ziggy Stardust And The Spiders From Mars*. La Bowiemanía había comenzado. Y fue una auténtica manía, uno de esos momentos de la cultura popular en los que a todos los adolescentes del país les da por seguir incondicionalmente a alguien. Para que suceda ago así tienen que darse varios condicionantes, entre ellos una estupenda música de cierto tipo, una manera de mostrarse en público, un estilo y una filosofía. Y en Bowie confluían todos esos elementos. Después de años de esfuerzo, al fin había logrado aunar un sonido con una manera de ver el mundo, y eso calaba hondo en el espíritu juvenil. Todos, chicos y chicas, se abalanzaron tras él.

La explosión de creatividad que había desembocado en este momento memorable se había iniciado en aquel viaje a Estados Unidos a principios de 1971. En Chicago, alguien le dio a Bowie un single de un artista de Mercury Records, The Legendary Stardust Cowboy. Norman Carl Odom –el nombre verdadero del cowboy– era un artista de psychobilly que estaba fascinado con la luna.

Dos semanas después, en una emisora de radio de San José, California, Bowie oyó por primera vez el nombre de Iggy Pop. Le llamó tanto la atención que copió el nombre de Iggy, añadiéndole una Z al comienzo, y lo unió con Stardust. Enseguida se sintió cautivado por su creación, Ziggy Stardust, proyectándola como un álter ego en el que se fundirían todos sus intereses hasta ahora en apariencia contrapuestos: la mímica, el vestuario, el teatro y el rock'n'roll, todo en una radiante y armoniosa unidad.

Fue su momento «eureka». Sus incertidumbres se habían desvanecido de golpe, al tiempo que se le abría un mundo lleno de posibilidades. Se embarcó en una travesía de creatividad que se mantendría durante toda la década de 1970. Sus años dorados estaban al caer y eso ya se intuía con la fortaleza de las canciones que había compuesto para *Hunky Dory*.

Pero, a pesar de la estudiada genialidad del álbum, la mayoría de sus ideas giraban ya en torno a Ziggy. Cuatro meses antes del lanzamiento de *Hunky Dory*, Bowie anunció su intención de crear *The Ziggy Stardust Stage Show*, un musical acompañado de un álbum del mismo nombre: una ópera rock, como lo que habían hecho los Who con *Tommy*. Sería la historia de un extraterrestre que llega a la Tierra cuando al planeta le quedan solo cinco años de existencia.

Bowie interpretaría a Ziggy en cada actuación y, cuando se cansara del personaje, se lo dejaría a otro de los cantantes/actores.

La idea de una figura rock de gran trascendencia me llegó hacia finales de 1970. El rock parecía haber encallado en algún condenado rincón. Todo se había vuelto bastante aburrido, sin nada que ver con la actitud y los vuelos de la década de 1960.

D. B., 2002

Tres meses después, en noviembre de 1971, Bowie entraba en los estudios de grabación Trident Studios con Ken Scott como coproductor, como había hecho para *Hunky Dory*. Pero antes de empezar, le dijo: «No te va a gustar este álbum. Se parecerá mucho a Iggy Pop». No se pareció, lo que Bowie lamentó mucho artísticamente.

Había conocido a Pop en Nueva York en septiembre de ese año, y también a Warhol. Aunque este se mantuvo distante y hasta desdeñoso, Bowie se sintió impresionado por él, al que había elogiado en sus canciones desde 1967. Warhol era raro, creativo y exitoso, la prueba viviente de que con una visión propia se puede ganar el mundo. Y su sola presencia le transmitía una gran confianza.

Por su parte, Iggy Pop era pura adrenalina. Cuando conoció a Bowie, estaba en medio de tres días a tope, sin dormir; aun así, llegó a agobiarle con su incansable energía. Hubo un momento en que incluso se rompió una botella de cerveza en la cabeza. Bowie decidió seguir el modelo de esos bríos imparables en su próximo álbum.

Ya había grabado una demo de su nueva canción, «Shadow Man», que, sin embargo, no llegaría a grabar, y empezó a trabajar en otras tres, que tampoco terminaría: «It's Gonna Rain Again», «Only One Paper Left» y «Looking For A Friend».

Que estaba rebosante de ideas lo demuestra el hecho de que empezara a grabar no menos de trece canciones nuevas, diez de las cuales terminarían en el álbum de *Ziggy*, además de dos temas de otros autores: «It Ain't Easy», de Ron Davies, y «Amsterdam», de Jacques Brel. Entre el 8 y el 15 de noviembre de 1971 grabó, junto con su banda, «Star» (originalmente titulada «Rock 'n' Roll Star»), «Hang On To Yourself», «Moonage Daydream», «Five Years», «Soul Love», «Lady Stardust» (originalmente titulada «He Was Alright – The Band Was All Together»), «Sweet Head» y «Velvet Goldmine» (originalmente titulada «He's A Goldmine»), aunque las dos últimas no llegaron a la grabación final. Y hasta tuvieron tiempo para un *remake* de «The Supermen», que se destinó al álbum recopilatorio *Revelations: A Musical Anthology For Glastonbury Fayre*, que salió en 1972.

Para cuando salió a la venta *Hunky Dory* en diciembre de 1971, dos terceras partes de *Ziggy Stardust* ya estaban terminadas; el resto («Suffragette City», «Rock 'n' Roll Suicide» y «Starman») se completó en solo dos cortas sesiones más de grabación entre el 12 y el 18 de enero, y el 4 de febrero de 1972.

Cuando se considera el fenómeno de Ziggy Stardust, hay que tener en cuenta también la vestimenta de Bowie. En la cultura pop, los conceptos intelectuales son más fáciles de vender cuando tienen la apariencia adecuada, como reconocería el propio Bowie más tarde:

Ambas películas [2001: A Space Odissey (2001: Una odisea del espacio) *y* A Clockwork Orange (La naranja mecánica)] *me inspiraron una idea básica: que no había una línea de continuidad en la vida que estábamos llevando. No estábamos evolucionando, sino simplemente sobreviviendo. Y los trajes eran fabulosos:* 2001 *con esa ropa casual ultramoderna al estilo de Courrèges, y los modelos de los* droogs *de La naranja, despampanantes.*

D. B., 2002

En Estados Unidos, Bowie había vestido ropa de Mr. Fish, y en Haddon Hall había experimentado con el pelo y diversas formas de maquillaje. Era consciente de que era uno de los primeros artistas que incorporaba el maquillaje en sus actuaciones y que experimentaba con el vestuario, pero muy a su pesar se vio desplazado comercialmente por su amigo y rival Marc Bolan.

Bolan había usado elementos brillantes en la ropa cuando se presentó por televisión en 1970 (poco después de la espléndida aparición de Bowie con su traje brillante en la Roundhouse), y por aquel entonces era aclamado como pionero del glam rock. Bowie solo podía mirar con envidia su éxito arrollador, basado en una serie de singles pegadizos.

Página siguiente: Trajes de la era espacial como este, a años luz de distancia del «infierno de pantalones vaqueros» al que había ido a parar el rock a principios de la década de 1970, fueron un elemento primordial de la «mutación descontrolada» de Ziggy, que había convertido al personaje en estrella de rock.

Bowie sabía que para jugar y ganar hay que prever los movimientos con antelación, y también hay que ser atrevido. Mick Jagger había usado un vestido en una de sus actuaciones; él se había puesto otro para la portada de un álbum. Bolan había cambiado en algo su aspecto incorporando maquillaje y elementos brillantes en su vestuario. Así que, ahora, Bowie se convertiría en una nueva persona. Para ello, recurrió al diseñador Freddie Burretti.

Se habían conocido en 1971, en un club de Londres situado en Kensington High Street, llamado Sombrero. Congeniaron, compartiendo intereses por la ropa y sus posibilidades expresivas. Pronto, Burretti se convirtió en un visitante asiduo de Haddon Hall, y Bowie llegó a formar una banda a la que llamó Arnold Corns, en la que Burretti asumió el papel de cabeza visible. En mayo de 1971 salió un single cuyas dos canciones, «Moonage Daydream» y «Hang On To Yourself», aparecerían más tarde en *Ziggy*, pero, como la mayoría de las creaciones de Bowie hasta ese momento, no logró tener éxito en las listas de ventas. Y fue a Burretti (así como a su

Izquierda: «Moonage Daydream». Un momento de reflexión capturado por Mick Rock en Haddon Hall, en 1972, durante el que quizás haya sido el año más agitado en la vida de Bowie.

Superior: Freddie Burretti con Suzi Fussey, la peluquera de Beckenham que ayudó a mantener el resplandeciente pelo anaranjado de Ziggy y que más tarde se casaría con Mick Ronson.

propia esposa, Angie) a quien acudió para modelar la imagen de Ziggy. El punto de partida era la película de Stanley Kubrick *A Clockwork Orange (La naranja mecánica)*. Bowie ya tenía una deuda con el genial director, que le había inspirado *Space Oddity*; esa deuda creció cuando en enero de 1972 vio los trajes de los personajes principales de la película, Malcolm McDowell y su pandilla de *droogs*.

Me parecieron fantásticos los monos que usaban los personajes. Me encantó la perversa viscosidad de esos cuatro sujetos malévolos, aunque su particular violencia no me llamó especialmente la atención. Así que se me ocurrió ir más allá.

D. B., 1993

Los trajes originales de Ziggy eran todos de una pieza y de colores chillones, a los que Bowie agregaba toques inventivos, como por ejemplo unas botas de lucha libre.

Era el momento preciso. El glam rock se encontraba firmemente encauzado, y Bowie, siempre demasiado inteligente para dejarse atrapar en una sola opción, tenía ahora la alternativa. Decidió presentarse como un ser extraño en la sociedad, como venido de otro mundo, lo que entonaba perfectamente con el sentido de alienación que siempre ha tenido la adolescencia. Por fin la nueva generación contaba con un salvador. Era agresivo pero nunca *camp*. Desafiaba a la autoridad como el que más, ya desde su misma cara maquillada y las llamativas ropas que vestía. Su sola insinuación de sexualidad escandalizaba a los padres. El 22 de enero, la revista *Melody Maker* publicó una entrevista a David de dos páginas en la que decía: «Soy gay y siempre lo he sido, incluso cuando era David Jones».

Fue una jugada maestra. Al día siguiente todas las publicaciones hacían cola para entrevistarlo. No obstante, nada de esto habría tenido sentido sin un componente fundamental: la música. Y *Ziggy Stardust* es un álbum que satisface de forma brillante los criterios del auténtico pop: lo bastante raro como para resultar molesto a los conservadores, y lo suficientemente impactante para seducir a los jóvenes.

Pero los jóvenes no están ansiosos de echarse en los brazos de una persona que se muestre indiferente; se van tras una figura cuando piensan que les ofrece lo que quieren, que les proporciona una respuesta. Mucha gente ve a Bowie, en ese momento, como un individuo distante, un tanto aislado, lo que seguramente es. La marginalidad es la marca de todo gran artista. Pero la esencia de su personalidad se revela a través de su música. La música, cuando es auténtica, no es un lugar donde nadie pueda esconderse, y es a esa revelación a la que responde el público.

La expresión vocal de Bowie en *Ziggy* es seductora y acogedora, plena de complicidad. En «Starman» suena como si nos estuviera contando un secreto. En «It Ain't Easy» es como si viniera de otro mundo, a la vez que extrañamente sexual. En «Five Years» puede oírse el matiz de la angustia tras las escenas apocalípticas que describe.

Muchas de las composiciones tienen un coro que invita a seguir la canción («Five Years», «Lady Stardust», «Starman»), lo que siempre constituye una afectuosa invitación al oyente. Bowie quizás estaba presentando un personaje frío y extraño, pero su música no. Más bien al contrario. Además, el *sonido* de *Ziggy* era de vital importancia. Ningún otro álbum sonaba como este en 1972; su mismo sonido era tan extraño y ajeno como el propio personaje de Ziggy.

«*You're not alone!*» [«¡No estás solo!»] —nos grita en «Rock'n'Roll Suicide»— «*Gimme your hands*» [«Dame tu mano»]. Eso es precisamente lo que hicieron los adolescentes británicos. Desde ese momento, los jóvenes tuvieron un nuevo ídolo... Bowie, mientras tanto, tenía a Ziggy Stardust, con quien finalmente tendría que enfrentarse.

Los objetos de coleccionista empiezan a acumularse, entre ellos, en la página siguiente, la foto con dedicatoria incluida que tomara Mick Rock en el Oxford Town Hall el 17 de junio de 1972, y que apareció como un anuncio a toda página en el semanario musical británico *Melody Maker*.

¿QUIÉN ERA ZIGGY STARDUST?

Bowie reveló que su primera inspiración había sido Vince Taylor, un rockero británico que vestía prendas de cuero y ya usaba maquillaje, autor del clásico «Brand New Cadillac». Después de un rápido éxito, Taylor sucumbió al alcohol y las drogas, que lo trastornaron hasta el punto de llegar a creerse el hijo de Dios.

Pero el nombre del personaje estaba inspirado en Iggy Pop y en The Legendary Stardust Cowboy, un artista cuyo verdadero nombre era Carl Odom, que grababa para la misma discográfica y cuyo éxito no había ido más allá del single «Paralysed», que estuvo en la lista de 200 éxitos de *Billboard*. Posteriormente, Bowie interpretaría la canción de Odom «I Took a Trip On A Gemini Spaceship» en su álbum *Heathen* en 2002.

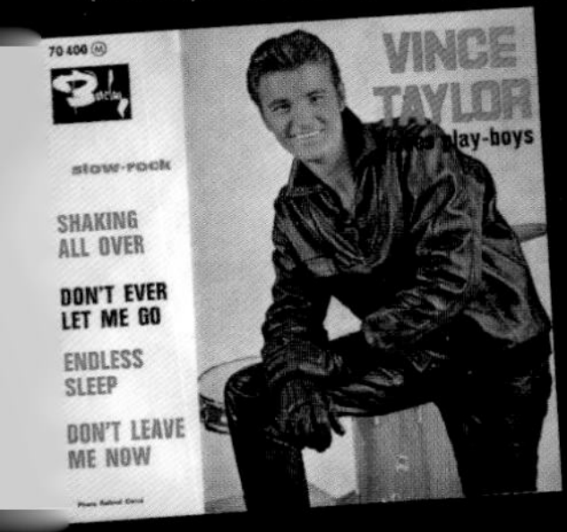

The Legendary Stardust Cowboy] era un tipo al estilo de Wild Man Fischer. Tocaba la guitarra acompañado de aquel trompetista que tenía una sola pierna. En su biografía había escrito: "Lo único que lamento es que mi padre no llegara a ver mi éxito". A mí me gustó lo de "Stardust" [«Polvo de Estrellas»], porque sonaba un poco tonto...

D. B., 1990

EL ARTE DE HACER UNA PORTADA

La emblemática fotografía que hizo Brian Ward para la portada fue tomada fuera de su estudio de Heddon Street, en Londres. Sacada en blanco y negro en una noche fría y húmeda, fue coloreada a mano por Terry Pastor, copropietario de la compañía de diseño Main Artery, junto con el amigo de la infancia de Bowie, George Underwood. Han sido muchas las interpretaciones que se han hecho de esa portada, incluida la inscripción «K. West» sobre la cabeza de Bowie. ¿Significa «búsqueda»... o quizá Key West [Cayo Hueso]? Sea como fuere, es un trabajo bien logrado. La tipografía pone a David Bowie y Ziggy Stardust al mismo nivel, con lo que se difuminan los límites entre el artista y su creación. Y Ziggy, vestido con un mono azul y con el pelo brillante, contrasta con rotundidad con el sombrío entorno que lo rodea; es una forma de vida procedente de un mundo nuevo que, sin embargo, se encuentra en el viejo.

ALADDIN SANE 1973

"A VECES PIENSO QUE
QUIZÁ SEA UNA PERSONA
FRÍA Y CARENTE DE EMOCIONES,
Y OTRAS QUISIERA NO SER
TAN MENTALMENTE VULNERABLE.
EN OCASIONES, TIENDO A MANTENERME
AL MARGEN DE TODO".

DAVID BOWIE, 1973

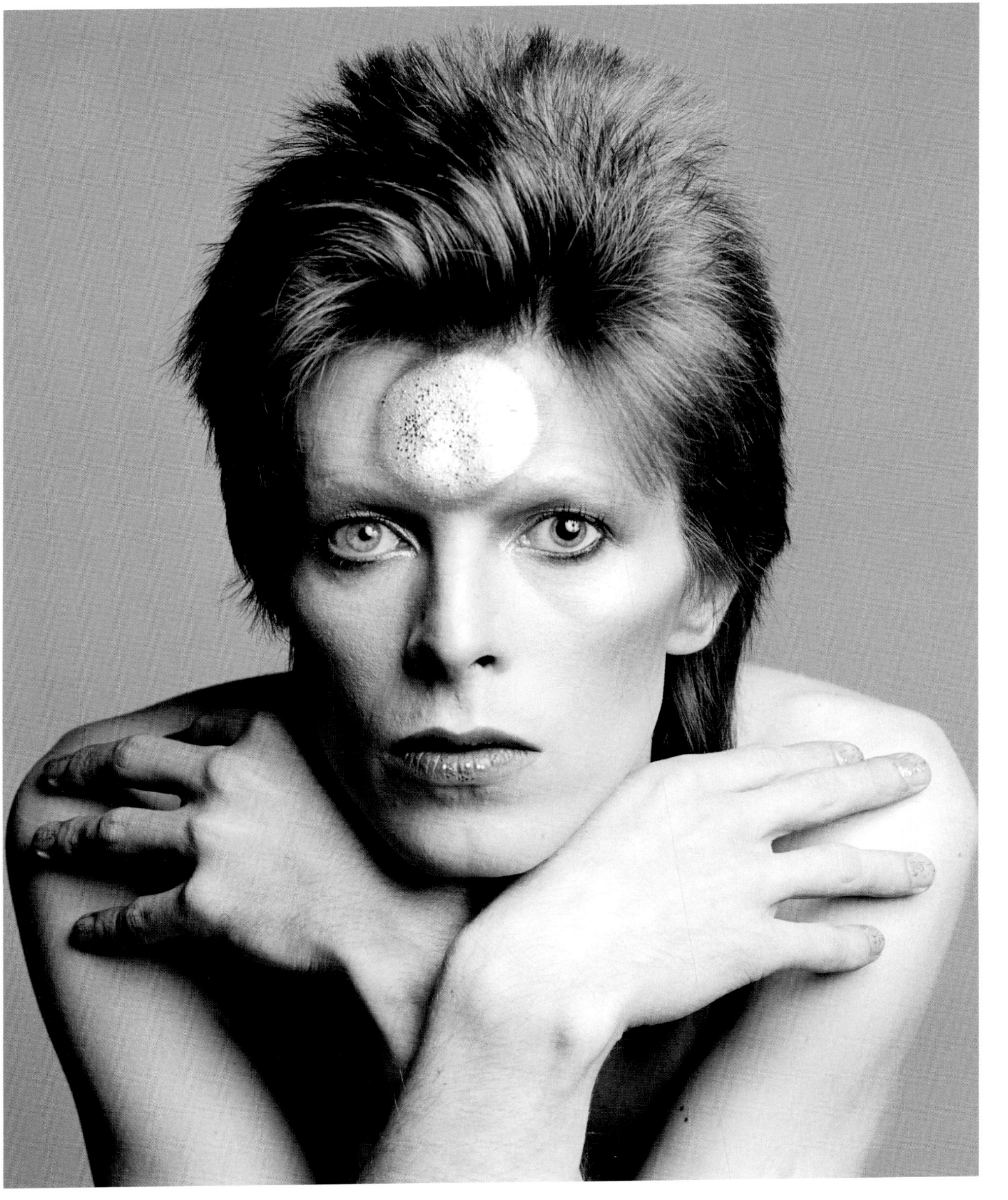

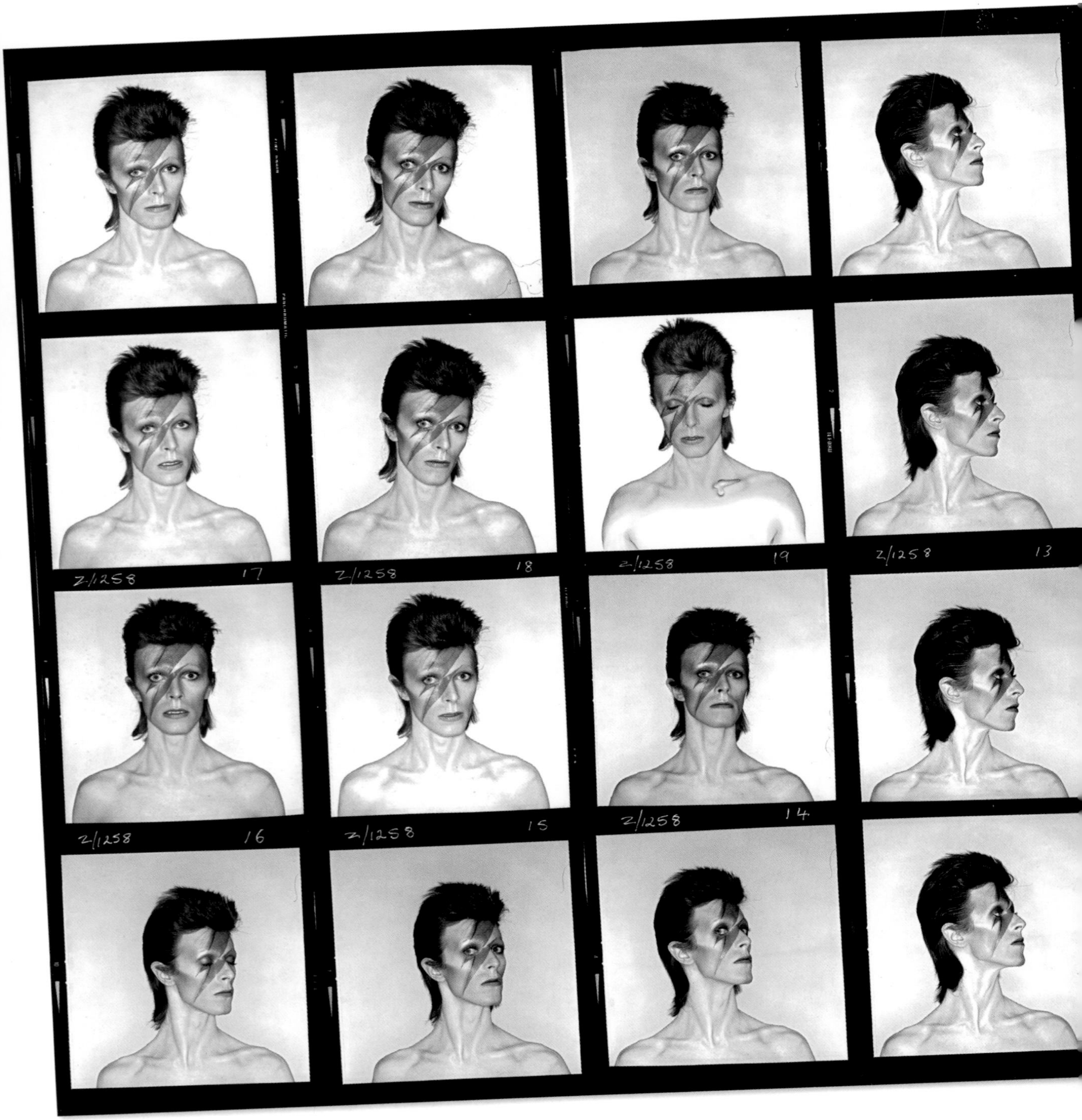
Z/1258 17
Z/1258 18
Z/1258 19
Z/1258 13
Z/1258 16
Z/1258 15
Z/1258 14

1972

22 de septiembre

Primera presentación en Estados Unidos, en el Music Hall de Cleveland, Ohio.

Noviembre

Sale en el Reino Unido «The Jean Genie» / «Ziggy Stardust» (2.° en las listas).

Sale en Estados Unidos «The Jean Genie» / «Hang On To Yourself» (71.° en las listas).

8 de noviembre

Sale *Transformer*, de Lou Reed.

1973

Enero

Reedición en Estados Unidos de «Space Oddity» / «The Man Who Sold The World» (15.° en las listas).

7 de febrero

Sale *Raw Power*, de Iggy Pop y The Stooges.

Abril

Sale en el Reino Unido «Drive-In Saturday» / «Round And Round» (3.° en las listas).

13 de abril

Sale *Aladdin Sane* (n.° 1 en Reino Unido, y el 17.° en Estados Unidos).

Página 61: Imagen de la sesión fotográfica con Masayoshi Sukita en los estudios de la RCA, en Nueva York, febrero de 1973. Sukita ha hecho algunas de las fotos más memorables de Bowie a lo largo de su carrera, incluida la que ofreció en la portada de *"Heroes"*.

Página anterior: Secuencia de imágenes de las emblemáticas fotografías tomadas por Brian Duffy para la portada de *Aladdin Sane*, en enero de 1973.

Todo lo que hiciera debía tener estilo, debía causar impacto. La imagen que proyectaba era de vital importancia, y principalmente tenía que serlo para la portada de *Aladdin Sane*, el álbum que salió en la cumbre de su extraordinaria fama, en abril de 1973.

Quince meses antes del nacimiento de Aladdin, Bowie se había puesto un mono estampado, se había calzado unas botas de luchador por encima del pantalón y se había ido a una oscura calle de Londres a posar para la portada de su anterior, y rompedor, álbum. Sin embargo, un aspecto de su *look* parecía invariable a su rareza alienígena: su pelo tenía un cierto estilo mod con reminiscencias al modo en que lo había llevado a mediados de la década de 1960. Ahora, en marzo de 1972, todo eso cambió con la aparición en público de lo que sería el hoy famoso corte de Ziggy.

La peluquera responsable de cuidar del nuevo estilo fue una chica llamada Suzi Fussey, que trabajaba en la peluquería de señoras de Evelyn Paget, en Beckenham. A Bowie le gustó, y la contrató para sus giras. También le gustó a Mick Ronson, con el que acabó casándose más tarde.

Dos meses después empezó a teñirse el pelo, ya bastante más largo, de un color rojo claro, idea que sugirió quien era la mejor amiga de Freddie Burretti, Daniella Parmar, a quien Bowie recuerda como «la primera chica que vi con el pelo blanco oxigenado y con siluetas de cómic teñidas en la parte de atrás». El color lo había sacado de unas imágenes de Marie Helvin luciendo los últimos modelos del diseñador japonés Kansai Yamamoto, cuyos diseños Bowie usaría después para la gira de Ziggy. «Era una peluca de hombre, tradicional en el *kabuki*», recordaba Helvin en 2009. Fussey le tiñó el pelo a Bowie completamente de rojo, levantándolo y cortándolo por los lados.

Me pareció el color más dinámico, así que quise tenerlo lo antes posible. Recuerdo que era el rojo de Schwarzkopf. Me tuve que acostumbrar a las sesiones de secador y a esa horrorosa primera mano de laca.

D. B., 1993

Era un paso importante y provocador para el cantante de veinticinco años. En 1973, el pelo era todavía el campo de batalla principal entre los jóvenes y la gente mayor. Las figuras dotadas de autoridad (la policía, los profesores) asociaban el pelo largo o despeinado con las drogas y el mal comportamiento, lo que resultaba sencillamente fantástico para la gente joven con espíritu rebelde. Los adolescentes iban masivamente a las peluquerías pidiendo un corte a lo «Bowie», cuando hasta entonces habían pedido un corte a lo «Rod» (Stewart).

Bowie lució ese pelo en todas sus giras y sesiones fotográficas. Era el complemento perfecto de su atuendo. Los miembros del grupo llevaban cortes de pelo similares y, a pesar de algunos titubeos iniciales, también se pusieron ropa brillante.

Woody Woodmansey decía: «¡No pienso ponerme eso!». Todos hacían comentarios, y había muchas dudas. Hasta que se dieron cuenta de que no había para tanto. Las chicas se volvían locas por los trajes, porque se veían como nadie. Y en un par de días ya estaban diciendo: «Esta noche me pongo el rojo»...

D. B., 2002

En enero de 1973, Bowie, todavía con el pelo rojo al estilo Ziggy, fue a ver al fotógrafo Brian Duffy a su estudio al norte de Londres. Duffy era uno de los tres fotógrafos londinenses, junto con David Bailey y Terence Donovan, que habían revolucionado la fotografía de moda, y conocía a Tony Defries, el manager de Bowie, con quien se había encontrado en la década de 1960.

Según Duffy, que murió en 2010, el célebre dibujo del rayo en la cara de Bowie fue el resultado de una inspiración que estuvo basada en Elvis Presley, aunque el motivo también había sido utilizado por Kansai Yamamoto en la misma colección de 1971 que había inspirado el peinado de Ziggy: «Bowie estaba interesado en el anillo de Elvis que tenía grabadas las letras TCB [*«taking care of business»*, «cuidando del negocio»] junto con el dibujo de un rayo. Lo que hice fue trazar el diseño directamente sobre su cara, y lo coloreé con pintalabios».

Con la participación del maquillador Pierre La Roche, el diseño que destaca en el rostro de Bowie se copió, en realidad, del logo de una arrocera de National Panasonic que había en el estudio fotográfico. La imagen evoca, de manera muy efectiva, una división de la mente; curiosamente, al medio hermano de Bowie, Terry, le habían diagnosticado esquizofrenia no hacía mucho.

Para aumentar la provocación, en la cubierta desplegable del álbum, Bowie posaba casi desnudo, con la parte inferior del cuerpo difuminada gradualmente en color plateado con pintura de aerógrafo, obra del artista Philip Castle. Y en los títulos de las canciones, salía el lugar donde se habían escrito cada una de ellas. De las diez que tiene el disco, seis las había escrito Bowie mientras estaba de gira por Estados Unidos, de ahí que el álbum se conociera como «Ziggy viaja a Estados Unidos».

Era el primer álbum que Bowie había compuesto siendo ya una importante estrella de rock, con el mundo entero pendiente de cada palabra suya y observando todos sus movimientos. Bajo la doble presión de la expectativa que ahora generaba y de la gira por Estados Unidos, había escrito un grupo de canciones cuyo sonido y sustancia reflejaban a la perfección los excesos de la manía que ya estaba experimentando a su alrededor.

Aunque la gira de 1972 por Estados Unidos estuvo mal planificada y en algunas de las fechas no se agotaron las entradas, se generó el suficiente entusiasmo como para que la comitiva que lo acompañaba alcanzara el formidable número de cuarenta y seis personas; Tony Defries, incansable, se encargó de hacer que RCA Records pagara la cuenta de todos y cada uno de los involucrados. Lo que vino a continuación fue la locura.

Bowie escribió emotivamente acerca de esta experiencia. Compuso «Watch That Man» después de una fiesta celebrada en su honor en un hotel de Nueva York; para «Panic In Detroit» se inspiró en las historias que contaba Iggy Pop sobre los radicales de Detroit de finales de la década de 1960, como John Sinclair, manager del legendario grupo MC5. «Cracked Actor» era un retrato de la corrupción hollywoodiense, sobre un actor en decadencia que se engancha con una joven prostituta, y en donde Bowie describe la sexualidad carente de amor que supuestamente veía a su alrededor.

«Drive-In Saturday» la escribió en un tren entre Los Ángeles y Chicago, y en ella habla de la historia de una sociedad que había olvidado el amor y necesitaba que se lo recordaran a través de viejas películas pornográficas. Quedó tan complacido con los coros de la canción y su surrealista evocación de imágenes (entre ellas, Twiggy y Mick Jagger, dos nombres que ejercieron gran influencia sobre él en esa época) que decidió ofrecer una *première* de la canción con guitarra acústica en un concierto en Miami.

«Time», que escribió en Nueva Orleans, tiene referencias no solo a un individuo que se masturba hasta caer al suelo, sino también a Billy Murcia, el batería de The New York Dolls, que había muerto recientemente por una sobredosis. La memorable canción incluye también un último verso que es pura poesía.

Me pareció que era el momento de hacerlo, y decidí escribir sobre el tiempo y la manera en que sentía su paso..., en algunos momentos en que encontraba un hueco para pensar en ello. La oí al terminar de grabarla y, ¡por Dios, me había salido una canción gay*! Y sin que yo tuviera ninguna intención de hacerlo. Así que pensé... ¡Bueno! Vaya cosa más rara...*

D. B., 1973

«En posición agachada con el mono puesto»... Imagen de la sesión fotográfica de Sukita en los estudios de RCA. El traje es del famoso diseñador japonés Kansai Yamamoto, a quien Bowie había conocido a través de Sukita y que diseñaría muchos de los trajes más llamativos de Ziggy.

Página anterior: Es sabido que a Bowie no le gustan los viajes en avión. En la foto, recibiendo ayuda de un encargado de la estación en la Gare du Nord de París (*«Paris or maybe Hell»,* [«París o quizás el infierno»], de la letra de «Aladdin Sane»).

Inferior izquierda: Retrato, por Brian Ward, 1972.

Inferior derecha: Firmando autógrafos durante la etapa británica de la gira de *Aladdin Sane* en 1973.

Sin duda alguna, la canción más lucrativa que escribió Bowie en este período fue «The Jean Genie». Durante la gira, el equipo había empezado a cantar en el autobús «We're going bus, bus, bus-ing» [«Vamos en el autobús, bus, bus»], imitando «I'm a Man», que cantaban The Yarbirds en 1965 (compuesta por Bo Diddley). En el apartamento de Cyrinda Foxe (una chica tremendamente sexy que había conocido en la fiesta que le inspiró «Watch That Man»), Bowie retomó ese pasaje musical y le puso una letra basada en Iggy Pop (en la canción, Cyrinda es «Lorraine», la «amiguita» de Chicago). El título es un juego de palabras a partir de Jean Genet, el escritor y artista francés, a quien Bowie admiraba. Grabó la canción a principios de octubre en Nueva York y salió en el Reino Unido a finales de noviembre, manteniéndose en las listas durante trece semanas, su mayor éxito en Gran Bretaña hasta ese momento.

De las otras cuatro canciones, dos las escribió en Londres. Una era una nueva versión de «The Prettiest Star», y la otra era la más destacada, «Lady Grinning Soul». La canción del título (otro elemento detacable del álbum) la escribió en el barco de regreso a Inglaterra (es notorio que por esa época Bowie no viajaba en avión, con lo que se creó la fama de ser un viajero clásico, si bien algo excéntrico). La otra canción era una versión de «Let's Spend The Night Together», de los Rolling Stones.

Para *Aladdin Sane* se había unido al grupo el pianista de jazz Mike Garson, que la intérprete y compositora Annette Peacock le había recomendado a Bowie. Este dio libertad de expresión a Garson, y el piano que se oye en «Aladdin Sane» y «Lady Grinning Soul» añade toda una nueva dimensión a la música de Bowie, que, sumada al amplio uso de los coros, alcanza un colorismo inesperado a la vez que apunta ya al sonido que creará para *Young Americans* dos años más tarde.

En esos momentos, Bowie reflexionaba sobre ese cambio sutil de rumbo en una entrevista para *Music Scene*:

Parte de la música de mi nuevo álbum Aladdin Sane *es bastante extraña. Me he dejado influir por algunos de los mejores y más avanzados músicos de jazz, como el pianista Mike Garson y Keith Tippett. Mike está tocando con The Spiders, y la música que desarrolla parte de un tema básico, sobre el que yo y los distintos músicos improvisamos en torno a ese núcleo principal. Es que esto del glam rock me parece muy bien, pero por sí solo me deja muy pocas opciones.*

D. B., 1973

Como la gira durante la cual lo escribió, *Aladdin Sane* da una ligera impresión de desorden. Es un revoltillo de ideas musicales compuestas de tonos diversos y con ligeros matices. A pesar de las presiones del momento, Bowie logró componer una colección de canciones de muy buena calidad, algunas de las cuales son cimas indiscutibles en su carrera. Consiguió también la plena sintonía del público. RCA Records recibió nada menos que 100.000 pedidos anticipados al lanzamiento. Cuando regresó a casa de su gira por Estados Unidos, Bowie contó que el nombre del álbum era un juego de palabras en alusión a su miedo a la locura, generado por los auténticos problemas mentales de su medio hermano Terry. *Sane*, «cuerdo», se convierte al pronunciarlo junto con Aladdin en *insane*, «loco». De hecho, todo el disco sugiere una especie de manía, que no era nada en comparación con la que Bowie estaba suscitando en los adolescentes de todo el mundo.

Página anterior: En el escenario en Santa Mónica, California, en octubre de 1972. Bowie luce un traje de fiesta prestado por Cyrinda Foxe, la llamativa chica que fue la inspiración de «Lorraine» en la canción «Watch That Man».

Superior: Después de un álbum más juntos, Bowie y Ronson seguirían distintas direcciones, como se ve aquí, dentro y fuera del escenario.

PIN UPS 1973

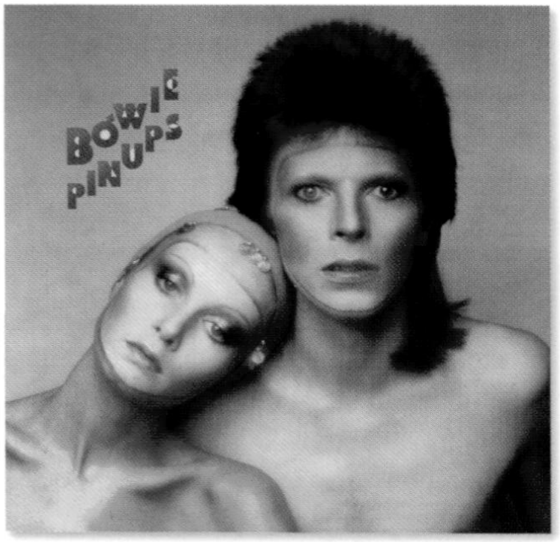

"NO ESTOY POR GLORIFICAR EL ROCK 'N' ROLL… EN SU MOMENTO SE ME PRESENTÓ COMO LA HERRAMIENTA APROPIADA. EN REALIDAD, ES ASÍ DE SENCILLO: NO ES OTRA COSA QUE UNO DE LOS MATERIALES DEL ARTISTA".

DAVID BOWIE, 1973

KODAK
SAFETY FILM
7E

1973

Junio

Sale en Estados Unidos «Time» / «The Prettiest Star» (no llega a las listas).
Sale en el Reino Unido «Life On Mars?» / «The Man Who Sold The World» (3.° en las listas).

Agosto

Sale en Estados Unidos «Let's Spend The Night Together» / «Lady Grinning Soul» (no llega a las listas).

3 de julio

Última actuación de Ziggy Stardust and The Spiders From Mars, en el Hammersmith Odeon (filmada por D. A. Pennebaker y sacada a la venta en 1983).

Septiembre

Relanzamiento en el Reino Unido de «The Laughing Gnome» / «The Gospel According To Tony Day» (6.° en las listas).

Octubre

Sale en el Reino Unido «Sorrow» / «Amsterdam» (3.° en las listas).

19 de octubre

Sale *Pin Ups* (n.° 1 en el Reino Unido, 23.° en Estados Unidos).

Página 71: Iba a ser la primera vez que la portada de la revista *Vogue* se dedicara a un hombre. La idea y la sesión fotográfica fueron obra de Justin de Villeneuve, que pensó en una combinación especial entre las imágenes de Twiggy y Bowie para la revista. Pero cuando este vio el resultado, se le ocurrió que era la foto perfecta para la cubierta de *Pin Ups*. En la revista, obviamente, no quedaron muy contentos, y durante años no le dirigieron la palabra a De Villeneuve.

Página anterior: En esta serie de fotografías de Mick Rock para la contraportada de *Pin Ups*, un álbum que hundía sus raíces en la década de 1960, Bowie aparece con el instrumento que tocaba en su primera banda, The Kon-rads.

Superior: La portada de la revista *New Musical Express* anuncia: «BOWIE SE RETIRA». Semejante noticia conmocionó a sus fans..., y también a algunos miembros del grupo.

El éxito es un sueño que suele decepcionar cuando se hace realidad. En 1973, RCA Records le comunicó a Bowie que les debía un álbum. La primera reacción de Bowie fue echarse atrás: había estado de gira durante dos años sin parar, al mismo tiempo que componía, y hasta se las había arreglado para grabar el álbum *Aladdin Sane*, y ahora estaba agotado, literalmente. Además, no podía decirse que no estuviera generando beneficios para la compañía, algo que RCA tenía claro, como podía verse en su último anuncio publicitario de Bowie.:

«Increíble pero cierto: David Bowie ha ocupado cinco posiciones durante diez semanas enteras en la lista de los cincuenta álbumes más vendidos. Una hazaña musical única en nuestra época»...

Pero querían más. La salvación de Bowie llegó a través de la figura de Bryan Ferry. Se corrió la voz de que el vocalista de Roxy Music pensaba hacer un álbum en solitario interpretando canciones de otros autores. A Bowie le pareció la idea perfecta: un proyecto así le permitiría cumplir con las condiciones de su contrato sin tener que exprimir su creatividad, por aquel entonces algo mermada. Al mismo tiempo, estaba pensando en deshacerse de su célebre banda de acompañamiento, The Spiders From Mars. Y esa sería la manera perfecta de escenificar su último gran grito, de desaparecer de manera apoteósica.

Había llegado el fin del grupo The Spiders From Mars. Ya era hora de hacer la última despedida.

D. B., 1974

Ziggy Stardust le había proporcionado a Bowie un éxito sin precedentes, con el que había soñado toda su vida... Y ahora empezaba a sentirse atrapado en el personaje...

El álbum Aladdin Sane *era, desde el punto de vista de Ziggy, como si estuviera diciendo: «Dios mío... Lo he logrado al fin, y ahora se ha vuelto una locura y no sé qué hacer...». Estaba lleno de dudas personales. Todavía era, hasta cierto punto, una pose (como Ziggy Stardust), pero en el fondo estaba diciendo: «No sé si, en realidad, me sentiría más feliz si todo fuera como antes».*

D. B., 1976

Y así, Bowie volvió a casa, al menos musicalmente hablando. Las canciones que escogió eran todas de entre 1964 y 1967, la época de la transición londinense del estilo mod al flower power. «Cada una de ellas significó algo para mí en ese momento. Es mi Londres de entonces».

El Londres de Bowie es, o bien Soho, o bien el sur de la ciudad. Cuando era adolescente solía acudir a los conciertos que se daban en clubes como el Scene o el Marquee, y a veces se aventuraba fuera de la ciudad, a Eel Pie Island, en Twickenham, y al Ricky Tick, en Windsor. Muchas de las canciones que seleccionó para el álbum (algunas junto con el vocalista Scott Richardson) eran de grupos muy conocidos y muy influyentes, como The Who, The Yardbirds, Pink Floyd, The Pretty Things, The Kinks y The Easybeats.

Lo interesante de *Pin Ups* no son las canciones que versionó Bowie, sino las que *no* escogió para el álbum. No hay ninguna canción soul ni blues, por ejemplo, aunque Bowie era un gran seguidor de ambos estilos; de hecho, eran la base de todos los músicos de la década de 1960. Bowie incluso había dejado The Kon-rads por su negativa a versionar «Can I Get a Witness», de Marvin Gaye.

Algunos explican esa ausencia diciendo que Bowie ya estaba pensando en el estilo soul de *Young Americans*, que llegaría dos años después. Puede ser, pero ello no explica que también falte el blues, que era más o menos lo que tocaba con The King Bees y The Manish Boys.

Por aquella época, las fotografías muestran a Bowie vestido con atuendo mod, siguiendo el dictado de su manager de entonces, Ralph Horton, a quien había impresionado el éxito de Brian Epstein al hacer vestir de traje a los indisciplinados y desaliñados Beatles, y trataba de hacer algo parecido con su cliente. Bowie aplaudió la feminización de la moda masculina que había traído el movimiento moderno, lo que había permitido a los chicos dejar atrás los trajes y los zapatos de sus padres, y cambiarlos por pantalones y camisas llenos de colorido; pero nunca se habría considerado un mod: eso habría sido definirse dentro de un estilo, y David Bowie era demasiado versátil como para acomodarse a semejante camisa de fuerza. Su individualismo era demasiado pronunciado para comprometerse con una sola causa, un solo enfoque. Uno de sus grandes logros en el mundo del pop ha sido precisamente introducir la idea del permanente cambio de imagen como un componente clave de la excelencia en el terreno artístico.

Mientras grababa *Pin Ups*, redefinió para Charles Shaar Murray, de la revista musical *NME*, el concepto de mod tal como él lo veía:

Sabía que ser mod implicaba vestir de manera distinta a los demás. La razón de que existieran los mod es que existían las estrellas de rock 'n' roll.

D. B., 1973

En efecto, muchos de los que frecuentaban Beckenham a principios de la década de 1960 lo recuerdan vestido «de manera rara», como dice una chica que se sentía incómoda porque cada vez que la veía en el tren se acercaba para sentarse a su lado.

El interés de Bowie por la moda se acrecentó en ese momento de su vida cuando, en 1964, se convirtió en músico profesional y, lo que es más importante, en cabeza visible de su grupo musical. Como vocalista principal, era a quien le correspondía abanderar la imagen del conjunto. Eso explica que, tras haber visto a George Underwood con unas botas altas de ante, no tardara en vestirse a lo Robin Hood, con las mismas botas, además del chaleco y el pelo largo y ensortijado.

Todos los grupos de los que versionó algo en *Pin Ups* tuvieron alguna influencia en su apariencia y su puesta en escena. Los integrantes de Pretty Things llevaban el pelo largo y vestían de manera desaliñada, con una presencia intimidante que Bowie había hecho suya. Las locuras autodestructivas, incluido el destrozo de guitarras en escena, típicas de los Who, lo entusiasmaban. Las extrañas y a la vez seductoras composiciones de Syd Barrett para Pink Floyd, así como las hermosas viñetas de Londres y sus personajes construidas por Ray Davies para The Kinks, fueron de vital importancia para su desarrollo como autor de canciones.

Había otros cantantes de los que no incluyó nada en el álbum, pero que también habían sido influyentes de distintas maneras. Rod Stewart, por ejemplo, intrigó a Bowie con su afirmación de que usaba ropa interior femenina, porque le resultaba cómoda y no se veía a través de los pantalones.

El álbum se grabó en las afueras de París, en el Château d'Hérouville, donde T. Rex había grabado *The Slider* un año antes; Elton John y Pink Floyd también habían grabado en esas instalaciones. Después de la función de «despedida» de Ziggy, el 3 de julio, en el Hammersmith Odeon de Londres, Aynsley Dunbar reemplazó a Mick Woodmansey en la batería, y Bowie quiso trabajar con el exbajista de Cream, Jack Bruce; pero este no se encontraba disponible, por lo que Bowie llamó otra vez a Trevor Bolder, quien, consciente de haber sido un segundo plato, grabó su parte y se retiró enseguida.

A pesar de las tensiones potenciales, los músicos se llevaron extremadamente bien, y *Pin Ups* suena como un grupo de garaje a plena potencia: las guitarras sonoras, la sección rítmica ajustada y las voces que van de un estilo *cockney* a uno divertido, soul y expresivo. Es el mismo sonido de rock 'n' roll de *Aladdin Sane*, con el control volumen un dígito más alto.

En plena sesión de trabajo con Mick Ronson en el Château d'Hérouville, para un álbum cuya motivación era más contractual que propiamente artística.

8
1
3
L
R
16
2
4
Pepsi

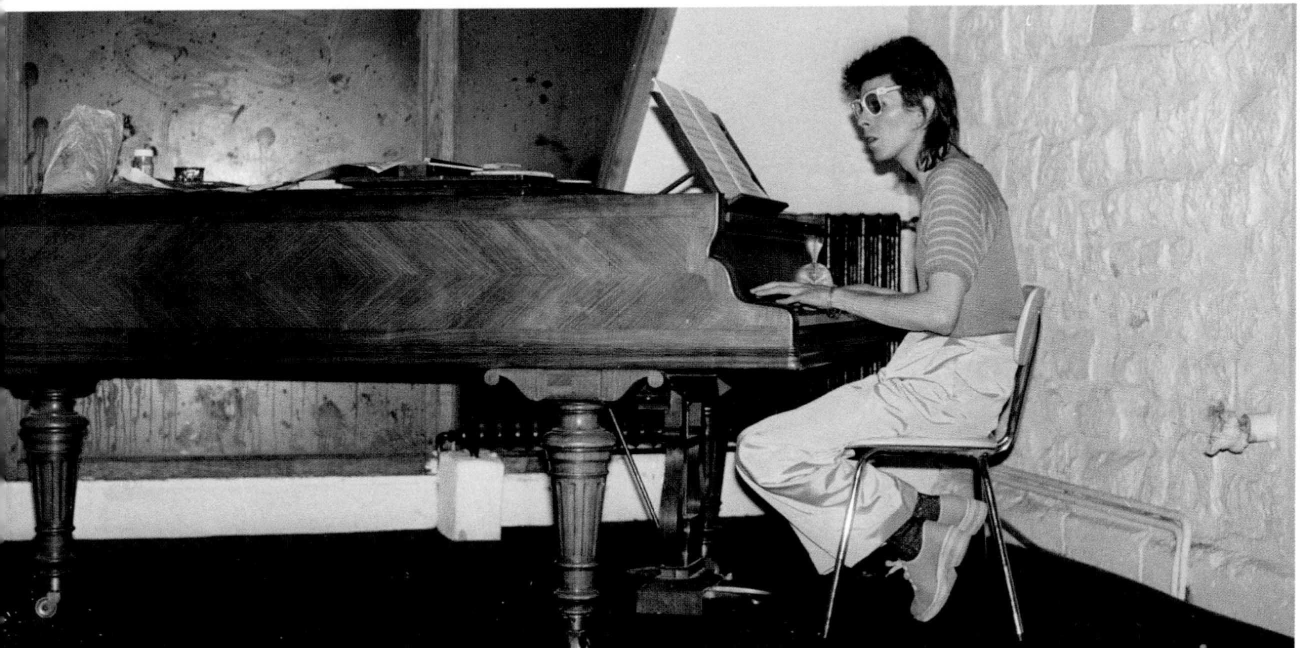

De manera un tanto sorprendente, Bowie trató la mayoría de las canciones con gran consideración, respetando su forma original. Solo se desvió claramente del modelo en «I Can't Explain», de The Who, haciéndola más lenta, dándole profundidad a los pasajes, infundiendo confusión y añoranza en la voz.

En «See Emily Play», de Pink Floyd, añadió descaradamente un coro vocal extraño y con tempos variables, muy al estilo «Bowie», poniendo al oyente sobre la pista del auténtico origen de ciertos elementos claves de su estilo.

El álbum se grabó en muy poco tiempo (había giras pendientes), pero aun así fue un éxito. Llegó al número veintiuno de las listas, de donde remontó hasta el primer lugar, en el que permaneció durante veintiuna semanas consecutivas. La agradable y conmovedora versión que hace Bowie de «Sorrow», de The McCoys, le valió estar entre los tres mejores singles. Una prueba más de que, al menos por aquel entonces, todo lo que tocaba se convertía en oro.

Doble página anterior (imagen principal): En pleno grito durante la grabación del concierto *The 1980 Floor Show* en el Marquee, en octubre de 1973, que se transmitiría un mes después como un episodio del programa *Midnight Special* de la NBC.

Superior: Con un grupo de seguidores en Los Ángeles, en 1973. El traje de cuadros rojos, blancos y azules podría parecer una señal de nostalgia (los colores de la bandera británica), pero Bowie se mudaría el año siguiente a Estados Unidos y nunca volvería a vivir en el Reino Unido.

Superior izquierda: Dibujo de cómic para la portada de *Images 1966-1967*, una recopilación de sus primeros trabajos reeditados en 1973 aprovechando el auge de la «Bowiemanía».

EL ARTE DE LA PORTADA

En 1973, el fotógrafo Justin de Villeneuve (cuyo verdadero nombre era Nigel Davies) salía con la célebre modelo inglesa Twiggy (cuyo nombre aparece en la canción de Bowie «Drive-In Saturday»). Ella había salido muchas veces en la portada de *Vogue*, pero la revista nunca había mostrado un hombre en su portada, y De Villeneuve convenció a la editora Bea Miller de que Bowie debía ser el primero.

Al llegar a la sesión fotográfica, la piel bronceada de Twiggy contrastaba con la blancura de Bowie, y el maquillador Pierre La Roche preparó unas «máscaras» para hacer coincidir el color del rostro de Twiggy con el del pecho de Bowie, y viceversa.

El retrato resultante sugiere el vínculo de dos almas unidas por sus imágenes. Ella encara la cámara como quien contempla un futuro inevitable, con una resignada languidez, mientras que él parece la desesperación a punto de estallar.

Bowie se dio cuenta enseguida del potencial de la fotografía, tal como recordaría en 1999 De Villeneuve: «Le pregunté a David cuántos álbumes estaba vendiendo, y me dijo que esperaba llegar al millón... *Vogue* vendería unos 30.000 ejemplares en el Reino Unido. Yo era el propietario de la foto, así que se la di.... Supe que había tomado la decisión más adecuada al darle la foto a David cuando meses más tarde, conduciendo por Sunset Boulevard, en Los Ángeles, vi un cartel de unos 20 m con la portada del disco».

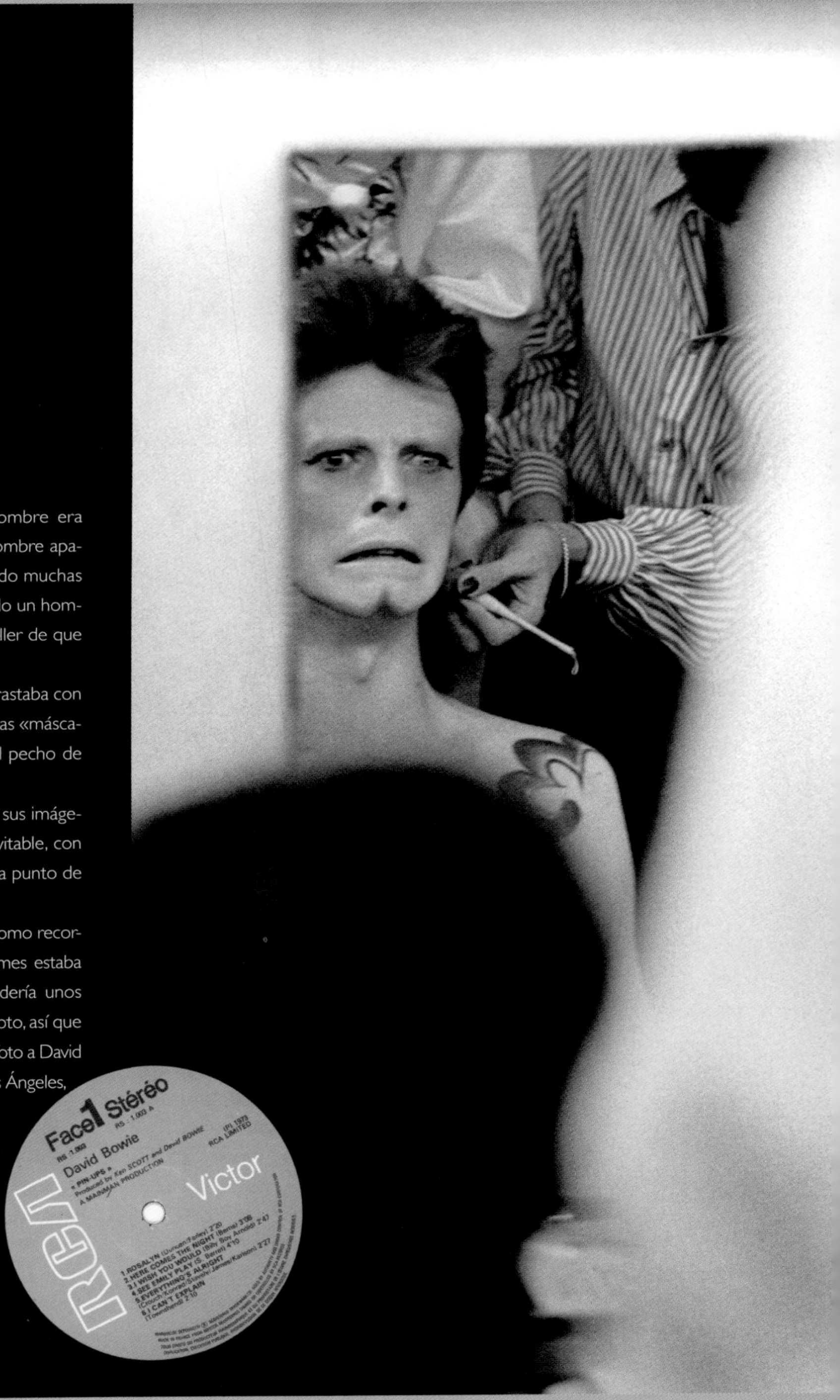

Superior: Fotografía de la contraportada del álbum, tomada por Mick Rock.

Derecha: Aunque pueda parecer preocupado por el trabajo de la maquilladora, en realidad Bowie simplemente adopta una mímica *kabuki*.

DIAMOND DOGS 1974

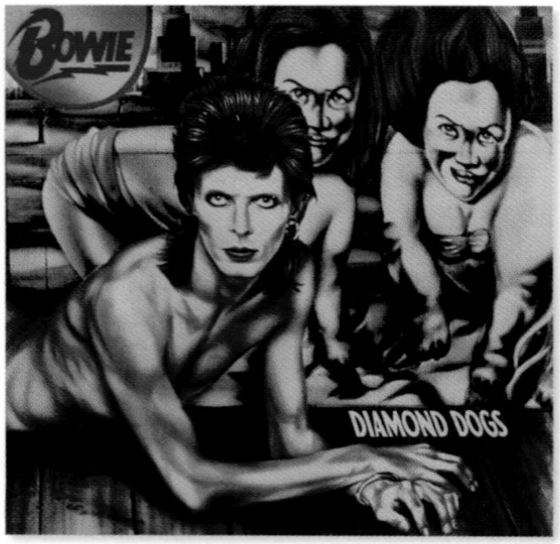

‘UNA PARODIA MUSICAL BASADA EN LA MUERTE MASIVA DE DECENAS DE MILES DE PERSONAS’.

DAVID BOWIE, 1974

1973

Noviembre

Sale en Estados Unidos «Sorrow» / «Amsterdam» (no llega a las listas).

16 de noviembre

Concierto *The 1980 Floor Show* (grabado en el Marquee en octubre, lo transmitiría la emisora de televisión NBC en Estados Unidos).

1974

Febrero

Sale en el Reino Unido «Rebel Rebel» / «Queen Bitch» (5.° en las listas).

Abril

Sale en el Reino Unido «Rock 'n' Roll Suicide» / «Quicksand» (22.ª posición). Bowie se muda a Nueva York.

24 de abril

Sale *Diamond Dogs* (n.° 1 en el Reino Unido, 5.° en Estados Unidos).

Mayo

Sale en Estados Unidos «Rebel Rebel» / «Lady Grinning Soul» (64.ª posición).

Página 81: Preguntándose si los demás ven el mundo como él lo ve... Una mirada inquisitiva en la sesión fotográfica de Terry O'Neill para el álbum *Diamond Dogs*.

Página anterior: interpretando «Rebel Rebel» en el programa musical holandés *Top Pop*, el 13 de febrero de 1974.

En 1970, Mick Ronson y Mick «Woody» Woodmansey se encuentran metidos en un taxi, rodeados de equipo por todas partes, en dirección a Birmingham, mientras su jefe, el señor David Bowie, para disgusto de ambos, va cómodamente en un Range Rover. No es esta la única causa de su descontento, sino que, desde que empezaron a trabajar para Bowie, solo han cobrado de manera esporádica.

Al acercarse a Birmingham, súbitamente le indican al taxista que pase de largo y se dirija a Hull, donde viven ambos: han decidido dejar a Bowie solo para el concierto. Aunque Ronson y Woodmansey volverán al redil nueve meses más tarde, es una jugarreta que Bowie no olvidará. Las semillas de la grabación de *Diamond Dogs* estaban echadas.

En enero de 1973, los chicos del grupo están de gira, y otra vez en armas. Han descubierto que el nuevo recién llegado, el pianista Mike Garson, está recibiendo 300 libras mensuales más que ellos. Para equilibrar la balanza, Ronson, Woodmansey y el bajista Trevor Bolder idean un plan: ya que son tan conocidos como el cantante al que acompañan, quizás sea el momento de ajustar las cuentas, de llevarse una parte de la tajada. CBS Records ha contactado con ellos y les ha ofrecido una buena suma por un álbum de los Spiders From Mars *sin* Bowie.

Tony Defries, el manager de Bowie, se entera del asunto y les recomienda esperar; está seguro de poder conseguir una oferta de RCA mucho mejor que la de CBS. Los chicos deciden dejar el asunto en sus manos: mala jugada.

Defries, en realidad, está disimulando su enfado con la banda y lo que quiere es deshacerse de ellos. Lo primero que hace es hablar con Ronson en privado y ofrecerle un contrato con RCA como solista, sin incluir a sus compañeros. Luego habla con Woodmansey y Bolder y les dice, durante la etapa de la gira que transcurre en Japón, que los miembros del equipo técnico son más importantes que ellos. Mientras, Bowie, que no sabe lo que está pasando, le ha comunicado a Ronson su intención de retirarse al finalizar la gira. Woodmansey y Bolder se quedan sin saberlo.

El martes 3 de julio de 1973, el grupo está tocando en el Hammersmith Odeon. Allí está, para filmar el concierto, el director D. A. Pennebaker (que había estado a cargo de *Don't Look Back*, el célebre documental de Bob Dylan). Mick Jagger, Rod Stewart y Ringo Starr están también entre el público. Hacia el final del concierto aparece Jeff Beck para tocar en «The Jean Genie» y «Round And Round». Entonces ¡sorpresa! Bowie se para ante el micrófono y anuncia: «Esta no es solo la última actuación de la gira, sino la última de todas las que haremos».

Superior: Concentrado en la música, en el Tower Theatre, en julio de 1974 en Filadelfia. Para compensar el diseño de la tipografía de la portada, se imprimió esta foto al revés en la parte delantera de *David Live*, disco que se grabó en esa misma ciudad a lo largo de seis noches.

Página siguiente: Afinando la guitarra momentos antes de aparecer en *Top Pop* (*véase* también pág. 82). Bowie ya estaba en Holanda cuando finalizaba la grabación de *Diamond Dogs*.

Woodmansey y Bolder se quedan consternados. Es la primera noticia que tienen de algo semejante. Bowie acaba de dejarlos sin trabajo en medio del escenario, enfrente de miles de personas. Más tarde descubrieron que todos los integrantes de la gira estaban al tanto. Había sido una manera cruel, desconsiderada y brutal de hacérselo saber a ellos. Además, ningún artista había anunciado nunca su retirada del escenario de esa manera, en público y sin comunicarlo antes. Para Bowie, el asunto simplemente agregaba más leña a la locura publicitaria que lo rodeaba.

Por supuesto, el interés por Bowie creció como la espuma, en especial en Estados Unidos, y Bowie se beneficiaría de ello un año más tarde. Mientras tanto, su intención era demostrar que no necesitaba al grupo que lo había acompañado hasta la cumbre. Les demostraría a todos que podía arreglárselas perfectamente sin ellos, y también sin su productor.

Para su próximo álbum, Bowie decidió asumir él mismo todas las tareas de la producción, y además tocar la primera guitarra, el saxo y la percusión. Para ello, llamó otra vez a Aynsley Dunbar para que lo acompañara en la batería, a Herbie Flowers para el bajo y a Mike Garson para los teclados.

Su primera idea fue hacer una adaptación musical de la distópica novela de George Orwell *1984*. Pero los herederos de este no dieron su consentimiento, por lo que *Diamond Dogs* tuvo que convertirse en una criatura diferente. Bowie siempre había estado fascinado por las ideas de visiones apocalípticas, el desmoronamiento de la sociedad, la ilusión de la falsa felicidad en las masas y el control gubernamental de la población. Desde que, siendo adolescente, leyó el libro de Frank Edwards *Strange People*, se sintió también intrigado por las malformaciones y las personas cuyas anormalidades las sitúan al margen de la sociedad. Así que se le ocurrió abordar todas esas ideas en el disco.

La década que estaba liderando resonaba con estos temas artísticos. La década de 1970 fue una época de incertidumbre económica, escasez de combustible y recesión. La crisis acechaba a la vuelta de cada esquina; había frecuentes estallidos de violencia, tanto directamente en las calles como en los terrenos deportivos. Bowie pintó un mundo en el que las ciudades estaban muriendo y los jóvenes andaban enloquecidos. Una visión profética, en cierto modo, desde una óptica punk.

Todos eran pequeños personajes al estilo de Johnny Rotten o Sid Vicious. Y, en mi imaginación, no había medios de transporte, así que iban de un lado para otro con unos patines de ruedas gigantescas, que chirriaban por falta de lubricación. Eran, pues, pandillas de matones de barrio que se desplazaban en patines escandalosos, con chaquetas de cuero y grandes cuchillos de explorador, todos muy delgados por la escasez de alimentos, y todos con el pelo pintado de colores extravagantes.

D. B., 1993

El sonido era abrasivo, en parte por la influencia de los Stones, pero más a tono con el ritmo de bandas como The Stooges (de la que Bowie había coproducido el álbum *Raw Power*). Pero las ambiciones de Bowie, como siempre, eran de altos vuelos. Desde «Sweet Things» hasta «Rebel Rebel», todas las piezas eran igualmente motivadoras, complejas y llenas de creatividad.

El álbum es un trabajo bien hecho. La repetida frase de Bowie de que la música no es para él más que un medio para lograr otros fines recibe una drástica refutación a través de los sorprendentes ritmos y variaciones que recorren *Diamond Dogs*. El disco tiene hallazgos que solo puede elaborar un gran compositor de canciones. Este valioso conjunto de piezas culmina con «Rebel Rebel», su siguiente gran single, un astuto recuento de los estragos que estaba ocasionando entre los padres de sus jóvenes seguidores. *You've got your mother in a whirl', she's not sure if you're a boy or a girl* [«Tienes a tu madre enredada, ya no está siquiera segura de si eres chico o chica...»], una frase que resume brillantemente la era Bowie. Más tarde, diría que el tema de su canción era el «éxito juvenil».

Hay que señalar otras dos canciones: «1984», cuyas guitarras *wah-wah* traen de inmediato a la mente el fantástico single de Isaac Hayes «Shaft», y que ya sugieren la dirección en la que iría Bowie un año más tarde; por otra parte, la canción que cierra el álbum, la notable «Chant Of The Ever Circling Skeletal Family», indica la dirección experimental por la que se encaminaría tres años después.

Diamond Dogs fue bien recibido en el momento de su lanzamiento, hasta el punto de que llegó al número uno en las listas del Reino Unido y al quinto lugar en Estados Unidos. No obstante, su punto fuerte reside en que le lleva algún tiempo asentarse. Mucha gente lo rechaza al oírlo por primera vez, y no es difícil ver por qué: muy poca de su música tiene la inmediatez de *Ziggy* o *Aladdin*. Bowie había llegado más hondo, había encontrado un sonido capaz de resultar a la vez revelador y gratificante, una música envolvente que presagiaba el propio final de la era del glamour.

Sería además la última vez, durante mucho tiempo, que David Bowie se dedicara a la música rock en un sentido tradicional. *Ziggy Stardust*, *Aladdin Sane* y *Diamond Dogs* lo habían ayudado a conquistar el mundo. Ahora aprovecharía ese éxito para convertirse en el artista más interesante y emocionante del planeta.

EL ARTE DE LA PORTADA

La impactante y emblemática portada de *Diamond Dogs* es obra del artista belga Guy Peellaert, autor también de la portada de *It's Only Rock 'n' Roll*, de los Rolling Stones, así como de la del *best seller Rock Dreams*, de Nik Cohn.

A principios de su carrera, Peellaert trabajó como diseñador de escenario en el Crazy Horse, el legendario *nightclub* parisino que Bowie visitó con su amigo Geoff MacCormack y con Ronnie Wood en 1974. Más tarde, Bowie reconocería haber copiado del Crazy Horse el efecto de puntos luminosos para los conciertos de su gira de 1978.

La ilustración que hizo Peellaert para el disco dejaba ver los genitales del perro, pero, cuando ya estaba impresa la primera tanda de portadas, la RCA mandó difuminarlos con aerógrafo. Las portadas originales que no exhiben la artística castración están hoy entre los objetos de colección más codiciados del mundo.

Peellaert se basó en fotografías de Terry O'Neill, una de las cuales se usó para la promoción del álbum. El libro que se ve a los pies de Bowie (a la derecha) es una novela titulada *The Immortal*, de Walter Ross, que salió a la venta en varias ediciones, una de las cuales (aunque no la que se ve en la pintura de Peellaert) se editó con una portada diseñada por Andy Warhol.

En 2000, Guy Peellaert diseñó la portada del álbum recopilatorio *Bowie At The Beeb*. Murió en 2008.

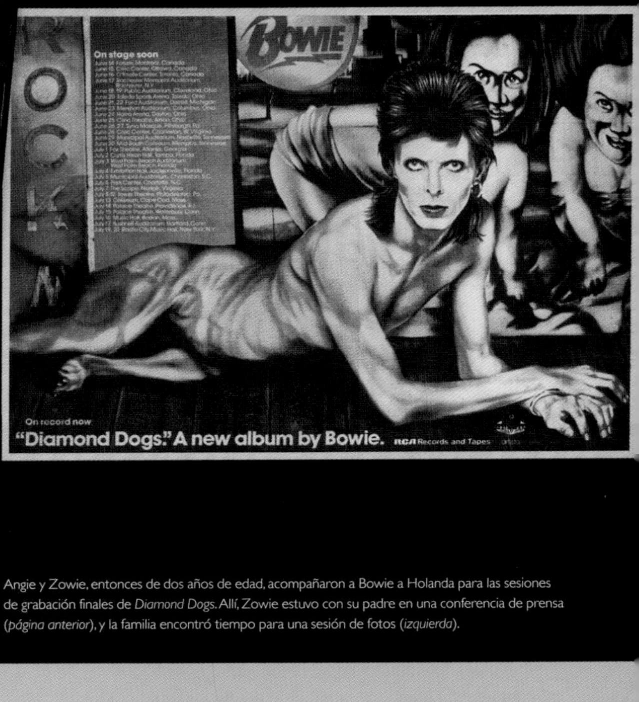

Angie y Zowie, entonces de dos años de edad, acompañaron a Bowie a Holanda para las sesiones de grabación finales de *Diamond Dogs*. Allí, Zowie estuvo con su padre en una conferencia de prensa (*página anterior*), y la familia encontró tiempo para una sesión de fotos (*izquierda*).

YOUNG AMERICANS 1975

«LA GENTE NECESITABA EL ROCK 'N' ROLL... PERO EN EL FONDO SE HA CONVERTIDO EN UNA ABSORBENTE DEIDAD MÁS, QUE GIRA UNA Y OTRA VEZ EN CÍRCULOS».

DAVID BOWIE, 1975

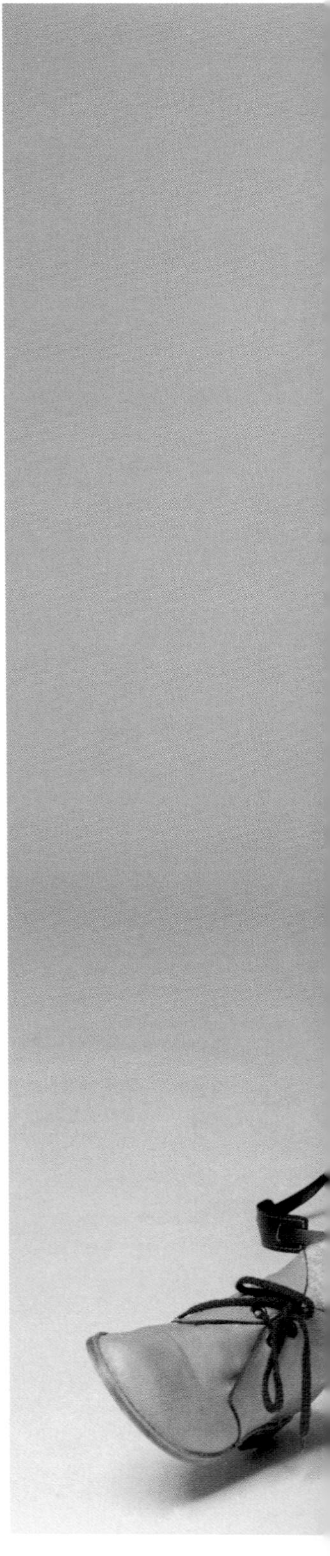

1974

Junio

Sale «Diamond Dogs» / «Holy Holy» (n.° 21 en el Reino Unido, en Estados Unidos no llega a las listas).

14 de junio

Se inicia la gira Diamond Dogs en el Forum de Montreal.

20 de julio

Finaliza la gira Diamond Dogs en el Madison Square Garden, Nueva York.

Septiembre

Sale en el Reino Unido «Knock On Wood (live)» / «Panic In Detroit» (10.° lugar en las listas).

Sale en Estados Unidos «Rock 'n' Roll With Me» (no llega a las listas).

2 de septiembre

Inicia la gira Philly Dogs en el Universal Amphitheatre de Los Ángeles.

29 de octubre

Sale *David Live* (2.° lugar en el Reino Unido, 8.° en Estados Unidos).

1 de diciembre

Finaliza la gira Philly Dogs en el Omni de Atlanta.

1975

Enero

Tony Defries y MainMan dejan de ser managers de Bowie, que los reemplazará por Michael Lippman.

26 de enero

La BBC emite el documental *Cracked Actor*.

Febrero

Sale en el Reino Unido «Young Americans» / «Suffragette City» (18.° en las listas).

Sale en Estados Unidos «Young Americans» / «Knock On Wood (live)» (28.° lugar).

7 de marzo

Sale el álbum *Young Americans* (2.° lugar en el Reino Unido, 9.° en Estados Unidos).

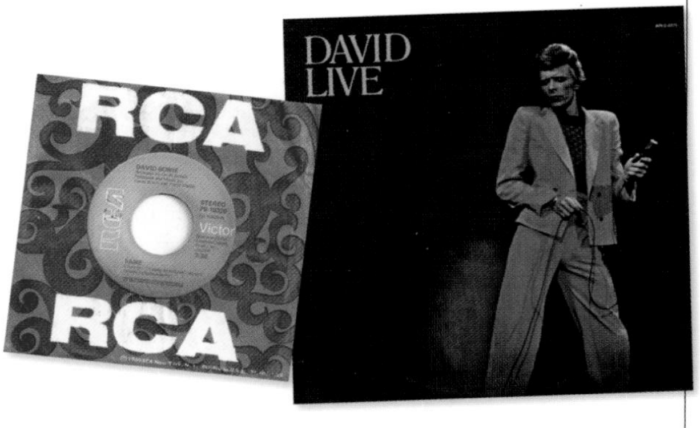

Páginas 89 y anterior: «Never no turning back» [«Nunca volver atrás»], de la letra de «Right»... El «*Young American*» busca una nueva vida en un nuevo país.

En 1975, David Bowie declara que el rock 'n' roll es ya una vieja desdentada... Y quizás no estuviera del todo desacertado: los Beatles se han separado; los Rolling Stones se encuentran atrapados entre la adicción de Keith Richards y la avaricia de Mick Jagger; Led Zeppelin se está desinflando; los Faces ya no existe, y las bandas de glam rock han desaparecido. Hay algunos grupos que aún son creativos: Dr. Feelgood, Thin Lizzy, Graham Parker..., pero no representan lo bastante como para poder hablar de una «época dorada».

Puede que el último gran álbum que se haya hecho sea *Diamond Dogs*, pero ¿cuáles son los siguientes pasos de su creador? David Bowie, en Filadelfia, está ahora haciendo un álbum de soul.

Hubo ya señales que apuntaron en esa misma línea. Bowie llegó a Estados Unidos en abril de 1974 para preparar una gran gira de promoción de *Diamond Dogs*. Una vez allí, pasó mucho tiempo en Nueva York, asistiendo a los conciertos que daban The Temptations y Marvin Gaye en Harlem. Disfrutaba del anonimato que esos espectáculos le ofrecían:

Esa fue una de las grandes cosas que tuvo ese viaje: podía ir a cualquier barrio habitado en su mayoría por gente de color en Estados Unidos y pasar desapercibido. Eso era fantástico. La única vez que nos reconoció un grupo de gente fue en un concierto de los Jackson Five, porque el público era más joven. Pero a la mayoría de las sesiones de rhythm & blues los que iban eran parejas casadas, no chicos, y para mí era magnífico poder salir, y divertirme y gritar. Fui muchas veces al Apollo, donde conocí a docenas de personas.

D. B., 1974

El viejo amigo e integrante del coro de Bowie Geoff MacCormack fue siempre un gran apasionado de la música soul. «Tenía algo muy especial –recuerda– visitar el Apollo, donde el trabajador más intenso del medio, también conocido como James Brown, había grabado sus álbumes en vivo».

Pero la comitiva de Bowie quizás no pasaba tan desapercibida como el cantante afirma, según recuerda el propio Geoff:

Recuerdo con toda claridad la primera vez que Tony [Mascia] nos llevó en automóvil al Apollo Theatre de Harlem. El propio recorrido ya daba miedo. Salir de las elegantes y bien iluminadas calles de Manhattan para entrar en el entorno gris de Harlem era, para un par de muchachos del sur de Londres, un tanto impactante. Y encima ir en una limusina no hacía sino aumentar nuestra preocupación por lo que pudiera

surgir de alguna oscura esquina, desde donde parecían mirarnos con malas intenciones grupos de personas de aspecto cansado y desamparado. Aunque, viéndolo en retrospectiva, seguramente éramos unos flojos y a esa gente no les importábamos un comino, con nuestra ostentosa exhibición de riqueza. Pero me alegro de no haber intentado comprobarlo bajando la ventanilla y gritándoles: «¡¿Qué demonios estáis mirando?!».

Geoff MacCormack, 2007

En la habitación del hotel, Bowie ponía en la radio emisoras de rhythm & blues y, como John Lennon, se quedó estupefacto cuando oyó el single de Ann Peebles «I Can't Stand The Rain». Enseguida empezó a hablar de la posibilidad de llevar a Lulu a Memphis para grabar algo por el estilo. Quería que el grupo de acompañamiento sonara funky. Estaba a punto de embarcarse en un viaje musical bastante radical.

Durante los últimos tres años, su vida había sido una locura: sin restricciones, decadente, turbulenta y llena de sorpresas..., pero musicalmente, en cambio, había sido predecible. Empezaba a sentir la necesidad de redefinirse en una nueva imagen. El problema era que en aquel momento no podía seguir sus instintos. Tenía comprometida una gira de seis meses por Estados Unidos, y no había manera de echarse atrás: económicamente, quedaría arruinado.

La presentación del espectáculo era impresionante. Con coreografía de Toni Basil completada con efectos especiales, la producción, de abultado presupuesto, empezaba con Bowie cantando «Space Oddity» en un asiento elevado a gran altura por encima del escenario. Y el final del espectáculo rompía todas las reglas, al no responder a ninguna petición del público.

La primera etapa de la gira terminó a finales de julio, y Bowie se fue directamente a los estudios de grabación Sigma Sound Studios de Filadelfia, los mismos que había utilizado el magnífico equipo de creación y producción formado por Kenny Gamble y Leon Huff, responsables de los grandes éxitos de The O'Jays, Billy Paul y Harold Melvin & The Bluenotes.

Bowie ya se traía un LP doble entre manos: *David Live*. MainMan quería sacarlo sin demora, con la idea de que dispararía las ventas

Página anterior: «Se fue al Apollo...». Para su siguiente álbum, Bowie decidió rechazar la «vieja desdentada» en que, según él, se había convertido el rock' n' roll, y prefirió «darse un paseo por el lado soul», haciendo un juego de palabras con la letra de «Walk On The Wild Side», de Lou Reed.

Izquierda: En esta secuencia de imágenes, David Bowie comparte un cigarrillo y un abrazo con una de sus fans más famosas, Elizabeth Taylor, en Beverly Hills, 1975.

de entradas para lo que restaba de la gira. Las cosas estaban otra vez como en 1971, con Bowie moviéndose entre dos proyectos, queriendo sacar uno adelante y salir del otro lo antes posible.

Al entrar en los estudios de Sigma, su intención era grabar con la sección rítmica de la banda MFSB, cuyo single «TSOP (The Sound Of Philadelphia)» había alcanzado el primer lugar de las listas de ventas en marzo de 1974, a la vez que anunciaba un nuevo sonido «disco». Pero no se entendieron con los arreglos y solo consiguió poder utilizar al músico de congas, Larry Washington.

Bowie contactó también con el guitarrista Carlos Alomar, el bajista Willie Weeks, el batería Andy Newmark y el saxofonista David Sanborn, todos nombres bien conocidos en el mundo del soul y el funk. Mike Garson siguió en los teclados y el viejo amigo de Bowie, Geoff MacCormack, en el coro, muy bien acompañado por las nuevas incorporaciones de Ava Cherry (por aquel entonces la última pareja de David) y un joven llamado Luther Vandross. Tony Visconti fue el ingeniero de sonido, con la ayuda de Carl Paruolo, de Sigma.

Bowie explicó las ideas subyacentes a algunos de los temas a un periodista australiano en una entrevista de 1975 en la que, vista en perspectiva, puede decirse que no fue quizás del todo coherente. La entrevista, en un principio para la revista *Rock Australia Magazine*, se publicó después en el Reino Unido en *NME*, y en ella Bowie parece reclamar la aparición de un nuevo Hitler, lo que, naturalmente, dio lugar a no pocas controversias. Empieza hablando de «Young Americans»:

Es sobre una pareja de recién casados que no se encuentran del todo convencidos de estar enamorados. Bueno, en realidad lo están, aunque no saben si lo están o no. Se encuentran como ante un dilema. La siguiente canción, «Win», es una especie de llamada de atención, una suave invitación moral a levantarse del asiento. La escribí impresionado por la gente que no se esfuerza por lo que hace, o no trabaja mucho o no piensa demasiado. Es como decirles: «A mí no me culpes, porque yo sí trabajo». En realidad, es fácil: todo lo que tienes que hacer es decidirte a salir a ganar. «Right» es ponerse en clave positiva. La gente se ha olvidado de que el instinto del ser humano es como un sonido, un mantra. Muchos se preguntan por qué muchas cosas que resultan populares son simplemente cosas que se repiten una y otra vez. Pero es que de eso precisamente se trata, de alcanzar una vibración especial, no necesariamente musical. Eso es lo que está bien, eso es «Right»... En cuanto a «Somebody Up There Likes Me», es como decir: «Cuidado, amigo, que viene un nuevo Hitler». Algo así como un toque sociológico en el rock 'n' roll.

D. B., 1975

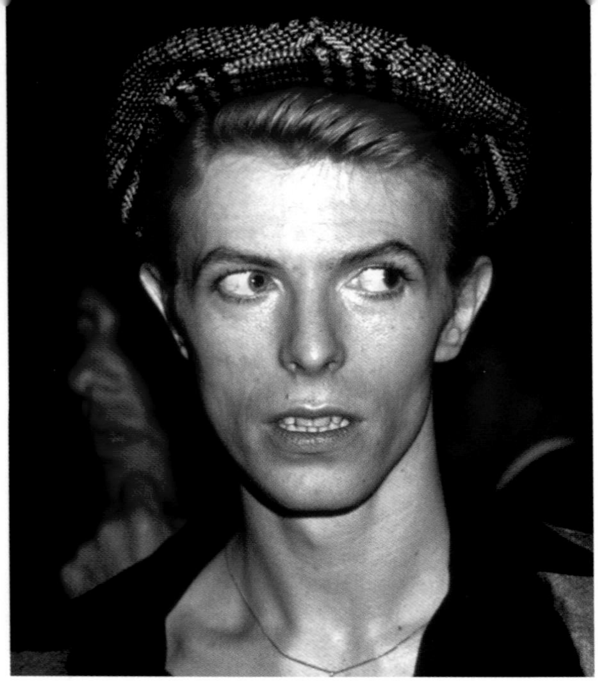

Bowie siguió con la gira programada en el mes de septiembre, pero apenas podía contener su entusiasmo. En octubre ya había dejado a un lado el nombre de Diamond Dogs y tenía la atención puesta en la gira Philly Dogs, etapa para la cual se había llevado al batería funk Dennis Davis y al bajista Emir Kassan, además de Carlos Alomar y Ava Cherry, con quienes ya contaba.

En noviembre regresó a Filadelfia con Tony Visconti para terminar lo que habían iniciado en agosto. Posteriormente, en enero de 1975, Visconti, que estaba de nuevo en Londres trabajando en las mezclas del álbum, fue sorprendido por una llamada de Nueva York: Bowie había grabado dos canciones más, una de las cuales la había escrito con Carlos Alomar y un tal John Lennon.

Bowie y Lennon se conocieron en un *nightclub* de Nueva York, donde hablaron durante horas sobre la naturaleza de la fama, cómo ambos habían deseado tenerla y cómo, ahora que la tenían, descubrían que era muy distinta a lo que habían imaginado. En aquellos momentos, ese era un tema muy sensible para Bowie, que acababa de descubrir que su situación económica no estaba todo lo saneada que debiera. Lo que siguió fue una amarga ruptura con Tony Defries y la compañía MainMan.

Tras su encuentro, Bowie se dirigió al estudio y grabó una versión de la canción de Lennon «Across The Universe». Visconti refiere que, cuando le mostró la grabación a Lennon, a este le gustó, y David le preguntó si le gustaría que compusieran y grabaran una nueva canción juntos. El resultado fue el single «Fame». David me pidió disculpas por no haberme incluido en el proyecto, ya que no había tiempo de que yo me trasladara allí debido a las restricciones de la fecha de lanzamiento. Para mí habría sido la experiencia más inolvidable en mi carrera de grabación. En fin...

La canción se apoyaba en un magnífico riff de Carlos Alomar, y el título se debe a Lennon.

La sesión fue rapidísima. Solo una tarde de trabajo. Mientras John y Carlos Alomar componían los pasajes de guitarra en el estudio, yo estaba trabajando con la letra en la sala de controles. Estaba entusiasmado de trabajar con John, y se veía que a él le gustaba trabajar con mi grupo, tocando viejas canciones soul y del estilo de Stax. Estaba tan dispuesto, tenía tanta energía... Debe de haber sido fantástico poder estar siempre a su lado.

D. B., 1983

Fue un disco estupendo, que conduciría directamente al siguiente álbum de Bowie. «Fame» era futurismo funk y se convertiría en toda una leyenda, hasta el punto de que el propio «padrino del funk», James Brown, copió la música para su propia canción «Hot». Si duda, todo un cumplido. Según Bowie, era también una «cancioncilla chocante» cuya letra, cargada de cinismo, estaba dirigida en parte a MainMan.

La entrada en toda regla de Bowie en la música soul y funk le dio la oportunidad de deshacerse para siempre de todos los personajes que había representado en los discos y en el escenario, de olvidarse de todo aquello y buscar el éxito más allá del rock 'n' roll. *Young Americans* le brindó esa libertad y, lo que era aún más importante, lo situó en otra apasionante dirección artística.

Mientras grababa el álbum, en Filadelfia, solía haber un grupo de unos diez devotos seguidores esperándolo siempre a la salida del estudio. Al terminar la segunda serie de sesiones, Bowie los invitó a pasar para oír una prueba. Ninguno sabía muy bien qué decir o pensar del nuevo sonido que estaban escuchando, hasta que alguien gritó: «¡Ponlo otra vez!». Y entonces todo el mundo, Bowie incluido, empezó a bailar. Estuvieron así toda la noche.

Página 95: El interés de Bowie por los sonidos de Filadelfia lo condujo a tales cambios en el sonido de sus conciertos y en los músicos que tocaron en la etapa de la gira Diamond Dogs que tuvo lugar en otoño y que recibió el nombre de «Philly Dogs».

Página siguiente: En los Grammys de 1975, donde Bowie entregó el premio a Aretha Franklin en la categoría de «mejor artista femenina de rhythm & blues». En la imagen superior, con John Lennon y Yoko Ono. *Inferior izquierda:* Art Garfunkel, Paul Simon y Roberta Flack se unen a la sesión de fotos.

Let It Rock
October 1975 35p
AL GREEN,
LEE DORSEY,
SPRINGSTEEN,
CHICANO ROCK, SOUL, JAZZ.
"THE WORLD'S BEST ROCK READ"
Future shock with the fans of
BOWIE & FERRY
TODD RUNDGREN
Neutron kid
TIM BUCKLEY
Sad news from LA
TANGERINE DREAM
Across which Rubycon?

STATION TO STATION 1976

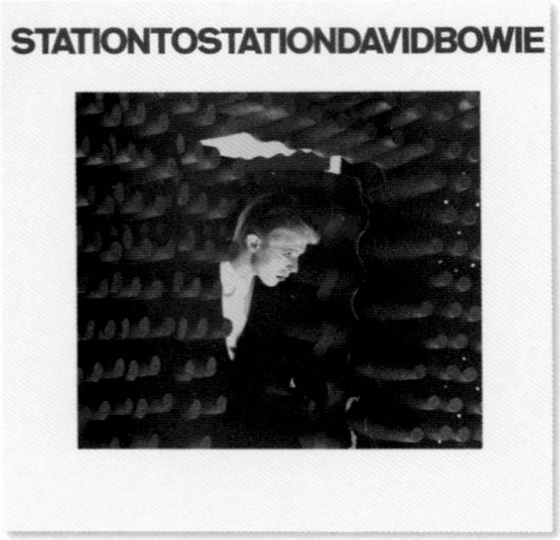

‘EN ESE MOMENTO, ESTABA EN OTRO MUNDO. UN PLANETA TOTALMENTE DISTINTO. EN REALIDAD, NO TENGO NI IDEA DE LO QUE PENSABA ENTRE 1975 Y 1977’.

DAVID BOWIE, 1993

1975

Junio

Sale en Estados Unidos «Fame» / «Right» (1.ª posición en las listas).

Julio

Sale en el Reino Unido «Fame» / «Right» (17.ª posición).

Septiembre

Reedición en el Reino Unido de «Space Oddity» / «Changes» / «Velvet Goldmine» (1.er lugar).

Noviembre

Sale «Golden Years» / «Can You Hear Me» (8.° lugar en el Reino Unido, 10.° en Estados Unidos).

16 de noviembre

Aparece en el programa *Soul Train* de la cadena de televisión ABC.

1976

Enero

Despide a su manager, Michael Lippman.

23 de enero

Sale *Station To Station* (5.ª posición en el Reino Unido, 3.ª en Estados Unidos).

Página 99: Imágenes de la sesión fotográfica para promocionar la actuación de Bowie en la película *The Man Who Fell To Earth*, 1975.

Página anterior: «From kether to malkuth» (de la letra de la canción «Station To Station»). El diagrama cabalístico que aparece bosquejado en la pared en esta fotografía de Steve Shapiro para el álbum *Station To Station* refleja el interés creciente que desarrolló Bowie por los símbolos ocultistas a mediados de la década de 1970.

La cocaína era la droga más consumida por las estrellas de rock durante la década de 1970. A lo largo de esta, Bowie pudo presenciar cómo su proyecto *Young Americans* lograba multiplicar por diez sus éxitos en Estados Unidos. «Fame» se había convertido en su primer single en alcanzar el número uno en ventas en ese país, y el álbum estaba ya entre los diez primeros en las listas. Eran buenas cifras de ventas, que venían acompañadas de buen dinero para gastar.

Bowie se mudó a Los Ángeles en 1975, donde se refugió en una gigantesca mansión. Se habían acabado las giras, así como su contrato de management. Todo parecía teñirse de negro: y, junto con el consumo de cocaína, surgió un creciente interés en el ocultismo. Sus amistades cuentan que Bowie pasaba horas rodeado de velas negras, dibujando símbolos raros y obsesionado con la numerología. Después de un magnífico concierto que hizo el año siguiente, esto fue lo que le dijo a un periodista:

Los números no eran demasiado propicios esta noche. Éramos un cuatro, y el público también era un cuatro, lo que a veces puede indicar oposición. En Los Ángeles seremos un cinco, situados en el reino del mago, mientras que el público será un seis, y eso significa que la situación será cómoda y agradable. Algo muy deseable.

D. B., 1976

Pero, por escabrosas que sean las historias de vicio y degradación, y por hundido que estuviera en el consumo de cocaína, el hecho innegable es que Bowie, a pesar de todo, estaba a punto de crear una obra maestra.

Station To Station es a la vez un álbum de desesperación y de grandeza, de descubrimiento espiritual. Una pieza artística no menos coherente que cualquiera de los discos que había grabado antes o de los que grabaría después, construido a partir de sonidos sorprendentes, incisivas guitarras y una percusión que parece abarcar todo el espacio. Y tratándose de alguien supuestamente adicto a la cocaína, su voz suena magistral. En este trabajo, el sentido de Bowie de la temporalidad (cuándo subir o bajar de tono, cuándo añadir colorido o simplemente seguir el ritmo musical) es impecable.

El guitarrista Carlos Alomar comentó en 2006 a propósito de *Station To Station*: «¡Fue increíble la dosis de experimentación que hubo en ese álbum! Me acuerdo que a Earl Slick le costaba entender el tiempo que queríamos que sostuviera las notas en «Station To Station». Probamos y experimentamos con distintas claves temporales, tonos, técnicas de grabación... Te aseguro que lo probamos todo».

«El camino del exceso conduce al palacio de la sabiduría», escribió William Blake en su libro *The Marriage of Heaven and Hell* (*El matrimonio del cielo y el infierno*). No hay lugar donde esas palabras sean más ciertas que en este disco. Que Bowie lo deje claro algunas veces y otras no es normal en él; sus mejores trabajos oscilan siempre entre el impulso a revelar algo y la tendencia contraria a ocultarlo. Y en este álbum es precisamente de lo más oblicuo..., y también de lo más abierto.

Station To Station empieza con tres importantes piezas suyas, cuyo orden podría responder a cierta motivación secreta. Como estudioso de la numerología que era, Bowie habría tenido clara la importancia del número tres. Por ejemplo, la Tierra es el tercer planeta del sistema solar; Jesucristo resucitó al tercer día, y ascendió para integrarse en la Sagrada Trinidad del Padre, el Hijo y el Espíritu Santo. El número de sus discípulos, doce, es múltiplo de tres, y en algunas de las primeras versiones, el número de estaciones del Viacrucis es doce (a diferencia de las catorce que se aceptaron posteriormente). Más tarde, Bowie insistiría en que tenía en mente dichas estaciones cuando le puso el título al disco.

No resulta, entonces, sorprendente que las tres canciones con las que abre el álbum cuenten su historia. En la primera despliega su mundo de magia negra, ocultismo y adicción a la cocaína; en la segunda se ofrece consejo a sí mismo, y en la tercera acepta ese consejo y encuentra la salvación.

El álbum empieza con el sonido de un tren que se aleja de una estación, una señal del tránsito de la oscuridad a la luz, el comienzo de un viaje. Los instrumentos entran ominosamente, con ritmo preciso y discordante. Después de más de tres minutos, es el turno de Bowie y la famosa estrofa inicial del álbum: *The return of the Thin White Duke throwing darts in lovers' eyes* [«El retorno del Delgado Duque Blanco arrojando dardos a los ojos de los amantes»]...

Es probable que Bowie tomara esta imagen de un incidente relacionado con el maestro de lo oculto Aleister Crowley, cuya obra le había fascinado desde hacía mucho tiempo. Según parece, en 1918, una joven pareja fue conducida a un piso de Nueva York, donde fue asesinada con dardos que les arrojó un grupo de discípulos de Crowley.

Las referencias ocultistas prosiguen con diversas alusiones a océanos, círculos y «un movimiento mágico de *kether* a *malkuth*» (en hebreo, de la «corona» al «reino»), en lo que constituye una clara referencia a la cábala judía, un sistema de símbolos místicos utilizados por los ocultistas desde la Edad Media.

La canción pasa a un segundo movimiento, donde domina un tono mucho más positivo: un lugar desde el que Bowie evoca su pasado entusiasmo por una época más sencilla, de montañas y nectarinos. ¿Quién –se pregunta– puede traerle el amor? Y pronuncia la famosa

frase: *It's not the side effects of the cocaine, I'm thinking that it must be love* [«No son los efectos colaterales de la cocaína... Pienso que debe de ser el amor»].

Pero ¿lo es? Después de todo, en ese momento de su vida, al parecer, se mantiene ingiriendo solo leche y cocaína. Vive bajo la amenaza de la psicosis, a pesar del falso comentario de su productor, Harry Maslin, a la revista *Circus* cuando el álbum salió a la venta: «Me pareció un poco raro que pusiera eso ahí, pero está bien que lo hiciera. Seguramente la habrá probado, como todo el mundo, pero yo no lo llamaría adicto ni nada parecido».

A continuación, pasa a una tercera sesión, donde Bowie presenta una respuesta: *The European canon is here* [«El canon europeo ha llegado»]. El canon es una ley o una norma eclesiástica promulgada por un concilio o alguna autoridad y, en el caso de la Iglesia católica, aprobada por el papa, aunque también podría referirse a la obra literaria de algún escritor.

Mientras grababa *Station To Station* en los Cherokee Studios de Los Ángeles, Bowie recibió algunas visitas importantes, como Ronnie Wood (recostado, en la foto) y Bobby Womack (sentado, segundo a la izquierda).

Parte del ímpetu que da vida al álbum surge de la admiración de Bowie por algunos grupos alemanes como Kraftwerk, Neu! y Can, así como por sus innovaciones rítmicas y sonoras. Inspiraciones que, como siempre, llevaría aún más lejos en su siguiente álbum.

Una vez expuesto el problema, la siguiente canción es «Golden Years», que en las primeras sesiones había sido candidata para el título del álbum, y que será un single que le supondrá a Bowie otro gran éxito en las listas. En ella, se representa a sí mismo ayudando a alguien a recuperar su vida. Aunque parece estar hablándole a una mujer, no cuesta mucho imaginar que en realidad se dirige a sí mismo, y que el uso del género femenino no es otra cosa que un juego travieso con su imagen pasada. Sal de tu estupor, se dice: *Look at the sky... the nights are warm and the days are young* [«Mira el cielo... las noches son acogedoras y los días jóvenes»]. E incluye su propio manifiesto: *Never look back, walk tall, act fine* [«Nunca mires atrás, anda erguido, actúa bien»], un código de comportamiento esencial para las figuras públicas, que no pueden permitirse mostrar debilidades.

El problema, sin embargo, es que toda esa filosofía no le está funcionando. Sabe que el problema es él: se encuentra perdido, así de simple. Y el estrellato es algo que lo lleva a uno a olvidarse de sí mismo: *Last night they loved you, opening doors and pulling some strings* [«Anoche todos te amaban, te abrían las puertas, hacían cosas por ti»]... Y entonces dice: *I believe, oh Lord, I believe all the way* [«Yo creo, oh Dios, yo creo de verdad»]. Aquí está la respuesta, que prepara al oyente para la tercera parte de la trilogía, la asombrosa canción «Word On A Wing».

ING
WEENEY GYM
MAIN EVENT
FOSTER
- VS. -
BILL HARDNEY
-FINAL EVENT
VS.
MANUEL
TORREZ

Página anterior: Bowie fotografiado por Geoff MacCormack en un descanso durante la filmación, en Nuevo México, de *The Man Who Fell To Earth*, durante el verano de 1975.

Derecha: Cantando a dúo con Cher en su programa de televisión, en sustitución de Sonny, el 23 de noviembre de 1975.

Una vez más, mientras mucha gente acusa a Bowie de ser una persona fría y distante, su interpretación vocal muestra en esta canción una historia muy distinta. Es David Bowie cantando acerca de la redención a través de Dios, y es hermoso. Esto es lo que diría posteriormente:

Hay una canción, «Word On A Wing», del nuevo álbum y del concierto, que compuse sintiéndome plenamente en paz con el mundo. Por primera vez había podido crear mi propio ambiente a mi alrededor, con mi propia gente. La escribí como si fuera un himno. ¿De qué otra manera, que no sea mediante un himno, puede uno dar las gracias por haber conseguido algo que soñó en conseguir? Sí, me siento en cierto modo como si empezara de nuevo.

D. B., 1976

Tres años más tarde, el álbum de Bob Dylan *Slow Train Coming* será recibido por todos como la declaración de su creencia en Dios. Bowie hace lo mismo en *Station To Station* y nadie se da cuenta. Quizás porque, en principio, «Word On A Wing» suena como una canción de amor: alguien salido de sus sueños ha entrado en su vida..., y entonces, *Lord, I kneel and offer you my word on a wing / And I'm trying hard to fit among your scheme of things* [«Dios, te ofrezco de rodillas mi palabra sobre un ala / Mientras me esfuerzo por encajar en tu plan»]. La música es conmovedora y hermosa, y la voz de Bowie, motivadora. No es el sonido de un hombre acabado por las drogas, sino el de quien acaba de encontrar la paz al final de la pesadilla.

No está claro cuánto duró este estado de cosas. Nadie le hizo muchas preguntas sobre su creencia en Dios en ese momento de su vida, por lo que no sabemos exactamente lo que pensaba. En una entrevista poco después de la grabación del álbum, le preguntaron sobre un comentario mordaz que había hecho Mick Ronson no hacía mucho. «Yo tengo a Dios, ¿a quién tiene Mick?», fue su respuesta. Pero, como comentó su nuevo guitarrista, Earl Slick: «¿Quién sabe qué estará pensando?».

Así, pues, en términos de religión, no tenemos mucho a donde acudir. Lo que sí tenemos son otras tres canciones en el álbum: «TVC15», sobre una chica que es absorbida por su televisor, tiene un coro estupendo y pegadizo, y muestra la habilidad de Bowie para producir canciones de éxito.

«Stay» tiene unas aguerridas guitarras funk, cuyo poderoso ímpetu compensa el enorme talento vocal de Bowie. Con esta canción estamos otra vez en la oscura habitación de las pesadillas que lo han atormentado durante los últimos meses, un lugar donde los días languidecen y Bowie se esfuerza por encontrar algo que lo ayude a salir. La paranoia se cierne sobre él: *You can never really tell when somebody wants something you want too* [«Nunca sabes cuándo hay alguien que quiere lo mismo que tú»]. Quiere pedir que lo salven, que alguien le haga compañía, pero, dados los peligros de este mundo, sabe que nadie lo hará: *This time tomorrow, I will know what to do* [«Mañana para esta hora, ya sabré qué hacer»]...

El álbum finaliza con una bella interpretación de «Wild Is The Wind», escrita en 1957 por Dimitri Tiomkin y Ned Washington, y

que cantó en un principio Johnny Mathis para la película (homónima). En esta canción Bowie expresa que todas las respuestas se hallan en la vida misma, y que esta es como el viento. Lo único que dice saber es que, al tocar a su amor, oye sonar mandolinas, y que ese es el sonido de la salvación. Una manera apropiada de finalizar una obra maestra.

Es notable que Bowie haya producido un disco de tan emotiva belleza, cuando ya es sorprendente que pudiera producir algo, dado el estado físico y emocional en el que se encontraba por aquel entonces. Los que estuvieron con él recuerdan su increíble ánimo y resistencia, trabajando de las diez de la noche a las diez de la mañana, para luego pasar a otro estudio y seguir grabando. Es verdad que otras veces ni aparecía por allí; pero en cierta ocasión estuvo despierto durante cinco o seis días seguidos, hasta caer rendido en el estudio, solo para retomar el trabajo después.

En esa época David se había convertido en una criatura nocturna. Coco [Schwab] y yo tratábamos de poner un poco de orden, cocinando a veces en casa y haciendo que se levantara antes del mediodía; pero uno no está muy dispuesto a levantar a alguien que ha estado despierto durante tres días seguidos.

Geoff MacCormack, 2007

Cuando todavía el consumo de cocaína no lo había derribado (aunque pronto empezaría a sufrir desvanecimientos), el efecto que tuvo sobre él fue hacerle sacar un álbum cuya potencia todavía se siente hoy con la misma intensidad que tuvo en su lanzamiento, en enero de 1976.

Doble página anterior: De puerto a puerto. En el buque, en marzo de 1976, a punto de zarpar de Nueva York para la gira europea de *Station To Station*. Una de las grandes ventajas que tenía para Bowie su aversión a volar era el tiempo que le dejaba para leer. En una entrevista de 1999, dijo haber llevado cuatrocientos libros en su equipaje cuando viajó para filmar *The Man Who Fell To Earth*.

Superior: A pesar de la seria adicción por la cocaína que desarrolló a mediados de la década de 1970, únicamente fue arrestado una vez, concretamente en marzo de 1976, en Rochester, Nueva York, junto con Iggy Pop, bajo sospecha de posesión de marihuana. El caso no llegó a los tribunales.

Inferior: Frente a la prensa, armado con una copa de brandy, en 1976.

Páginas 110-111: «No soy un científico, pero sé que todas las cosas empiezan y terminan en la eternidad», palabras de Thomas Jerome Newton en la película *The Man Who Fell To Earth*. Jerome escruta el horizonte desierto.

THE MAN WHO FELL TO EARTH

Antes de grabar *Station To Station*, Bowie interpretó el papel principal en la película de Nicolas Roeg, *The Man Who Fell To Earth*. En aquel entonces era una persona frágil, física y mentalmente, que se estaba convirtiendo en un ser tan alienado como el personaje que interpretaba en la pantalla, Thomas Jerome Newton, un humanoide extraterrestre que llega a la Tierra buscando agua para su planeta asolado por la sequía. Necesita dinero con el fin de adaptar su nave espacial para el viaje de regreso, por lo que patenta algunas invenciones basadas en su tecnología extraterrestre. Pero antes de poder hacer el viaje sucumbe al alcohol, se descubre su verdadera identidad y es encarcelado por el gobierno. Finalmente consigue escapar de la prisión física, pero no de su propio confinamiento por la bebida y la depresión.

La película recibió críticas muy diversas, pero su popularidad ha crecido con el tiempo. La actuación de Bowie es intensa y cautivadora, y la película posee una excelente fotografía. Si tiene momentos en que expresa frialdad e incomodidad, es porque tal es la trama que relata.

La imagen que tengo de toda la película no es la de haber tenido que actuar. Me bastaba con ser como era, y eso resultaba perfecto para el personaje. Es como si, en esa época, no hubiera pertenecido a este planeta.

D. B., 1993

LOW 1977

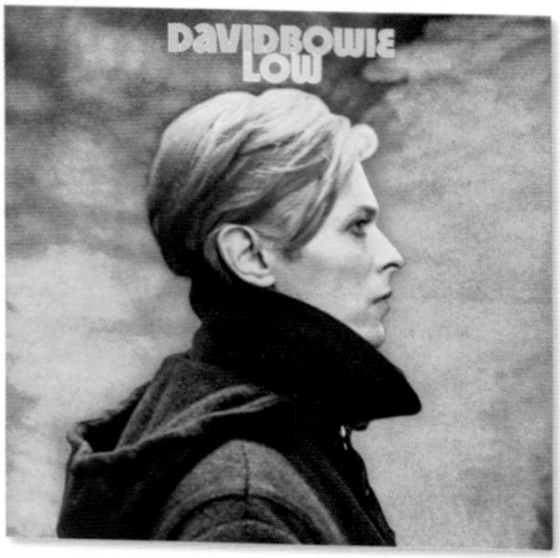

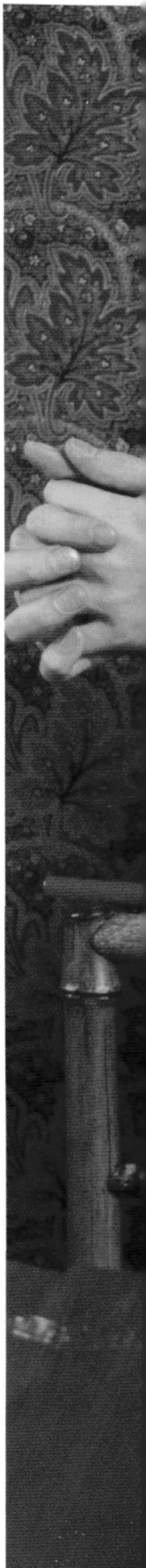

‘EN CONJUNTO, A TRAVÉS DE LOS VELOS DE LA DESESPERACIÓN DE *LOW*, SIENTO UN AUTÉNTICO OPTIMISMO. ME OIGO A MÍ MISMO LUCHANDO POR SALIR DE TODO AQUELLO’.

DAVID BOWIE, 1999

ATON
"(This book) tells one of the strangest, saddest stories of a great comedian that there is to be told."
The New York Times Book Review
Rudi Blesh

1976

2 de febrero

Inicia la gira Station To Station en el PNE Coliseum de Vancouver.

18 de marzo

Se estrena *The Man Who Fell To Earth*, con Bowie como protagonista, interpretando al personaje de Thomas Jerome Newton.

20 de marzo

Es arrestado bajo sospecha de posesión de marihuana en Rochester, Nueva York.

Abril

Sale «TVC15» / «We Are The Dead» (posición 35 en el Reino Unido, 64 en Estados Unidos).

2 de mayo

Un saludo que hace con la mano a los fotógrafos en la estación Victoria de Londres es malinterpretado como el saludo nazi.

18 de mayo

Finaliza la gira Station To Station en el Pavillon de París.

Julio

Sale en el Reino Unido «Suffragette City» / «Stay» (no llega a las listas).

Sale en Estados Unidos «Stay» / «Word On A Wing» (no llega a las listas).

Octubre

David se muda a Berlín.

1977

14 de enero

Sale *Low* (2.° lugar en el Reino Unido, 11.° en Estados Unidos).

Página 113: Bowie repite la pose para la portada del álbum en esta fotografía tomada por Norman Parkinson en 1977.

Página anterior: La admiración de Bowie por Buster Keaton es evidente en el vídeo de «Be My Wife», uno de los singles extraídos de *Low*, donde con un maquillaje pálido imita la exagerada mímica facial de la estrella del cine mudo.

Superior: La banda de la gira Station To Station en plena actuación en Los Ángeles, febrero de 1976. De izquierda a derecha: Carlos Alomar (guitarra), David Bowie, George Murray (bajo) y Stacey Heydon (guitarra).

Doble página siguiente: Como un Sinatra de la época de Weimar, el Thin White Duke controla el escenario.

Fue una curiosa coincidencia que esta nueva etapa en la carrera de Bowie, que muchos consideran como su período más brillante y creativo, se iniciara gracias a quien le había proporcionado, en su momento, el nombre de Ziggy. En febrero de 1976 llegó Bowie a Los Ángeles dentro de la gira Station To Station, después de que le hubiera dicho a la prensa que era un intento calculado de recuperar algún dinero tras el fiasco que había tenido con MainMan: «Creo que me lo merezco –les había dicho a los reporteros–, ¿no les parece?».

Siempre buscando hacer cosas diferentes en sus presentaciones, proyectó en la pantalla el fragmento de la película surrealista de Luis Buñuel y Salvador Dalí *Un perro andaluz*, de 1929, en el que se ve cortar un ojo con una navaja, y precedía la escena con la música del nuevo álbum de Kraftwerk, *Radio-Activity*, sonando en los altavoces. Entonces aparecía la banda e interpretaba la canción principal del disco.

Bowie subió al escenario vestido de manera sencilla, con pantalones negros, camisa blanca con chaleco y el pelo peinado liso hacia atrás. Entre los temas que lo atraían en ese momento estaban Frank Sinatra y el fascismo, y su atuendo evocaba el de un cantante de salón plenamente consciente del austero aspecto del expresionismo alemán.

[Sinatra] no es solo un cantante o un actor, sino que trasciende todas esas facetas. Es algo así como una figura pública. Así es exactamente como me gustaría sentirme. Es la idea de ver qué es lo que puedes hacer con tu imagen, hasta dónde puedes proyectar tu ego fuera de tu propio cuerpo. Creo que nadie ve mi música nada más como música, sino que lo asocian con David Bowie, la persona. Muy al estilo de los análisis de McLuhan, ¿no? Trato de hacer de mí mi propio mensaje, la forma de comunicación típica del siglo XX.

D. B., 1976

Después de uno de sus conciertos, se encontró con Iggy Pop, a quien invitó a acompañar al grupo durante el resto de la gira. Al terminarla, en París, se ofreció a componer y producir el próximo disco de Iggy. Para este, a quien los tribunales habían ordenado hacía poco seguir un programa de rehabilitación, y que todavía luchaba contra su adicción, era una oportunidad que no podía dejar escapar. Por su parte, para Bowie era una manera de trabajar en una idea que había venido madurando: «Experimentar, descubrir nuevas maneras de componer; evolucionar, en suma, hacia un nuevo lenguaje musical».

Un nuevo lenguaje musical. Bowie estaba ya cansado de jugar a ser la estrella de rock, algo que lo había llevado al borde mismo de la locura. Había caído en una preocupante adicción a las drogas que amenazaba con hacer descarrilar toda su carrera. En algunas entrevistas había manifestado una fascinación por Hitler, llegando a sugerir que había sido la primera «estrella del rock»: la adulación de las masas, la manipulación de la audiencia a través de la actuación y la teatralidad, el estilo por encima del contenido... Si se buscan, las similitudes no son tan difíciles de encontrar. Por cierto, conviene recordar que en 1977 Bowie había declarado categóricamente: «*NO* soy fascista». Aun así, parecía llegada la hora de dejar de jugar a estrella de rock. Era el momento de desaparecer para recobrar fuerzas y regresar, esta vez no como un personaje, sino como un hombre nuevo:

Me di cuenta de que había agotado el ambiente en que me encontraba y el efecto que dicho ambiente ejercía sobre mi trabajo creativo. Sentía que si no rompía con él, empezaría a repetirme a mí mismo.

D. B., 1977

Los dos amigos fueron al Château d'Hérouville, donde Bowie había grabado *Pin Ups*. El ingeniero y músico de sesión (que más tarde se convertiría en propietario del estudio) era Laurent Thibault, antiguo bajista de un grupo llamado Magma, cuya música Bowie admiraba. Después de un par de días allí, este arregló una visita posterior para ese mismo año y regresó a su nueva casa en Suiza.

Los Ángeles estaba ahora muy lejos, y el cantante podía aspirar a una vida más tranquila. En su nuevo hogar, compuso esquemas y fragmentos musicales con los que fue otra vez a Francia en junio. Allí empezó a trabajar con Iggy en el álbum de este *The Idiot*, nombre tomado de la célebre novela de Dostoyevski.

La manera de grabar de Bowie era muy informal. Se ponía a tocar la batería mientras Michel Santangeli ensayaba los pasajes musicales que tuviera, y así iban componiendo las canciones, sobre las que Bowie hacía que Thibault pusiera después los bajos.

Mientras tanto, Iggy escribía las letras a pedazos o, a veces, simplemente agarraba el micrófono y cantaba lo que fuera saliendo. A Bowie le fascinaba su espontaneidad, que incorporaría después a su propia técnica de trabajo. En agosto continuaron la grabación en Alemania, primero en Múnich y después en Berlín.

El trabajo que resultó de todo aquello fue aclamado como uno de los álbumes del año. La melancólica voz de Iggy sobre un fondo

En Berlín, en junio de 1977. El interés de Bowie por la ciudad fue resultado de su encuentro con el novelista Christopher Isherwood, uno de sus cronistas más famosos.

de sonido futurista es un perfecto reflejo del sentir de la década. Y puso a Bowie en la pista de su siguiente álbum propio, por lo que volvió a toda prisa al Château para empezar a ocuparse de su nuevo proyecto.

Tenía algún material sobre el que trabajar, restos del fondo musical de la película *The Man Who Fell To Earth*, que había empezado a componer al terminar la grabación de *Station To Station*. Pero en aquel entonces se encontraba en lo personal en un estado tan precario que la música que compuso (y que contaba con la participación del violonchelista y compositor Paul Buckmaster, que había hecho los arreglos de «Space Oddity») no llegaba a una calidad mínima aceptable. Cuando Bowie inició su gira Station To Station por todo el mundo, ya estaba, como siempre, mirando hacia el futuro, como muestra el hecho de que incorporara la música de Kraftwerk en sus actuaciones. Por eso resultaron tan importantes sus encuentros con el escritor Christopher Isherwood y el músico Brian Eno.

Isherwood era conocido por sus escritos sobre el Berlín de la década de 1930. Una de sus novelas, *Goodbye To Berlin* (*Adiós a Berlín*), había sido el punto de partida del musical *Cabaret*. Isherwood y Bowie se conocieron en Los Ángeles en 1976 durante la gira Sta-

tion To Station; Bowie le preguntó acerca de Berlín, y se interesó mucho por lo que Isherwood le contó. Cuando más tarde se mudó allí, buscó un piso situado a diez minutos a pie de donde había vivido el escritor.

A Eno ya lo conocía Bowie desde la época de Roxy Music. Desde entonces, Eno había estado experimentando con un tipo de música que llegaría a conocerse como *ambient*, y que Bowie tenía ganas de explorar. Bowie ya había sacado diez álbumes, pero le faltaba grabar un instrumental.

«Sabía que [a Bowie] le había gustado mucho *Another Green World* –dijo Eno en 1999 sobre su tercer álbum–, y seguramente estaba al tanto de las dos líneas paralelas en las que yo estaba trabajando; y cuando encuentras a alguien que tiene los mismos problemas, tiendes a familiarizarte con él. Cuando oyó por primera vez *Discreet Music*, se imaginó que en el futuro uno iría al supermercado y habría una estantería de discos "Ambience", todos con portadas parecidas. A lo que yo añado: tendrían títulos como *Sparkling* o *Nostalgic*, o *Melancholy* o *Sombre*. Todos con nombres de estados de ánimo, y tan baratos que podrías tirarlos cuando ya no los quisieras».

Bowie y Tony Visconti volvieron a reunirse como productores en el Château d'Hérouville para empezar a trabajar en *Low* de la manera a la que estaban acostumbrados (Visconti le había dicho que tenía un instrumento capaz de «destrozar el tejido temporal», el armonizador Eventide). Empezaron a componer las canciones a partir de algunos ritmos básicos, añadiendo los instrumentos y, en último lugar, la voz de Bowie, de manera que se conseguía mucha más expresividad que grabando la vocalización en una etapa anterior.

La música de *Low* sigue una lógica propia, en la que las canciones parecen hacer acto de presencia para ofrecer su testimonio y después desaparecer. Muchos apuntan a Kraftwerk como la principal fuente de inspiración del álbum, pero es una pista falsa: la música del grupo alemán está construida sobre ritmos robóticos coloreados con inesperadas pinceladas de sonido; pero lo que hace Bowie aquí es algo completamente libre e impredecible, lejos del inexorable ritmo de Kraftwerk. Por el contrario, *Low* está cargado de una percusión que ataca aquí y allá, apuntalada por secuencias de bajos funk y ululantes guitarras acompañadas de súbitos saltos rítmicos.

En cuanto a las letras, las canciones son como breves instantáneas de imágenes sencillas, por lo general del tiempo que estuvo Bowie en Los Ángeles. «Breaking Glass», «Sound And Vision» y «What In

The World» sitúan al oyente en un espacio donde está sucediendo algo malo o bien se espera la salvación. «Always Crashing In The Same Car» está supuestamente inspirada en un asunto de drogas que salió mal, y en «Be My Wife» (título basado en el de Nina Simone, «Be My Husband») Bowie canta otra vez con su antigua «voz de Londres», una combinación de Syd Barrett con Anthony Newley, para recordarnos que, por mucho éxito que estuviera teniendo, seguía siendo un chico londinense.

Las canciones vienen complementadas con dos temas instrumentales, «Speed Of Life» y «A New Career In A New Town», como pequeños golpes afilados y abrasivos que, al parecer, no fueron concebidos como piezas instrumentales, pero a los que Bowie no encontró qué letra ponerles, por lo que, en consonancia con el espíritu de libertad del álbum, decidió dejarlas así.

El resto son canciones más largas y sombrías, lo que no es de sorprender dados los temas que abordan.

«Warszawa» es sobre Varsovia y la desapacible atmósfera que percibí en la ciudad.

D. B., 1977

Describirla de modo tan prosaico le hace un flaco servicio a la música, que en ocasiones parece prefigurar los fondos musicales de Ennio Morricone en películas como *The Mission* (*La misión*); hay también una sugerencia del enfoque que adoptaría Walter (actualmente Wendy) Carlos para la música de *A Clockwork Orange* (*La naranja mecánica*), en especial la dramática entrada de los grandes acordes después de un momento de silencio.

«Art Decade» es Berlín occidental, una ciudad arrancada de su mundo, su arte y su cultura, que está muriendo sin esperanza alguna de recuperación. «Weeping Wall» es sobre el Muro de Berlín: su vergüenza y su miseria. «Subterraneans» es sobre la gente que quedó atrapada en Berlín oriental al producirse la separación... El desvaído jazz de los saxofones es un intento de representar la memoria de lo que una vez fue.

D. B., 1977

De manera un tanto sorprendente para un álbum de naturaleza tan experimental, las ventas fueron buenas, muy buenas. El single «Sound And Vision» alcanzó el tercer puesto en las listas del Reino Unido, y el álbum, el número dos en el Reino Unido y el once en Estados Unidos, lo cual de por sí ya es impresionante. Los críticos, sin embargo, estuvieron muy divididos: mientras algunos alabaron su atrevimiento en el terreno artístico, otros se encontraron desconcertados.

Ante las fuertes expectativas de una gira que debía acompañar el lanzamiento del álbum, Bowie, por supuesto, decidió seguir su propio camino y optó por tocar los teclados para la promoción en vivo de *The Idiot*, de Iggy Pop, tanto en el Reino Unido como en Estados Unidos. En mayo sacó otro álbum con Iggy, *Lust For Life*, y en agosto volvió al estudio para grabar la que muchos consideran su mejor canción. Tenía por entonces solo treinta años.

«Un disco notable, sin duda el más interesante de los que ha hecho Bowie».

***Melody Maker*, enero de 1977**

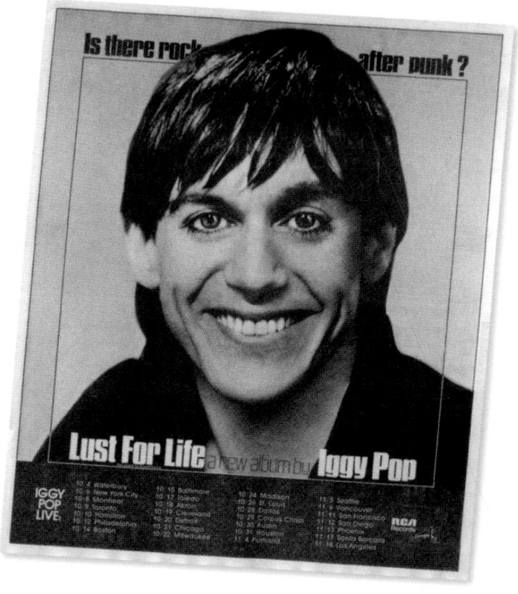

Página anterior: Esperando su vuelo en el aeropuerto de Heathrow, en marzo de 1977. Sorprende ver que es Iggy Pop quien parece más intranquilo de los dos.

Doble página siguiente: Satisfecho de hallarse en un segundo plano, Bowie tocó los teclados durante la gira de Iggy Pop para promocionar *The Idiot*, el primero de los dos álbumes que coprodujo para su amigo en 1976 y 1977 (el otro sería *Lust For Life*).

"HEROES" 1977

"AHORA ESTOY CONTENTO, FELIZ... SIENTO QUE SOY ALGO MÁS QUE UN PRODUCTO DE UNA LÍNEA DE MONTAJE, Y NO UN INSTRUMENTO DE APOYO DE 10.000 PERSONAS PENDIENTES DE CADA VENTOSIDAD QUE PUEDA SOLTAR".

DAVID BOWIE, 1977

1977
Febrero
Sale «Sound And Vision» / «A New Career In A New Town» (3.er lugar en el Reino Unido, 69.° en Estados Unidos).
18 de marzo
Sale *The Idiot*, de Iggy Pop.
Marzo – abril
Toca los teclados en la gira The Idiot, de Iggy Pop.
Junio
Sale «Be My Wife» / «Speed Of Life» (no llega a las listas).
29 de agosto
Sale *Lust For Life*, de Iggy Pop.
Septiembre
Sale «"Heroes"»/ «V-2 Schneider» (posición 24 en el Reino Unido, en Estados Unidos no llega a las listas).
11 de septiembre
Canta «Peace On Earth» y «Little Drummer Boy» a dúo con Bing Crosby para el programa de este titulado *Bing Crosby's Merrie Old Christmas*, transmitido por la red de televisión ITV.
14 de octubre
Sale *"Heroes"* (3.er lugar en el Reino Unido, 35.° en Estados Unidos).

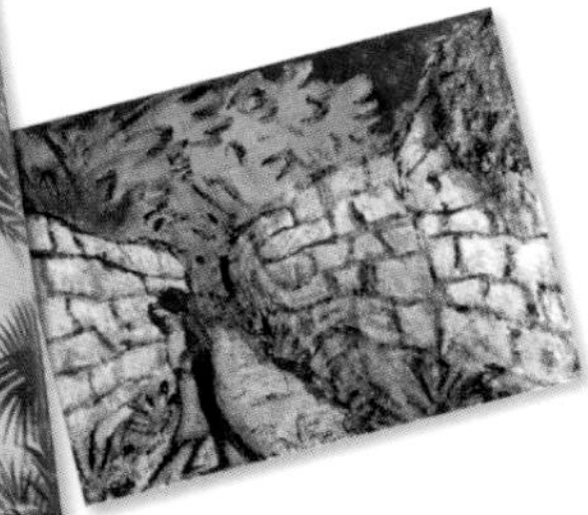

Página 125: Fotografía de la sesión de Sukita para *"Heroes"*, en abril de 1977.

Página anterior: Retrato realizado por Clive Arrowsmith, noviembre de 1977.

Superior: «The finest gifts we'll bring»: Bowie y Bing Crosby celebran la navidad en un programa especial de televisión grabado en Elstree, Inglaterra, en septiembre de 1977.

David Bowie entra en la sala de producción del Estudio 2, en los estudios de grabación Hansa, en Berlín, y le pregunta al productor Tony Visconti si no le importaría dejarlo solo. Necesita aislarse por unos momentos para escribir la letra de la emotiva pieza en la que ambos han estado trabajando desde que llegaron en julio de 1977. Visconti, comprensivo, abandona la sala.

La canción que Bowie quiere escribir trata de dos enamorados separados por la fatal imagen del Muro de Berlín. Se dice que la idea que se desarrolla en su fértil imaginación partió esta vez de dos obras de arte: el relato *A Grave for a Dolphin* (*Una tumba para un delfín*), del escritor italiano Alberto Denti di Pirajno, y el cuadro titulado *Amantes entre los muros del jardín* (*superior derecha*), del pintor expresionista alemán Otto Mueller.

Mientras piensa en la letra de la canción, mira por la ventana y se sorprende al ver a su productor y la cantante de jazz Antonia Maas besándose. Bowie conoce a Maas. Desde que él y Visconti la habían conocido en un club nocturno, había entrado a formar parte de los coros en el álbum que estaban haciendo. Visconti está casado, y Bowie los ve besándose, junto a una pared cercana. Encuentra la imagen fascinante. Más tarde (manteniendo la discreción sobre la infidelidad de Visconti) declararía para la revista musical *NME*:

Hay una pared cercana al estudio... Estará a unos veinte o treinta metros de distancia y se ve desde la sala de control. Tiene una torreta en la parte superior, donde está el guardia, y cada día, durante la hora de la comida, se encuentran allí, junto a la pared, un chico y una chica que, obviamente, tenían algo entre ellos. Y pensé: «De todos los sitios de Berlín donde podrían encontrarse, ¿por qué escoger ese banco junto a la pared, bajo la torreta del guardia?». Así que me imaginé que se sentían algo culpables por su encuentro y se habían impuesto esa restricción, convirtiendo de ese modo lo que hacían en un acto heroico.

D. B., 1977

Cuando Visconti reapareció en el estudio, Bowie había terminado. Lo tenía todo listo para grabar unos sonidos vocales que harían de «"Heroes"», más que una buena composición musical, una de las mejores canciones de toda su carrera.

La pieza se inicia casi como una conversación, mientras la voz va subiendo junto con la música hasta alcanzar un punto álgido de sintetizadores y guitarras bajo un ritmo que marca la dirección. El resultado es una canción magnífica y grandiosa que canta el triunfo de los amantes: el error no está en ellos, sino en los demás, porque el amor es la fuerza más poderosa. Esta canción, que le da nombre al álbum, es, sin embargo, la única que sigue de algún modo un patrón convencional. Usando la misma técnica que les había dado tan buenos resultados en *Low*, Bowie, Visconti y Eno unen una vez más sus fuerzas para elaborar un álbum que tiene dos partes claramente distinguibles: cinco piezas «destacadas», que son brillantes y perturbadoras, y un grupo de temas instrumentales.

Si *Low* se hizo sobre la base de esquemas apenas esbozados, principalmente en lo que respecta a las letras, no puede decirse lo mismo de este álbum. Aquí Bowie se involucra aún más, como compositor y como cantante: el sonido es más pleno; las canciones, mucho más coherentes, mucho menos elusivas.

Como en *Station To Station*, el álbum empieza con un estribillo al piano; pero a diferencia de la canción «Station To Station», «Beauty And The Beast» es una montaña rusa, una vertiginosa fusión de guitarras con percusión y toda clase de inesperada instrumentación en torno a la voz de Bowie, situada en el centro del torbellino. *Nothing will corrupt us/ Nothing will compete/ Thank God heaven left us/ Standing on our feet* [«Nada nos corromperá/ Nada nos hará competencia/ Gracias a Dios, el cielo nos ha dejado/ Sobre nuestros propios pies»], canta Bowie lleno de esperanza y optimismo.

El buen ánimo de Bowie se explica en buena parte gracias a la propia ciudad de Berlín, donde se ha establecido a finales de 1976 en un amplio piso de siete habitaciones. No solo había sentido siempre admiración por Alemania, su arte y sus artistas, sino que a la gente del lugar donde ahora vivía no le afectaba su presencia en lo más mínimo. Los cantantes pop no parecían llamar la atención en esta parte del mundo, por lo que Bowie podía pasear por las calles solo y sin que lo molestaran.

Desde mi adolescencia me había obsesionado la obra emocional, cargada de angustia, de los expresionistas, tanto artistas como cineastas, y Berlín era su patria espiritual. Este era el núcleo del movimiento Die Brücke, de Max Reinhardt, de Brecht, donde se habían originado Metrópolis *y* [El gabinete del doctor] Caligari. *Una forma de arte que reflejaba la vida no a través de los hechos, sino del estado de ánimo, de la actitud. Hacia allí sentía que se dirigía mi trabajo. La aparición del álbum* Autobahn, *de Kraftwerk, en 1974, había atraído mi atención nuevamente hacia Europa. La preponderancia de instrumentos electrónicos me convenció de que esa era una zona que debía conocer más a fondo.*

D. B., 2001

Bowie alquiló un piso en Schöneberg, Berlín, entre octubre de 1976 y febrero de 1978, y grabó *"Heroes"* en su totalidad en esa ciudad. Después de convertir Europa en su refugio, en 1977 pasó también algún tiempo en París, donde lo fotografió Christian Simonpietri.

En el segundo tema del álbum, «Joe The Lion», Bowie adoptó el método de trabajo que había visto usar a Iggy Pop durante la grabación de *The Idiot*: de pie ante el micrófono, entre la cacofonía de sonidos, cantaba lo primero que se le ocurría. Repitió el proceso varias veces, reteniendo los mejores versos que iban saliendo hasta completar la canción. Posteriormente diría: «Me pareció una manera muy efectiva de romper la rutina a la hora de escribir las letras».

Le sigue «"Heroes"», con su majestuosa introducción y su gracia, un claro y agradecido contraste con la turbulencia que le antecede. Bowie incluyó en la letra referencias constantes a la bebida, lo que venía perfectamente al caso, ya que, aunque había empezado a salir del marasmo, Berlín no había resuelto del todo su problema con la cocaína. Había reducido su consumo de forma considerable, pero el alcohol se estaba convirtiendo en un sustituto. Iggy Pop contaría más tarde cómo la semana solía dividirse en dos días de coca, dos de bebida y tres de sobriedad, que dedicaba a realizar visitas a galerías y museos.

Pero Bowie estaba, ciertamente, mucho mejor que el año anterior. Inició la grabación de *Low* todavía quemado por los oscuros días de Los Ángeles, agradeciendo cualquier oportunidad de poder esfumarse, de desaparecer entre los demás. En cambio, en *"Heroes"* su mejorado estado general y de ánimo contribuyeron a hacer un disco mucho más sólido y completo.

A «"Heroes"» le sigue otra composición memorable, «Sons Of The Silent Age». Si la fuerza de *Low* se centraba en la rica sugerencia de posibilidades, «Sons Of The Silent Age» es la realización de algunas de ellas, en la medida en que Bowie se acerca a su objetivo de crear «un nuevo lenguaje musical». Una vez más con su mejor combinación de voz a lo Newley/Barrett, la letra recuerda a *Diamond Dogs* en su manera de presentar una turbadora visión del futuro sacada de *1984*. Entre los saxos, el sonido de platillos y el subyugante ritmo, aparecen los colores contrastantes del coro al estilo de los Beach Boys antes de que la propia voz de Bowie se eleve majestuosamente por encima de las magníficas voces del fondo. En manos de un talento inferior, el efecto no habría pasado de ser raro, pero la habilidad vocal de Bowie lo convierte en algo grandioso. No hay muchos cantantes que puedan pasar de Syd Barrett a su propia autenticidad en solo un verso.

La primera mitad del álbum concluye con «Blackout», una canción basada quizás en la vida personal de Bowie. Su matrimonio con Angie estaba al borde del naufragio, y de hecho ya no se recuperaría. En su última visita a Berlín, Bowie había sufrido un desmayo y todo el mundo creyó que era un ataque al corazón. Pero el diagnóstico del hospital militar fue que simplemente había bebido demasiado. ¿Sería mucho imaginar que la estrofa *Get me to a doctor's/ I've been told someone's back in town, the chips are down* [«Llévenme al médico/ Me han dicho que alguien está aquí otra vez, las cosas se han puesto difíciles»] es una alusión a su desvanecimiento y a quien pronto sería su exesposa? Bowie diría más tarde que para la estrofa se inspiró en un apagón de la ciudad de Nueva York. Sea como fuere, «Blackout» es una canción extraña, polémica y disonante.

La siguiente pieza, «V-2 Schneider», tiende un puente hacia las composiciones más contemplativas del álbum. Sus lánguidos versos y su coro pegadizo desembocan en la sombría «Sense Of Doubt», con su hechizante estribillo de piano y sus dramáticos teclados al estilo de *A Clockwork Orange* (*La naranja mecánica*), tema que va acompañado de «Neukölln», cuya sección de saxofón evoca imágenes de la populosa comunidad turca de Berlín.

Entre ambas está «Moss Garden». Si en «Blackout» Bowie grita *I'm under Japanese influence* [«Estoy bajo el influjo japonés»], aquí crea un oasis de serenidad en medio de la discordia, un tranquilo enclave musical con la ayuda del *koto*, un instrumento tradicional japonés de cuerda.

El álbum finaliza con «The Secret Life Of Arabia», cuyas breves letras remiten otra vez a *Low* (la expresión «speed of life» es una referencia directa a la primera canción de *Low*), mientras que el tempo acelerado es como una suave lluvia refrescante después de los tormentosos vientos que la han precedido.

Los álbumes *Low*, *"Heroes"* y *Lodger* se suelen conocer como la trilogía de Berlín, aunque esta denominación no es muy correcta: *Low* se grabó en Francia, si bien se mezcló en Berlín, y *Lodger* se grabó en Suiza, por lo que *"Heroes"* es en realidad el único de los tres discos que Bowie grabó en la ciudad alemana. En él, es palpable la sensación de alivio tras haber logrado huir del horror en que se sumió él mismo en Los Ángeles. Y la fotografía de la portada lo muestra con mucho mejor aspecto del que había tenido en mucho tiempo:

En Berlín sentí por primera vez en muchos años el gozo de vivir, un profundo sentido de alivio y mejoría. Hay que recordar que es una ciudad ocho veces más grande que París, donde resulta tan fácil perderse y donde es tan fácil encontrarse a sí mismo.

D. B., 2001

Página siguiente: Un Bowie más feliz y saludable, que ha dejado atrás las tensiones y los excesos de Los Ángeles. Fotografía tomada en el hotel Dorchester, Londres, 1977.

RALEIGH

Tony Visconti también tiene recuerdos agradables de la experiencia, tal como comentaría en 2007: «*"Heroes"* fue el mejor trabajo de la trilogía. Los estudios Hansa, la propia ciudad de Berlín con sus estupendos músicos y Eno fueron una fórmula mágica. Cada noche volvía al hotel con una sonrisa, sabiendo que estábamos haciendo un álbum fantástico. En ese momento ya tenía la sensación de que la canción «"Heroes"» se convertiría en todo un clásico».

Y no se equivocaba. Increíblemente, «"Heroes"» no se convirtió de la noche a la mañana en el enorme éxito que pudo haber sido en su lanzamiento, pero se la ha considerado siempre uno de los mayores logros de Bowie.

Al terminar el álbum, este apareció (como parte de sus compromisos promocionales, ya que no se hallaba de gira en aquel momento) en el programa *Marc*, de Marc Bolan, en la televisión británica, donde hizo una magnífica interpretación de la canción junto a su antiguo amigo y rival de los días del glam rock. A Bolan se le veía agradecido ante semejante oportunidad delante de las cámaras, y Bowie estuvo radiante. Como todo un héroe.

«Un álbum raro, frío y a veces inescrutable, pero Bowie hace que esa curiosa mezcla funcione».

ZigZag, octubre de 1977

Durante la presentación de «"Heroes"» en *Marc*, el programa de televisión de Marc Bolan, el 9 de septiembre de 1977. Una semana después, Bolan murió en un accidente automovilístico, y el programa se emitió póstumamente el 28 de septiembre.

EL ARTE DE LA PORTADA

La foto de la portada de *"Heroes"* es obra del fotógrafo japonés Masayoshi Sukita, que había conocido a Bowie en Londres en 1972, después de asistir a un concierto suyo en el Royal Festival Hall. Fue el inicio de una larga relación de trabajo. Dedicado principalmente a la fotografía de moda, Sukita arregló el primer encuentro en 1973 entre Bowie y el diseñador Kansai Yamamoto, quien diseñaría muchas de las ropas de Ziggy para el escenario.

En 1977, David visitó Japón con Iggy Pop durante la promoción del álbum de este *The Idiot*, y allí los fotografió Sukita en su estudio de Tokio. Uno de los retratos que hizo de Iggy es el que aparece en la portada de su álbum de 1981, *Party*. En cuanto a Bowie, Sukita comenta que sus poses fueron totalmente espontáneas. Su fotografía de la portada se ha comparado a un autorretrato del artista expresionista alemán Walter Gramatté, aunque Bowie confiesa que en realidad es una alusión a la obra de otro expresionista, *Roquairol*, de Erich Heckel.

Superior: En los estudios Hansa, de Berlín, con el guitarrista principal Robert Fripp (anteriormente de King Crimson) y Brian Eno (en el centro).

LODGER 1979

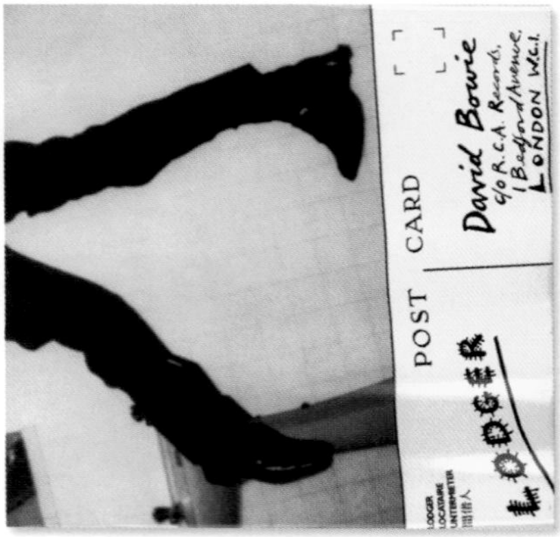

> «CON FRECUENCIA LLAMO MÁS LA ATENCIÓN POR LO QUE NO SOY (NO PREDECIBLE, NO DESAPERCIBIDO, NO IGNORANTE..., LO QUE SEA) QUE POR LO QUE ME GUSTARÍA PENSAR QUE SOY».
>
> DAVID BOWIE, 1983

1978
Enero
Sale «Beauty And The Beast» / «Sense Of Doubt»
(posición 39 en el Reino Unido, en Estados Unidos no llega a las listas).
Febrero
Se va de Berlín.
29 de marzo
Inicio de la gira Stage en el Sports Arena de San Diego, California.
12 de mayo
Sale *David Bowie Narrates Prokofiev's Peter And The Wolf.*
25 de septiembre
Sale *Stage* (5.° lugar en el Reino Unido, 44.° en Estados Unidos).
Noviembre
Sale en el Reino Unido «Breaking Glass» / «Art Decade»/ «Ziggy Stardust»
(54.° lugar en las listas).
16 de noviembre
Se estrena la película *Just A Gigolo* (*Gigolo*), con Bowie interpretando a
Paul Ambrosius von Przygodski.
12 de diciembre
Finaliza la gira Stage en el NHK Hall deTokio.

1979
Abril
Sale en el Reino Unido «Boys Keep Swinging» / «Fantastic Voyage» (7.° lugar).
18 de mayo
Sale *Lodger* (4.° lugar en el Reino Unido, 20.° en Estados Unidos).

Página 137: El vendaje simulado no le impide a Bowie abotonarse después de la sesión fotográfica de Brian Duffy para la portada de *Lodger*.

Página anterior: Poco antes de irse de Berlín, Bowie filmó *Just A Gigolo* (*Gigolo*), atraído por la idea de actuar junto a Marlene Dietrich. Pero la actriz no quiso viajar a Berlín, por lo que se montó un escenario cerca de su lugar de residencia en París, y nunca llegó a encontrarse con ella.

En enero de 1978, la revista *ZigZag* le preguntó a David Bowie cuál era su opinión acerca de los álbumes que había grabado hasta la fecha:

Creo que algunos de ellos fueron ideas muy esquemáticas en las que no llegué a trabajar demasiado. Por eso no son lo bastante buenos. Es como pintar un cuadro, quiero decir que no todos tus cuadros serán buenos, pero son los que has pintado y ahí están. Es la manera en que veo mis discos. Admito que algunas ideas no llegué a expresarlas como debiera, pero quedan algunas cosas por ahí que no están del todo mal. Hay una secuencia lógica... Casi recuerdo el año en que compuse cada uno, como si pudiera decir: «Sí, eso describe muy bien el año y el ambiente»... Eso creo. Lo que no está mal, hacer precisamente lo que quería hacer.

D. B., 1978

Lo que nos lleva a *Lodger*, el tercer álbum de la llamada trilogía de Berlín, aunque grabado el Suiza, en medio de la exitosa gira mundial de Bowie en 1978. (De hecho, lo que tienen en común los álbumes de la trilogía no es Berlín, sino la colaboración de Bowie y Eno en todos ellos).

Una vez más, RCA andaba al acecho, reclamando otro álbum. Bowie había pensado que el álbum grabado en vivo *Stage* satisfacía los términos del contrato, pero RCA no estaba de acuerdo. La discográfica también estaba preocupada por el nuevo rumbo que estaba tomando la música de Bowie. *Low* y *"Heroes"* no habían alcanzado ni de lejos las de ventas de *Young Americans* y *Station To Station*. Empezaron a presionar. Bowie se resistía. Cuando en agosto de 1978, durante un intervalo en su gira mundial, fue a los estudios Mountain de Montreux, lo hizo otra vez acompañado de Tony Visconti y Brian Eno. Sería la última parte de la trilogía que iniciaran en 1976.

Los últimos años de creatividad habían sido muy beneficiosos artísticamente hablando para David, quien llegaría a decir después que, de todos sus álbumes, *Low*, *"Heroes"* y *Lodger* eran los que contenían su auténtico ADN musical.

Lodger, que vendría a cerrar este prolífico período, se convirtió en un álbum frente al que las opiniones y las personas se hallan divididas: mientras algunos lo consideran una obra genial, otros lo ven como una prueba de que la creatividad de Bowie estaba empezando a decaer.

Esa última impresión cobró fuerza cuando Gary Numan llegó a lo más alto de las listas con «Are Friends Electric?», mientras que el single principal del álbum de Bowie, «Boys Keep Swinging», no

Superior: La prolongada gira Stage tuvo lugar de marzo a diciembre de 1978, y abarcó Norteamérica, Europa, Australia, Nueva Zelanda y Japón.

Página siguiente: Sobre un pedestal. Retrato realizado por Snowdon en su propio jardín, 1978.

entró en las primeras cinco posiciones. Lo que todos dijeron fue que el alumno había superado al maestro. Aunque la historia transcurrida desde entonces demuestra que esa proclamación fue un tanto prematura...

Bowie admitiría más tarde que sus problemas personales lo habían distraído del trabajo en el álbum (Angie no había asumido de buen grado la separación), y Visconti confesó que la elección del estudio no había sido acertada.

Tampoco las tensiones entre los protagonistas del álbum habían ayudado: Bowie y Eno no se habían visto durante casi un año; ambos llegaron con ideas distintas, y mantuvieron frecuentes discusiones respecto a la dirección que debían tomar.

«*Lodger* empezó como una cosa muy prometedora y extremadamente revolucionaria –diría Eno más tarde–, pero por desgracia no terminó así».

En 1975, Brian Eno había desarrollado, junto con un amigo, lo que dieron en llamar «estrategias oblicuas». Consistía en un mazo de cien fichas en las que escribían instrucciones, frases o ideas, de entre las cuales escogían una al azar y cumplían al pie de la letra con lo allí estipulado. La idea era desbloquear la creatividad, ya fuera sugiriendo un enfoque alternativo o, en ocasiones, descolocando a la gente. Por ejemplo, una ficha podía ordenar a los músicos cambiar de instrumentos. Así, en la canción «Boys Keep Swinging», Carlos Alomar toca la batería mientras que Dennis Davis se pasa al bajo. Alomar diría después que esa era su canción favorita de las que había tocado para el álbum: «No es que yo toque la batería, para nada, pero fue fantástico hacerlo». Los bajos de Davis, en cambio, fueron luego regrabados por Tony Visconti, que recuerda:

La intención era causar todavía más caos. Brian se empeñaba en hacer experimentos raros, como escribir sus ocho acordes favoritos en una pizarra y pedirle a la sección rítmica que tocara «algo funky». Luego señalaba uno de los acordes al azar, y la banda tenía que seguirlo. Nada de eso funcionó muy bien, pero aun así hicimos toda clase de pruebas.

Tony Visconti, 2001

Es difícil poner *Lodger* dentro de la trilogía: no tiene un lado *ambient*, como *Low* y *"Heroes"*, hay mucho menos sonido electrónico y la instrumentación es bastante más convencional. Si antes la intención principal había sido experimentar con los sonidos, aquí era experimentar, en un sentido más amplio, con la música.

La cautivadora canción «Yassassin», por ejemplo, suena como una pandilla de jovencitos turcos coreando al vocalista del primer disco ska que acaban de oír; y en «African Night Flight», Bowie (que acababa de pasar seis semanas de vacaciones con su hijo en Kenia) proyecta una voz fanatizada por el *music-hall* contra la retumbante percusión y los sombríos bajos, sobre los que resuenan inesperados cambios de acordes con cánticos de fondo.

A pesar de esas cosas, hay buena música en *Lodger*. El álbum empieza con la magnífica balada «Fantastic Voyage», en la que Bowie canta de manera subyugante, con ese estilo suyo casi descuidado que de inmediato resulta acogedor. Tiene los mismos coros de «Boys Keep Swinging», una canción que muchos consideran una burla al machismo y la actitud exageradamente masculina; pero otra lectura podría ser la de un animado homenaje a la juventud y su habilidad para superar los problemas.

En «Move On», Bowie se aprovecha de elementos de su propia canción «Al The Young Dudes», el exitoso single que le había dado al grupo Mott the Hoople en 1972.

Por error, puse una de las cintas de bobina al revés, y me gustó cómo sonó. Así que empecé a probar con otras, poniéndolas al revés, y escogí unas cinco o seis que no estaban nada mal. «Dudes» fue la única que llegó al álbum, porque no quise abandonar del todo mi manera «normal» de componer. Pero fue un ejercicio mental que valió la pena.

D. B., 2001

Otros temas destacados del álbum son «Repetition», una escalofriante historia de violencia doméstica, y «D.J.», donde Bowie juega con el estilo de los Talking Heads y les gana en su propio terreno.

Es fácil pasar por encima de *Lodger* entre tantos otros grandes álbumes de David Bowie, pero hacerlo sería perderse unas cuantas gemas escondidas.

Creo que Tony estará de acuerdo conmigo en que hicimos las mezclas de manera un tanto descuidada, lo que se debe en gran medida a que mi atención en ese momento estaba más en los acontecimientos de mi vida personal. Y creo que Tony se sintió un poco desanimado porque el álbum no salió todo lo bien que salieron Low *y* "Heroes". *Pero sigo creyendo que había algunas buenas ideas en* Lodger. *Con un poco de tiempo, podría explicarlas, pero seguramente te sería igual de fácil encontrarlas tú mismo.*

D. B., 2001

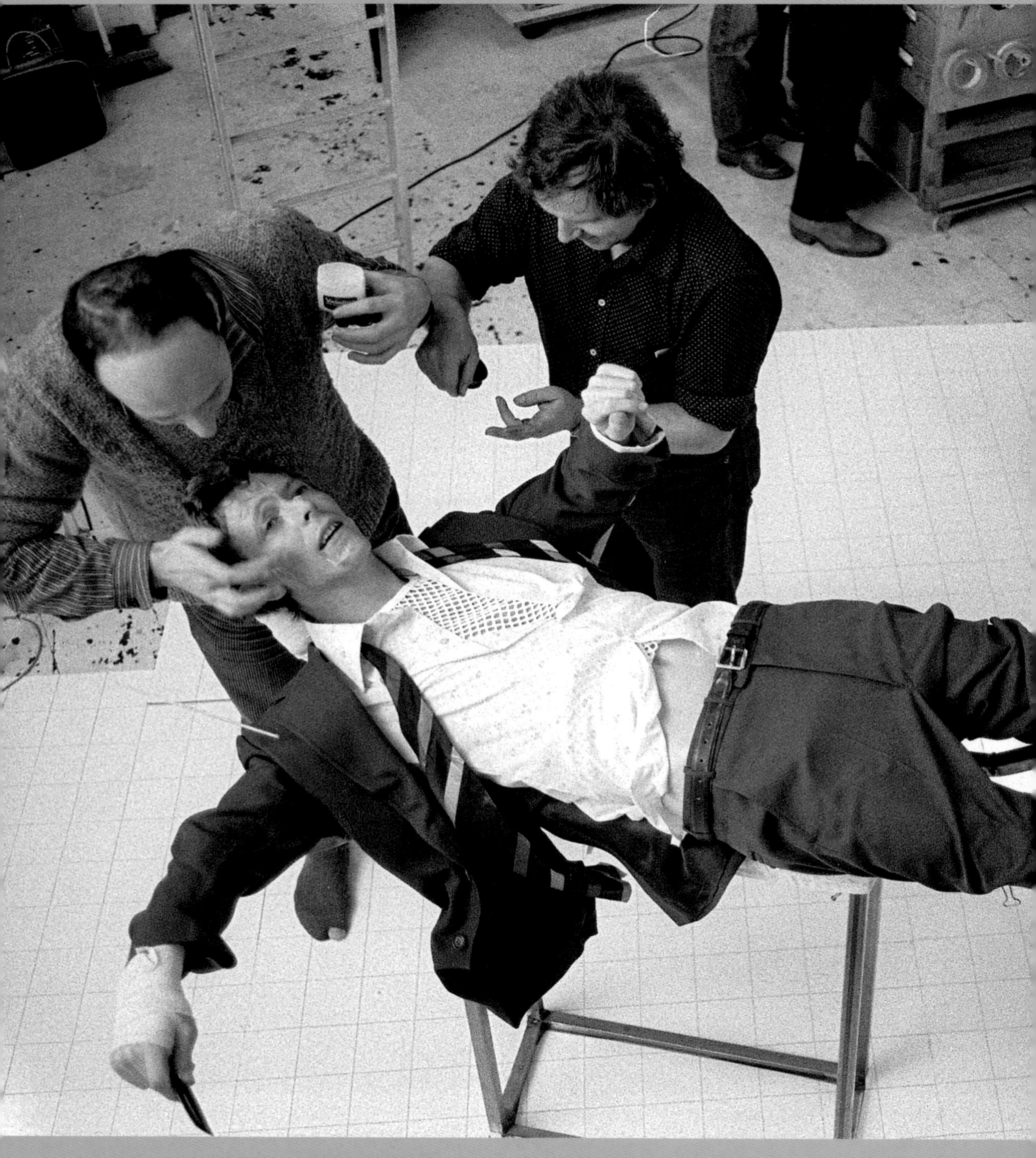

EL ARTE DE LA PORTADA

Conscientes de que David Bowie era uno de los rostros más taquilleros de la música pop, ¿qué pensarían en RCA cuando les presentaron unas granulosas fotografías suyas con un par de piernas torcidas?

La idea provino de una colaboración entre el fotógrafo Brian Duffy, Bowie y el artista pop británico Derek Boshier. Este último había asistido al Royal College of Art junto con David Hockney, y compartía con David la pasión por los escritos de Marshall McLuhan, quien resumió su teoría mediante la expresión «el medio es el mensaje».

El desplegable mostraba a un Bowie medio desvanecido y vendado, y en el interior estaban las fotografías de la sesión para la portada junto con las imágenes que supuestamente la inspiraron, entre las que se veía una foto del cadáver del Che Guevara y otra del cuadro de Andrea Mantegna *Lamentación sobre Cristo muerto* (estas imágenes no se incluyeron en la reedición del CD en 1991). Dándole la vuelta a la célebre frase de MacLuhan, aquí el mensaje era el medio.

Izquierda: Atendiendo al paciente durante la sesión fotográfica de Brian Duffy para la portada de *Lodger*.

SCARY MONSTERS... AND SUPER CREEPS 1980

‘*SCARY MONSTERS* SIEMPRE FUE UNA ESPECIE DE PURGA. ERA YO MISMO, EXORCIZANDO DE MI INTERIOR LOS SENTIMIENTOS CON LOS QUE ME SENTÍA INCÓMODO’.

DAVID BOWIE, 1990

1979

Junio

Sale en el Reino Unido «D.J.» / «Repetition» (29.ª posición).

Agosto

Sale en Estados Unidos «Look Back In Anger» / «Repetition» (no llega a las listas).

Diciembre

Sale en el Reino Unido «John, I'm Only Dancing (Again)» / «John, I'm Only Dancing» (12.ª posición).

Sale en Estados Unidos «John, I'm Only Dancing (Again)» / «Golden Years» (no llega a las listas).

1980

Febrero

Sale en el Reino Unido «Alabama Song» / «Space Oddity» (23.° lugar).

8 de febrero

Se divorcia de Angie (se habían separado *h.* 1977).

29 de julio

Primera presentación de la obra *The Elephant Man*, con Bowie en el papel protagonista, en el Center of Performing Arts, Denver, Estados Unidos.

Agosto

Sale en el Reino Unido «Ashes To Ashes» / «Move On» (n.° 1 en las listas).

Septiembre

Sale en Estados Unidos «Ashes To Ashes» / «It's No Game (Part 1)» (no llega a las listas).

12 de septiembre

Sale *Scary Monsters... And Super Creeps* (1.er lugar en el Reino Unido, 12.° en Estados Unidos).

Páginas 145 y anterior: Más de doce años después de *Pierrot In Turquoise*, Bowie adopta una nueva pose de Pierrot para *Scary Monsters*, con un traje de la diseñadora Natasha Korniloff, que anteriormente había diseñado los vestuarios para la compañía de teatro de Lindsay Kemp.

«Por una vez, se sentó y se puso a escribir las canciones. Tratándose de David, era una buena señal», comentaría Tony Visconti en relación al álbum de Bowie *Scary Monsters... And Super Creeps*, el cual le supondría un gran éxito comercial y volvería a situarlo entre los dioses del pop. Se habían acabado Brian Eno y sus «estrategias oblicuas», así como la manía de la música *ambient*. Lo que no se había acabado, sin embargo, eran las ganas de seguir experimentando. Dos impulsos guiaban a Bowie en este momento, uno de ellos eminentemente artístico, el otro de orden práctico.

Bowie sentía que la música de sus tres últimos álbumes estaba en cierto modo inacabada: y había fronteras que aún quería traspasar, y a las que *Lodger* solo se había acercado.

También estaba el molesto asunto de MainMan y su antiguo manager, Tony Defries. En sus entrevistas, Bowie se había mantenido discreto sobre el tema. Sí, se habían separado de mala manera, pero eran cosas del pasado. No obstante, en privado, todavía le exasperaba lo que para él había sido una pésima gestión de Defries. Y lo que es peor, para poder separarse definitivamente de MainMan, se había visto obligado a ceder a Defries un porcentaje importante de sus ingresos sobre sus futuros discos.

Los álbumes que había grabado desde que firmara ese acuerdo (en 1976) no habían tenido ni de lejos el éxito comercial de algunos de sus trabajos anteriores y, en ese sentido, Bowie se sentía complacido. Su estrategia parece haber sido la de hacer singles de éxito, pero álbumes muy complejos que no le permitieran a Defries ganar mucho dinero a sus expensas. No obstante, el acuerdo en cuestión alcanzaba solo a los discos que salieran hasta el 30 de septiembre de 1982. Con ello en mente, empezó a trabajar en Nueva York en febrero de 1980.

Una vez más, recurrió a los nombres familiares que le habían servido tan bien en el pasado: Carlos Alomar, Dennis Davis, George Murray y el antiguo guitarrista de King Crimson, Robert Fripp. También recuperó al pianista de Bruce Springsteen, Roy Bittan, que había participado en *Station To Station*, y se incorporó Pete Townshend, que tocaría la guitarra en «Because You Are Young» («No me dejó hacer mucho», diría más tarde Townshend; «Una de las cosas más raras que tuvo el álbum», según Visconti).

Nada más ponerse manos a la obra, Bowie recibió una impactante oferta: interpretar el papel principal en la producción de Broadway *The Elephant Man*.

«El hombre elefante» es el nombre con que se conoce popularmente a Joseph Merrick, cuyas terribles deformidades físicas hicieron de él un monstruo de feria, y quien solo pudo librarse de las

THE
ELEPHANT MAN

burlas de la multitud gracias a la intervención de un brillante médico y de una bella actriz que le ayudaron a rehacer su vida.

Bowie siempre se había sentido atraído por lo extraño, así como por las personas cuyas anomalías físicas o mentales las situaban al margen de la sociedad. Una lectura importante para él en sus años de adolescente había sido el libro de Frank Edwards *Strange People*, con sus extraordinarias historias, como la del hombre cuya almohada se incendiaba cada vez que se acostaba... Desde luego que la oportunidad de probar sus dotes de actuación en un escenario de Broadway era algo que no podía dejar escapar, de modo que aceptó el papel. Así que, cuando en abril volvió al estudio a grabar la voz de las canciones, lo hizo con la cabeza llena de monstruos.

Me parece que las canciones infantiles de la década de 1980 son muy parecidas a las de un siglo antes, que eran horrendas y con cosas como niños a los que les cortaban las orejas...

D. B., 1980

En agosto había conseguido su primer número uno en las listas del Reino Unido desde la reedición, en 1975, de la canción «Space Oddity». «Ashes To Ashes» se caracterizaba por la fuerza y originalidad de su sonido y su estructura; las habilidades vocales de Bowie y su incomparable facilidad para presentar efectos musicales novedosos en un pegadizo formato pop se mantenían intactas, y la canción conquistó rápidamente al público.

Ayudó el hecho de que la letra se centrara alrededor del mayor Tom, el personaje al que Bowie había dado vida en «Space Oddity», de 1969. La canción original sobre el mayor Tom le había estado rondando la imaginación desde hacía tiempo. En septiembre de 1979 grabó una versión acústica para el programa de la televisión británica *Kenny Everett's New Year's Eve Show*, la cual aparecería en la cara B del single de febrero de 1980, acompañada de su versión de «Alabama Song», la composición de Bertolt Brecht y Kurt Weill (que también habían interpretado los Doors en su primer álbum de 1967).

Bowie explica que en «Space Oddity» el mayor Tom decidió no regresar a la Tierra por el desastroso estado en que se encontraba; y que ahora, diez años más tarde, comprende que su misión espacial carece de sentido, no tiene finalidad alguna. Su único consuelo es permanecer suspendido en el espacio, como en éxtasis.

Tony Visconti resume la canción a la perfección: «"Ashes To Ashes" pilló a todos por sorpresa, porque lo que todo el mundo esperaba era otra de esas cosas raras como las de *Low* o *"Heroes"*, o *Lodger*... Y aparece la canción pop más convencional que se haya escrito, con versos sencillos y bien hechos, un coro bien construido, y entonces la puñalada fatal, donde Bowie nos dice que el mayor Tom es un yonqui, y acaba con el personaje que había creado y glorificado años atrás. Esa es la belleza de la canción, el sarcasmo con que logra deshacerse finalmente del mayor Tom para siempre».

El single, que alcanzó el número uno en las listas, iría seguido en breve por un álbum que también llegaría a la primera posición, lo que probaba que Bowie aún tenía mucho que ofrecer como artista, que seguía siendo una fuerza vital en la música contemporánea.

Scary Monsters empieza y termina con el sonido de una bobina de película girando. La primera canción, «It's No Game», arranca con la voz de Michi Hirota recitando la letra en japonés, a la que se une Bowie gritando de emoción en ciertos puntos.

A diferencia del mayor Tom, Bowie sí hizo algo nuevo en 1980. Su interpretación de John Merrick, «el Hombre Elefante», ha sido quizás su mayor logro en su carrera como actor. El *New York Post* calificó su interpretación como «sencillamente electrizante», y el *New York Times* dijo que había sido «uno de los acontecimientos de la temporada de teatro en Nueva York».

En «Up The Hill Backwards», que también salió como single, Bowie da completa libertad a Robert Fripp y hace un cambio de paso con el pegadizo coro pop, que contrasta con los sonidos demenciales que salen de la guitarra del antiguo integrante de King Crimson.

Es una pieza musical bastante curiosa, que al final culmina en una especie de compromiso. Pero al oírla por primera vez suena como una actitud muy despreocupada, casi cínica, como diciendo: «No hay nada que podamos hacer», y eso con una voz casi robótica, que parece el colmo de la indiferencia.

D. B., 1980

Las letras de algunas de las canciones están escritas con la célebre técnica del *cut-up* («recorte») de Bowie, un método artístico que había ensayado por primera vez cuando trabajaba en *Diamond Dogs*, después de su encuentro con William Burroughs en 1973. Así se lo explicaba a Andy Peebles en la emisora Radio One de la BBC:

Se toma un par de cosas... Alguien que salta el muro de Berlín, por ejemplo, y escribo un párrafo desde el punto de vista de esa persona. Luego escribo otro desde el punto de vista de un observador que está en este lado del muro, y luego desde el punto de vista de otro más que está al otro lado; así que tenemos tres puntos de vista diferentes. Se recortan y se mezclan, como con una baraja. Luego saco tres o cuatro frases y las pongo juntas. Puedo usar exactamente lo que ha salido, o volver a mezclarlas. No hay reglas básicas. Es una técnica de la escritura que permite generar nuevas perspectivas en algo que se había quedado estancado.

D. B., 1980

Otras piezas que cabe destacar son «Fashion», que salió como un single y estuvo entre las diez canciones más vendidas en el Reino Unido; una emotiva versión de la canción de Tom Verlaine «Kingdom Come»; la persistente fuerza del tema principal, que le da el título al álbum, y un retorno a «It's No Game», esta vez bajo la forma de una balada, con un toque de Lou Reed en la voz y sin la entrada de Michi. Comenta Visconti a propósito del álbum: «"Fashion" era la prueba de que Bowie podía recrear "Fame" a voluntad; y, de hecho, el álbum completo resume a la perfección toda la época, desde *Space Oddity* hasta ese momento. No había sido esa la intención original, pero después del descanso de dos meses nos dimos cuenta de que teníamos diez temas que eran muy comerciales, todos los cuales resumían un período determinado: la canción

principal era de los días de Ziggy, por ejemplo, e «It's No Game» era casi del estilo de *Low*».

También vale la pena resaltar el vídeo de «Ashes To Ashes», filmado en Hastings con David Mallet como director. Bowie aparece vestido con su traje de Pierrot, especialmente diseñado para él por Natasha Korniloff, una vieja amiga que había trabajado antes para la compañía de teatro de Lindsay Kemp. Pierrot es un personaje tradicional de la *commedia dell'arte*, creado por un grupo de gente del espectáculo originaria de Italia, que se desplazaba por toda Europa. Se la representa con la cara pintada, un blusón con enormes botones, pantalones muy anchos y sombrero puntiagudo. Es una figura honrada, de quien siempre se aprovechan los demás, lo que el lector podrá interpretar como quiera...

Quise que fuera la misma diseñadora que creaba todo el vestuario para la compañía de mimo de Lindsay Kemp, Natasha Korniloff, quien me hiciera este traje, basado en el Pierrot italiano. Quedaba muy auténtico, con un cigarrillo y todo. El maquillaje era obra de Richard Sharah, y yo lo estropeé al final del vídeo, con un conocido gesto final de travesti. Me gustó la idea de terminar destruyendo el maquillaje después del meticuloso trabajo que había necesitado. Una destrucción muy agradable, algo muy anárquico.

D. B., 1993

La idea de utilizar ese personaje bien pudo surgir de la visita que realizara Bowie al famoso club Blitz de Londres, centro neurálgico del movimiento de los «New Romantics» (Nuevos Románticos), un estilo musical en contraste directo con el punk. Sus máximos expo-

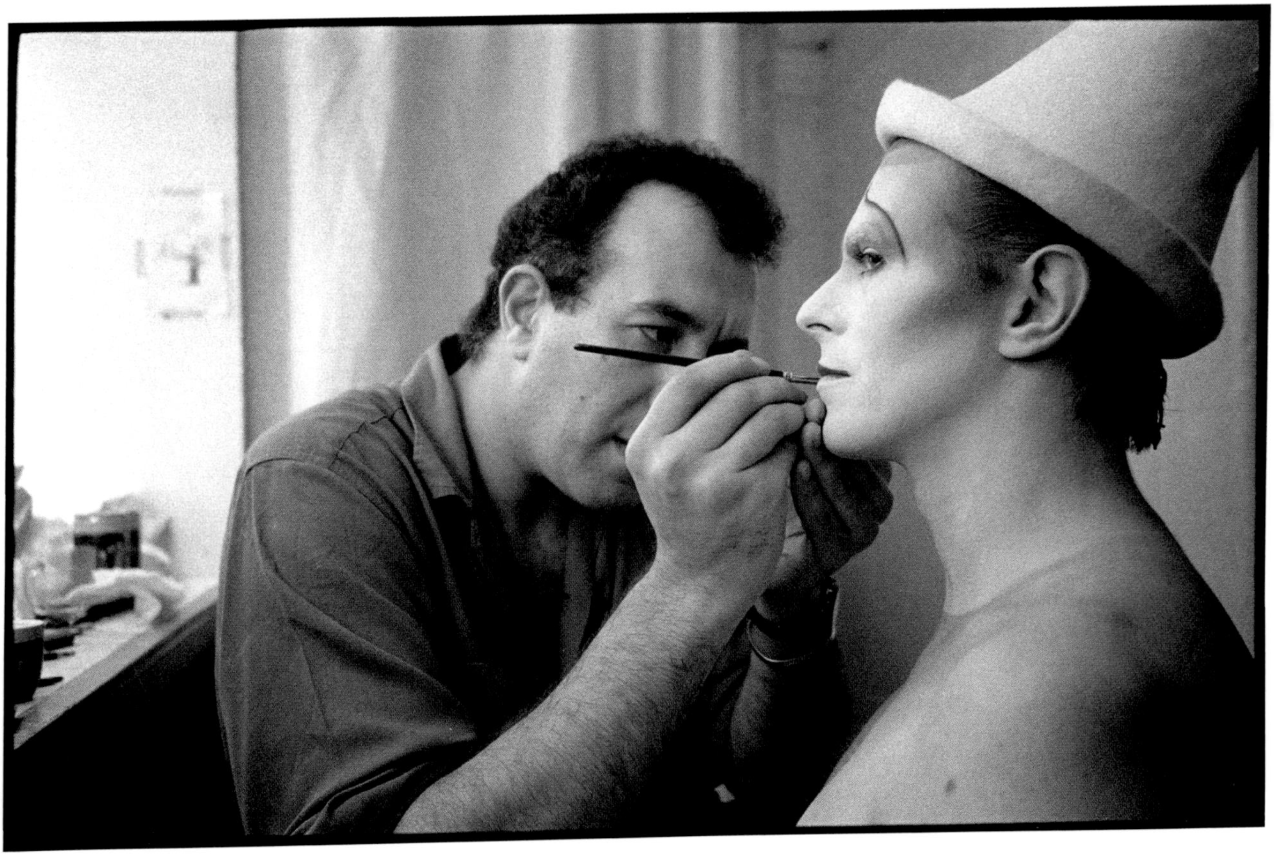

nentes, entre los que se contaban Boy George, Steve Strange, Rusty Egan, Gary Kemp y otros, adoraban a Bowie. Él había sido su ídolo de juventud, la música que acompañó a sus años de adolescentes, y habían adoptado en su manera de vestir muchas de las ideas que su gran ídolo había puesto en práctica en la década de 1960. Consciente de ello, Bowie invitó a Steve Strange a participar en su vídeo, en el que se ve a Pierrot andando por la orilla de un mar de color negro, hablando con una anciana que representaba a su madre. Después de años de separación, Bowie se había reconciliado hacía poco con Peggy, quien había llegado a reconocer que su hijo había logrado cierto éxito...

«Es un momento en que una persona inteligente hace bien en tener miedo. Sentir miedo sin que este lo domine a uno es la respuesta que necesitamos..., incluso aunque venga de un hombre vestido de payaso».

NME, septiembre de 1980

Superior: El maquillador Richard Sharah da los toques finales previos a la sesión de fotos para la portada de *Scary Monsters*. Sharah trabajó también para el vídeo de «Ashes To Ashes», el corto promocional más caro realizado hasta ese momento, con un coste total de 250.000 libras.

中出洋服店
MK
94-28

1

2

3

Doble págnia anterior: En Japón, en abril de 1980, a donde fue a grabar dos anuncios de televisión para una marca de *sake*. Los paseos de Bowie por Kioto y Tokio fueron recogidos por la cámara de Masayoshi Sukita.

Derecha: En su regreso a Japón en octubre de 1983, fotografiado en la puerta de un restaurante de Tokio por Denis O'Regan.

’S DANCE 1983

> “ESTOY COMPONIENDO
> SOBRE ALGO QUE EN REALIDAD
> NO HABÍA ABORDADO NUNCA ANTES...
> LA SITUACIÓN EMOCIONAL VIVIDA
> ENTRE DOS PERSONAS ES ALGO
> QUE PARECE HABÉRSEME ESCAPADO...
> O QUIZÁS SEA MÁS CERCANO
> A LA VERDAD DECIR QUE LA HABÍA
> ESTADO EVITANDO”.

DAVID BOWIE, 1983

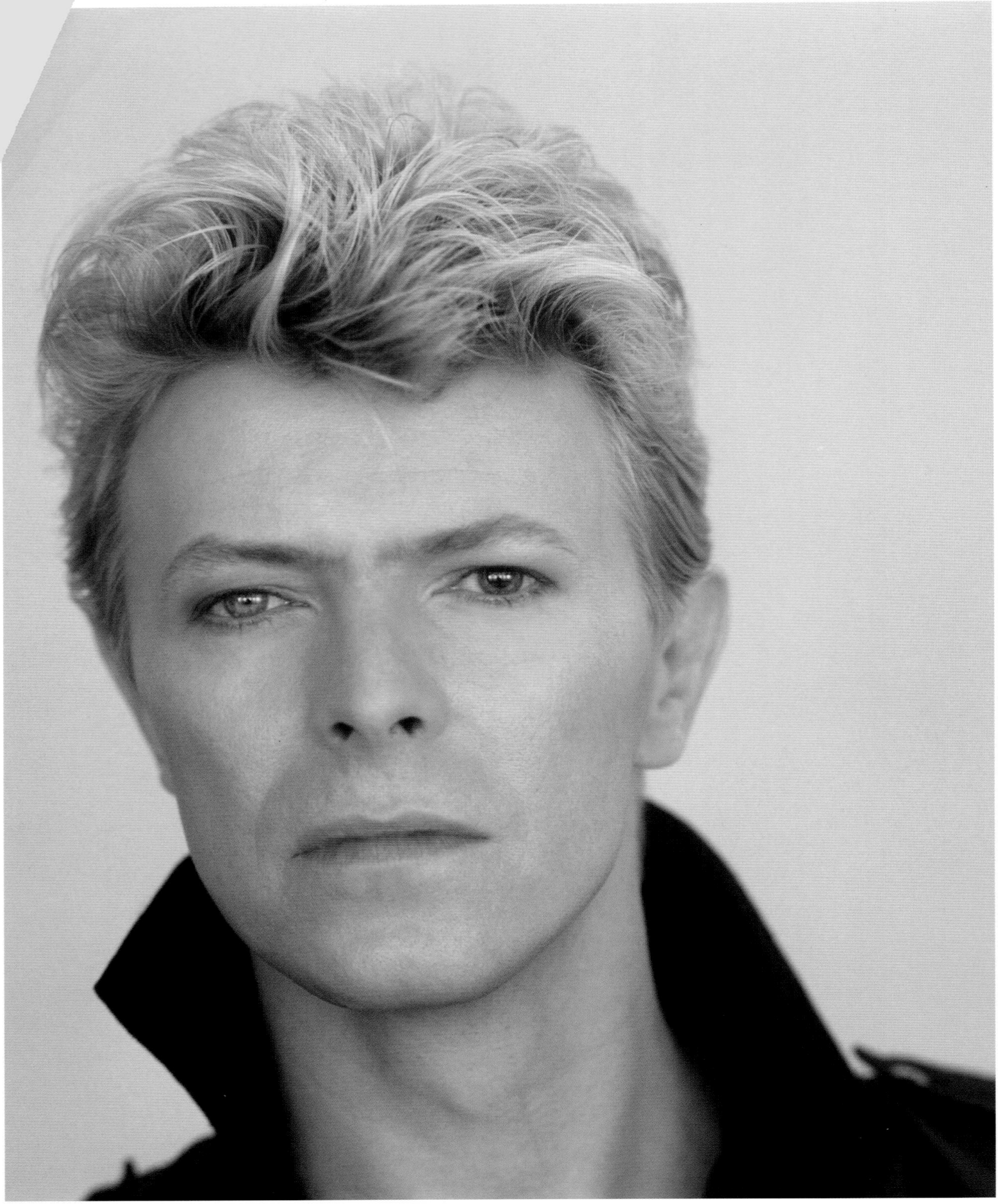

1980

Octubre

Sale «Fashion» / «Scream Like A Baby» (5.° lugar en el Reino Unido, 70.° en Estados Unidos).

1981

Enero

Sale en el Reino Unido «Scary Monsters (And Super Creeps)» / «Because You're Young» (20.° lugar).

3 de enero

Última actuación de Bowie en *The Elephant Man*, en el Booth Theater de Nueva York.

Marzo

Sale en el Reino Unido «Up The Hill Backwards» / «Crystal Japan» (32.° lugar).

Octubre

Sale el single de Queen y David Bowie «Under Pressure» / «Soul Brother» (solo Queen) (1.er lugar en el Reino Unido, 29.° en Estados Unidos).

Noviembre

Sale en el Reino Unido «Wild Is The Wind» / «Golden Years» (posición 24).

1982

Febrero

Sale en el Reino Unido el EP «David Bowie In Bertolt Brecht's *Baal*» (29.° lugar en ventas).

2 de febrero

daptación de la BBC de la obra *Baal* de Bertolt Brecht, con David Bowie como protagonista.

Abril

Sale «Cat People (Putting Out Fire)» / «Paul's Theme (Jogging Chase)» (solo Giorgio Moroder) (posición 26 en el Reino Unido, 67 en Estados Unidos).

Octubre

Sale en el Reino Unido, con Bing Crosby, «Peace On Earth» / «Little Drummer Boy» / «Fantastic Voyage» (solo David Bowie) (3.er lugar en las listas).

1983

Marzo

Sale «Let's Dance» / «Cat People (Putting Out Fire)» (1.er lugar en el Reino Unido y en Estados Unidos).

14 de abril

Sale *Let's Dance* (1.er lugar en el Reino Unido, 4.° en Estados Unidos).

Páginas 157 y anterior: «Empezando a disfrutar del hecho de madurar». Después de más de una década de exploración e innovaciones, con Bowie hizo uno de sus movimientos más impredecibles, situándose de lleno en la corriente principal de la música del momento.

En la segunda mitad de 1980, con *Scary Monsters* en ascenso en las listas de todo el mundo, el público habría perdonado que Bowie, bien entrada ya la treintena, hubiera seguido el camino más cómodo: conceder unas cuantas entrevistas en profundidad, presentarse en alguna que otra tertulia televisiva y dedicarse a descansar en el relajante baño del éxito de la crítica y comercial. En lugar de todo eso, realizó nada menos que 157 intensas actuaciones como «El hombre elefante». La crítica fue extremadamente favorable, pero el esfuerzo acabó por agotarlo.

En enero de 1981, tras finalizar su contrato con el teatro, regresó a su casa en Suiza, donde se retiró de la vida pública..., hasta el mes de julio, cuando inició unas sesiones de grabación que sorprendieron a más de uno.

El grupo Queen, considerado por muchos como los representantes de la corriente pomposa del rock, lo invitó al estudio de Montreux, donde estaban grabando. El llamativo líder del grupo, Freddie Mercury, tenía mucho que agradecer a Bowie por haber creado el ambiente cultural que le había permitido desarrollar su afectada imagen pública. No obstante, muchos encontraron extraña la colaboración. «Sí, me resultó bastante rara», admitiría después Bowie.

En el estudio, empezó a trabajar con Queen en una canción llamada «Cool Cat», pero a Bowie no le satisfacía el resultado. Al final empezaron a hacer lo que hacen todos los músicos cuando están juntos en una misma habitación: tocar cosas al azar, «lo que desembocó en el "esqueleto" de una canción», según recordaba Bowie en una entrevista para la revista *NME* en 1983:

Me pareció que era una melodía bastante buena, así que nos pusimos a trabajar en ella. Y salió, pero pudo haber salido mucho mejor. En realidad, creo que quedó mejor en la demo.

D. B., 1983

No fue esa la opinión del público: «Under Pressure» gustó y, cuando salió en octubre de 1981, llegó al número uno de las listas en el Reino Unido, y en Estados Unidos alcanzó la posición veintinueve.

Durante la grabación, a Bowie le sorprendieron los comentarios elogiosos de Freddie Mercury respecto a la compañía discográfica de Queen, EMI, que, según decía, le había dado al grupo total libertad artística sobre su producción. Hacía tiempo que Bowie estaba descontento con su sello discográfico, RCA; en especial, le molestaba que sacaran recopilaciones suyas sin consultarle antes. Además, se habían mostrado incómodos por la duración de sus períodos perimentales, y le insistían una y otra vez en que volviera a sacar lbumes al estilo de *Ziggy Stardust* o *Young Americans*. Uno de los ejecutivos de la compañía había llegado incluso a sugerirle que se mudara a Filadelfia, seguramente pensando que así grabaría un *Young Americans II*.

El contrato estaba próximo a su vencimiento, por lo que Bowie decidió buscar mejores condiciones, y pronto EMI, CBS y Geffen salieron con ofertas. Al final, la pugna la ganó EMI, y en enero de 1983 Bowie firmaba un contrato por el que obtenía 17 millones de libras en adelanto por cinco álbumes.

Paradójicamente, desde *Scary Monsters*, exceptuando la breve colaboración con Queen, la música había ocupado el último lugar en la mente de Bowie, quien, entusiasmado por su éxito en *The Elephant Man*, había pasado casi todo el año 1982 concentrado en la actuación. Había hecho un cameo interpretándose a sí mismo en la película alemana *Christiane F., wir kinder vom Bahnhof zoo* (*Yo, Cristina F.*), cuya banda sonora estaba compuesta por una antología de sus canciones desde 1976 a 1979. En febrero de 1982 interpretó el papel principal en la producción de la BBC de la obra *Baal*, de Bertolt Brecht, y su interpretación de las cinco canciones de esta obra se lanzó como un EP. Las críticas fueron diversas. Cuando el disco *Let's Dance* llegaba a las tiendas, apareció como actor en la película de terror *The Hunger* (*El ansia*), dirigida por Tony Scott, en la que encarnaba a un vampiro de 250 años de edad; pero esta vez las críticas fueron desastrosas. Por suerte, pronto salió su siguiente película, *Merry Christmas, Mr. Lawrence* (*Feliz navidad, Mr. Lawrence*), del afamado director japonés Nagisa Oshima, a quien admiraba por su película *Ai no Korida* (*El imperio de los sentidos*). En esta ocasión, la actuación protagonista de Bowie, en el papel de un oficial británico en un campo de prisioneros japonés durante la segunda guerra mundial, fue muy elogiada.

Una vez finalizada esta temporada de actuaciones, y con el flamante contrato de la EMI en el bolsillo, regresó al estudio de grabación.

Una de las grandes virtudes de Bowie fue siempre su innegable habilidad a la hora de elegir a la persona idónea para cada trabajo. Durante su etapa experimental había colaborado con varios músicos (Robert Fripp, Adrian Belew, Carlos Alomar, Dennis Davis y George Murray) cuyo talento para la improvisación había resultado crucial para sus Objetivos musicales. Pero ahora tendría que navegar en otras aguas bien diferentes: su intención era dejar de lado la posición de *avant-garde* para adentrarse en la corriente principal de la música de moda. Con esa idea en mente, se dirigió a Nile Rodgers, del grupo de música disco Chic, y le dijo: «Quiero una canción de éxito».

Rodgers era la elección perfecta. El hábil manejo que había hecho de Chic, y su colaboración con Bernard Edwards en la composición durante los últimos años de la década de 1970 habían dado como resultado una sucesión de éxitos a nivel mundial, como «Le Freak», «I Want Your Love» y «Good Times». Su música era disco, pero también brillante, pegadiza y, algo raro para el género, poseía elegancia. Chic era el grupo de música disco que les gustaba incluso a las revistas de rock.

En lo más álgido de su etapa experimental con su amigo Tony Visconti, Bowie había dicho:

No soy un seguidor de la música disco. La detesto. Me siento incluso incómodo de que mis canciones se oigan en discotecas. Ahora mismo tengo dos grandes éxitos entre la gente discotequera... Me da vergüenza cuando voy a un club «arty»...

D. B., 1978

Pero ahora, con un ojo puesto en las listas y sus beneficios potenciales, la cantinela de Bowie era otra a todas luces diferente. Había

A principios de la década de 1980, Bowie pasó más tiempo dedicado a la actuación que a la música, hasta el punto de que no realizó un solo concierto en los años 1981 y 1982. Además de actuar como protagonista en la gran pantalla en la película de terror *The Hunger* (*El ansia*) y en el drama bélico *Merry Christmas, Mr. Lawrence* (*Feliz Navidad, Mr. Lawrence*) (*pág. anterior*), interpretó el papel principal en la adaptación que hizo la BBC de la obra teatral *Baal*, de Bertolt Brecht (*derecha*).

crecido y, como todo el que crece, se daba cuenta de que la necesidad del dinero, pura y simplemente, puede afectar a los ideales artísticos, así como de hecho a los de cualquier otro tipo.

En este momento no siento la necesidad de seguir componiendo e interpretando música de una manera experimental. Ya tengo una edad (y la edad tiene mucho que ver con esto) en la que empiezo a disfrutar del madurar.

D. B., 1983

En realidad, era inevitable que Bowie tratara de obtener beneficio de su estrellato. La interpretación nunca lo haría rico y, aunque gozaba de una enorme credibilidad en el terreno musical, estaba muy lejos de la tranquilidad financiera de sus colegas. Ya había puesto su grano de arena en favor del arte, por lo que era hora de percibir los beneficios.

El trabajo en el álbum empezó en los estudios The Power Station, en Nueva York, en diciembre de 1982. Según el coproductor, Rodgers, se completó en tan solo diecisiete días. Si antes Bowie llegaba al estudio con esquemas e ideas que después concretaba con sus músicos, esta vez compuso el álbum completo en tres días.

Las sesiones contaron con la presencia del aclamado guitarrista de blues Stevie Ray Vaughan, a quien Bowie había conocido el año anterior en el Festival de Jazz de Montreux. Habían estado hablando de música durante horas, pero se habían separado sin volver a pensar en ello hasta que unos meses más tarde, para sorpresa del músico tejano, Bowie lo llamó para preguntarle si querría trabajar con él en su nuevo álbum: un disco de música comercial bailable con toques de blues.

Al menos en el Reino Unido, la música bailable y soul empezaba a usurpar el lugar del rock en las listas de ventas y en los clubes. El final del punk había dejado la música rock sin mucho que decir, mientras que la música bailable, y más tarde el hip hop, había contribuido a revivir la música negra.

La canción principal del álbum, el single que le daría título, encajaba a la perfección con las nuevas tendencias musicales, y no solo en el Reino Unido. «Let's Dance» era el sencillo más vendido en varios países, incluido Estados Unidos, y se había convertido en uno de los mayores éxitos internacionales de Bowie. Charles Shaar Murray escribió en la revista *NME*: «"Let's Dance" es, con seguridad, el single más exitoso de este año. Cada vez que suena, produce una impresión instantánea de enormidad. Los sonidos son intensos, la emoción que transmite, gigantesca».

En realidad, no siempre había sido así. La canción había empezado como un suave rasgado de guitarra estilo folk. Bowie se dio cuenta de lo buena que era, pero también comprendió que sacar una canon folk en 1983 era tan *avant-garde* como lo había sido grabar mú-ica *ambient* en 1977. Así que se la dio –según algunos, más bien la «sacrificó»– a Nile Rodgers, quien trató de hacer de ella algo bailable.

El tema de Let's Dance *es nebuloso. Hay un compromiso soterrado, pero tampoco aparece tan claro... Es una especie de «toma y dame», sí, pero hay como un peligro, una conclusión aterradora que solo se insinúa. No se sabe muy bien cuál es el miedo del que tratan de escapar. Hay como un sentir ominoso, que pesa fatalmente..., como si fuera el último baile.*

D. B., 1983

El álbum tuvo tanto éxito como los singles que salieron de él: «China Girl» (una versión de la canción que había aparecido por primera vez en el álbum *The Idiot*, de Iggy Pop) y «Modern Love». Los impactantes sonidos de la batería, los insistentes ritmos bailables y la llamativa producción de las piezas permitieron a Bowie recuperar en un año todo lo que había invertido, y aun ganar algo en ese mismo período de tiempo.

Creo que la música que estoy componiendo en estos momentos seguramente me va a atraer un nuevo público. Pero si voy a tener un nuevo público, voy a hacerlo con algo que tenga que decirle, aunque sea a un nivel muy obvio y simple.

D. B., 1983

Había llegado el momento de la superestrella global europea.

«Este álbum va directo al centro: es sólido, cálido, inspirador y útil. Una música positiva y poderosa que baila como un sueño y hace que el oyente se crezca. ¿Quién puede pedir más?».

***NME*, abril de 1983**

Let's Dance fue el primer álbum que sacó Bowie después de que finalizara su acuerdo con Tony Defries, por el que su anterior manager recibía un importante porcentaje sobre los derechos de las grabaciones que él realizara hasta finalizar septiembre de 1982. Por primera vez en su carrera, Bowie pudo percibir completo el beneficio económico de su trabajo. En la imagen, descansando junto a una piscina durante una gira en Australia, en 1983.

NIGHT 1984

«MIS COMPOSICIONES HAN ESTADO EN EL TERRENO DE LO SURREALISTA DURANTE TANTO TIEMPO QUE NO SÉ SI PODRÍA DEDICARME EN SERIO A ELLO COMO ESCRITOR ESPECIALIZADO EN EL TEMA».

DAVID BOWIE, 1984

1983

Mayo

Sale «China Girl» / «Shake It» (2.° lugar en el Reino Unido, 10.° en Estados Unidos).

18 de mayo

Inicia la gira Serious Moonlight en el Vorst Nationaal, Bruselas (Bélgica).

29 de abril

Protagoniza la película *The Hunger* (*El ansia*), en el papel de John Blaylock.

10 de mayo

Protagoniza la película *Merry Christmas, Mr. Lawrence* (*Feliz Navidad, Mr. Lawrence*), como el mayor Jack Celliers.

Septiembre

Sale «Modern Love» / «Modern Love (live)» (2.° lugar en el Reino Unido, 14.° en Estados Unidos).

Octubre

Sale *Ziggy Stardust: The Motion Picture (banda sonora)* (posición 17 en el Reino Unido, 89 en Estados Unidos).

Noviembre

Sale en el Reino Unido «White Light, White Heat» / «Cracked Actor» (46.° lugar).
Sale en Estados Unidos «Without You» / «Criminal World» (posición 73).

8 de diciembre

Finaliza la gira Serious Moonlight en el Coliseum, en Hong Kong.

23 de diciembre

Se transmite *The Snowman*, de Raymond Briggs, por el Channel 4 de la televisión británica, con introducción de David Bowie.

1984

21 de febrero

Gana el premio BRIT de la industria fonográfica británica al mejor artista británico masculino.

Septiembre

Sale «Blue Jean» / «Dancing With The Big Boys» (6.° lugar en el Reino Unido, 8.° en Estados Unidos).

14 de septiembre

Gana el premio MTV de vídeo musical por el mejor vídeo masculino («China Girl») y el premio Video Vanguard Award.

24 de septiembre

Sale *Tonight* (1.er lugar en el Reino Unido y 11.° en Estados Unidos).

«*Camouflaged face*» (de la letra de «Blue Jean»), bañado en luz azul para el vídeo de «Blue Jean».

Después del álbum *Let's Dance*, Bowie inició la gira Serious Moonlight, la cual le produjo bastantes ganancias, con un total de noventa y seis conciertos en dieciséis países y una audiencia total de dos millones y medio de personas. Normalmente, en cada actuación interpretaba cuatro canciones de *Let's Dance* (la canción que da título al álbum, «China Girl», «Modern Love» y «Cat People»), y hasta veintiséis canciones de todo su repertorio anterior, desde «Space Oddity» al presente. En privado se refería a esta gira como su «pensión de retiro», pero dejó claro a todo el mundo (incluidos muchos nuevos seguidores) el excelente compositor de canciones que era desde hacía ya más de quince años.

La gira se extendió de mayo a diciembre de 1983, con Bowie cautivando a la audiencia noche a noche. El público no era ya la alocada multitud de años atrás, fans que sentían la inmediata atracción de cada atrevimiento artístico suyo: el espectáculo de David Bowie se dirigía ahora a parejas de cierto nivel social.

Y Bowie nunca había enfocado su carrera tanto por el dinero. La profunda relación que mantenía con su hijo le había hecho ver la importancia de asegurar su vida futura, algo para lo que le sería de gran utilidad la fama que se había forjado a lo largo de los años. Había hecho buena música en cantidad suficiente como para mantener funcionando espectáculos inferiores al suyo durante un buen número de años. ¿Quién podía negarle el justo derecho a obtener el beneficio que merecía?

Mientras tanto, EMI le estaba pidiendo un nuevo álbum. Pero, a diferencia de lo que había hecho durante las alocadas giras de principios de la década de 1970, Bowie ahora no podía (o no quería) ponerse a componer durante los viajes. Al finalizar la gira Serious Moonlight, se tomó un corto descanso navideño para empezar a trabajar en enero de 1984. Pero, quizás por primera vez en su vida, le costó encontrar sus musas:

No quería perder la práctica, por así decirlo, así que regresé al estudio de grabación. Pero no me parecía que tuviera suficientes cosas nuevas que aportar a causa de la gira. No puedo componer estando de gira, y después no había tenido el tiempo de preparación necesario para escribir nada que sintiera que valiera la pena, y no quería escribir cosas «de relleno».

D. B., 1984

Bowie llamó a dos productores británicos, Hugh Padgham y Derek Bramble, el primero inicialmente como ingeniero de sonido, a pesar de su impecable currículum, que incluía el tremendo éxito

La gira Serious Moonlight tuvo un increíble éxito, con 2 millones y medio de espectadores. Las entradas al Milton Keynes Bowl se agotaron en tres ocasiones durante el mes de julio de 1983 (*imagen principal*). Todos los movimientos de Bowie fueron acertados. Aquí (*recuadro, imagen superior*), con Carmine Rojas (*en el bajo, a la izquierda*) y Carlos Alomar (*en la guitarra, a la derecha*). Sin embargo, componer su siguiente álbum, *Tonight*, le resultó una experiencia más difícil.

el álbum de The Police *Ghost In The Machine*. Lo cierto es que se molestó al principio por ese papel «junior», en especial dada la relativa inexperiencia de Bramble. Según algunos críticos, este no estaba preparado para hacerse cargo de un músico a la altura de Bowie, y la manera tan cuidadosa con que llevaba el proceso de grabación no parecía la más adecuada para el estilo espontáneo de Bowie. Hacia la quinta semana de la grabación, Bramble abandonó el proyecto y dejó a Padgham a cargo de todo.

Bowie, mientras tanto, cambió de parecer, dejando de lado sus composiciones para grabar una serie de canciones de otros autores, como «God Only Knows», de los Beach Boys; «I Keep Forgettin'», de Leiber y Stoller, y «Neighbourhood Threat» y «Tonight», estas dos últimas de Iggy Pop.

La primera vez que grabé (o más bien traté de grabar) «God Only Knows» fue con Ava Cherry y esas chicas, The Astronettes, que traté de convertir en grupo. Todo quedó en nada, aunque aún tengo las cintas. La idea me pareció estupenda en aquel momento, pero nunca he tenido la oportunidad de volver a hacerlo con nadie. Así que me dije que lo haría yo solo... Lo que resulta un poco empalagoso, supongo.

D. B., 1984

Por entonces apareció Iggy en el estudio para escribir dos canciones más con David: «Tumble and Twirl», acerca de unas vacaciones que ambos habían pasado hacía poco en Indonesia, y «Dancing With The Big Boys». Bowie esperaba que esto generara más trabajo juntos, y expresó su deseo de producir el próximo álbum de Iggy... Lo que hizo dos años más tarde, con *Blah Blah Blah*.

El álbum finalmente incluyó también dos de las canciones que compuso Bowie en solitario: «Blue Jean» y la antirreligiosa «Loving The Alien», las cuales son quizás las de más éxito de *Tonight*. «Blue Jean» apareció como el segundo single del álbum, acompañada de un vídeo promocional de veintidós minutos bajo la dirección de Julien Temple. Posteriormente, este llamaría a Bowie para participar en su doble faceta de músico y de actor en su primer largometraje, *Absolute Beginners* (Principiantes).

Pero, incluso mientras promocionaba el álbum, Bowie ya había empezado a distanciarse de él, sintiendo en la callada receptividad que había tenido que el resultado no estaba a la altura de lo que se pedía de él:

Creo que era buen material, pero que se quedó a un mero producto. Quizás no debí haberlo hecho tan «de tipo estudio»... Deberías oír «Loving The Alien» en la demo. En la demo es fantástica, te lo aseguro.

D. B., 1989

No obstante, a los críticos que decían que *Tonight* era la señal de que a Bowie se le estaba secando el pozo de la inspiración, o que su carrera hacia la comercialización lo había conducido a un callejón sin salida, les respondía:

Cuando alguien me pregunta cómo será mi próximo álbum, invariablemente protesto, porque tengo tan poca idea como cualquiera de lo que pueda pasar... Antes me creía muy intelectual en lo que hacía, pero he llegado a darme cuenta de que no tengo ni idea de lo que hago la mitad del tiempo... Bueno, ese es el terreno del artista: tratar de estar metido en lo que hace y no trabajar con la intención de prever las cosas, sino tan solo de ser lo más serio y metódico posible.

D. B., 1984

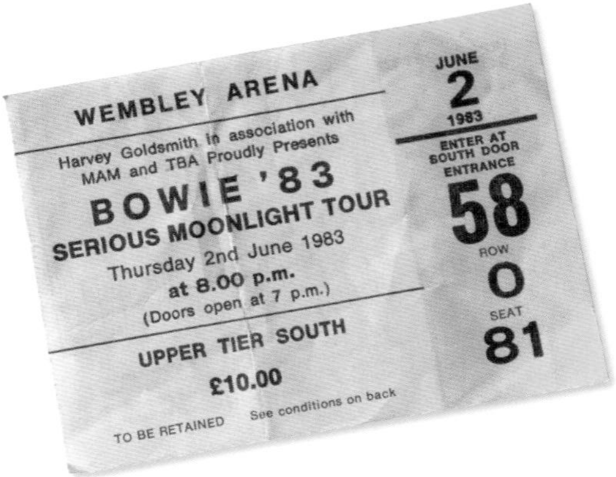

Página siguiente: «Give me your head». La expresión podría interpretarse en un sentido similar a «Ponte en mis manos», pero en el contexto de la canción es una alusión sexual. Representación de «Cracked Actor», ataviado con capa y sosteniendo un cráneo en la mano, como parte del espectáculo Serious Moonlight.

BYRINTH & ABSOLUTE BEGINNERS 1986

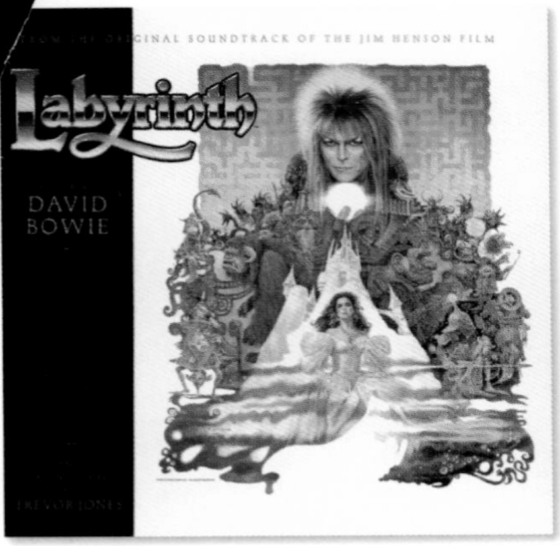

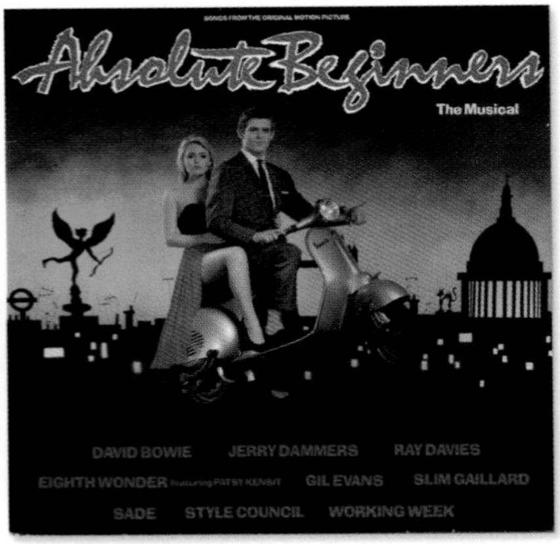

‘PARA TANTAS VECES QUE HAGO EL PERFECTO CHIFLADO, DE VEZ EN CUANDO TAMBIÉN ME SALEN COSAS BUENAS’.

DAVID BOWIE, 1997

1984

Noviembre

Sale «Tonight» / «Tumble And Twirl» (53 en el Reino Unido y en Estados Unidos).

1985

16 de enero

El medio hermano de David, Terry Burns, se suicida a la edad de 47 años.

Febrero

Sale el single de David Bowie con The Pat Metheny Group «This Is Not America» / «This Is Not America (instrumental)» (14.° lugar en el Reino Unido, 32.° en Estados Unidos).

22 de febrero

Hace un cameo en *Into The Night* (*Cuando llega la noche*), interpretando a Colin Morris.

26 de febrero

Gana el Grammy al mejor cortometraje por *Jazzin' for Blue Jean*.

Mayo

Sale «Loving The Alien (remix)» / «Don't Look Down (remix)» (19.° lugar en el Reino Unido, no llega a las listas en Estados Unidos).

13 de julio

Participa en el concierto Live Aid en el Wembley Stadium de Londres.

Agosto

Sale el single de David Bowie con Mick Jagger «Dancing In The Street» / «Dancing In The Street (dub version)» (1.er lugar en el Reino Unido, 7.° en Estados Unidos).

1986

Marzo

Sale «Absolute Beginners» /«Absolute Beginners (dub remix)» (2.° lugar en el Reino Unido, posición 53 en Estados Unidos).

4 de abril

Se estrena la película *Absolute Beginners*, donde Bowie hace un cameo como Vendice Partners.

7 de abril

Sale la banda sonora de *Absolute Beginners* (n.° 19 en el Reino Unido, 62 en Estados Unidos).

Junio

Sale «Underground» / «Underground (instrumental)» (n.° 21 en el Reino Unido, en Estados Unidos no llega a las listas).

23 de junio

Sale la banda sonora de *Labyrinth* (*Dentro del laberinto*) (posición 38 en el Reino Unido, 68 en Estados Unidos).

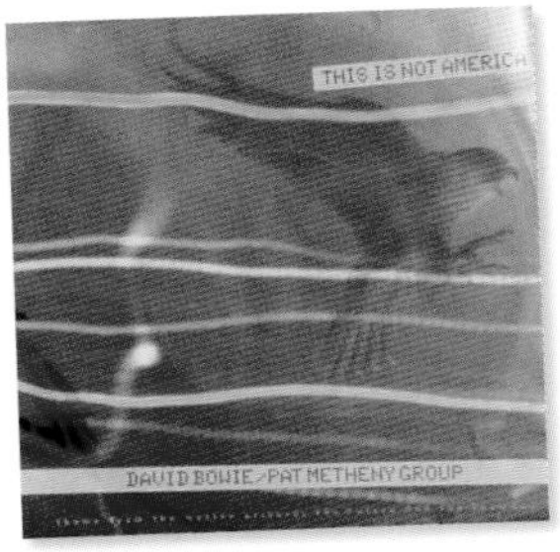

Páginas 173 y anterior: Más de veinte años después de su último roce con la industria publicitaria, Bowie representó el personaje de Vendice Partners, un cínico y desconsiderado ejecutivo de publicidad, en la película *Absolute Beginners*.

Era la entrada al mundo de la imaginación: Jim Henson, el de los famosos *Muppets* [los «Teleñecos»], como director; George Lucas, creador de *Star Wars* (*La guerra de las galaxias*), como codirector; Terry Jones, de los Monty Python, guionista, y David Bowie como protagonista y músico. El presupuesto: veinticinco millones de dólares, y la película daría a conocer al mundo el precoz talento de una Jennifer Connelly de apenas quince años. El resto de los personajes serían todos muñecos.

Las canciones y los cuentos infantiles siempre habían fascinado a Bowie. En 1978 había hecho la narración de *Pedro y el lobo* para una versión de la composición sinfónica de Sergei Prokofiev. Y era un admirador del director Jim Henson: sus *Muppets* eran una de esas brillantes obras que gustan por igual a niños y adultos.

El argumento de *Labyrinth* (*Dentro del laberinto*) narra cómo Jareth, el malvado rey de los duendes (interpretado por Bowie), rapta a un niño pequeño, Toby, tras lo cual su hermana, Sarah (interpretada por Jennifer Connelly), emprende un misterioso viaje para rescatarlo.

Bowie vio este personaje, en muchos sentidos, como uno más que podía añadir a su ya amplia colección, y lo enfocó con la misma seriedad con que antes había desarrollado a Ziggy Stardust o Aladdin Sane.

Creo que, en su mejor faceta, Jareth es un romántico, pero en su peor es un niño malcriado, vano y temperamental... ¡Muy parecido a una estrella de rock!

D. B., 1986

El rodaje empezó el 15 de abril de 1985 en los estudios Elstree de Londres, y duró cinco largos meses, una buena parte del tiempo dedicada al complejo manejo de los muñecos. Al principio, Bowie encontró este aspecto de la película un tanto preocupante: «Al principio tuve algunos problemas –admite–, ya que, por ejemplo, lo que decían no salía de sus bocas, sino de un lado del set, o de detrás de uno».

Después de una sesión de rodaje larga y complicada, se dirigió al estudio para grabar cinco canciones que había escrito especialmente para la banda sonora: «Underground», «Magic Dance», «Chilly Down», «Within You» y «As The World Falls Down».

La última es una agradable balada que recuerda en algunos momentos otra de sus mejores canciones, «Word On A Wing». Se planeó lanzarla como single, coincidiendo con el estreno de la película en el Reino Unido en noviembre de 1986, pero por alguna razón se retiró en el último minuto, a pesar de que ya se había grabado el vídeo promocional de la canción.

«Magic Dance» –casi una actualización para la década de 1980 de «The Laughing Gnome»– salió como maxisingle en Estados Unidos, un dancemix en el que se oye a Bowie gorjear como un bebé.

«Underground» se lanzó en junio de 1986, también como un dancemix, pero a pesar de su poderoso estilo *all-star*, con pegadizas inflexiones gospel (participaban en la canción Luther Vandross, un viejo conocido de *Young Americans*, Chaka Khan junto con una pléyade de voces de fondo, y el legendario Albert Collins como guitarrista principal) y de haber contado con un vídeo dirigido por Steve Barron, no llegó a figurar en las listas de Estados Unidos, si bien ocupó la posición 21 en el Reino Unido.

Labyrinth fue la primera película para la que Bowie escribía específicamente todas las canciones de la banda sonora, sin desmerecer el fondo musical orquestal de tipo electrónico, debido a Trevor Jones. Sus contribuciones anteriores se habían servido de su repertorio de canciones preexistentes (como en *Christiane F.*) o habían incluido algunas piezas suyas escritas directamente para la película junto con el trabajo de otros autores (como en *Cat People* [*El beso de la pantera*]). En tal sentido, *Labyrinth* es casi una anomalía entre los álbumes de estudio de Bowie, ya que no puede considerarse como producto de una reflexión sobre sí mismo como artista que sigue sus instintos, escoge a sus propias musas y deja que la inspiración fluya a sus anchas. En este caso, apareció la musa, y esta resultó ser una película para niños ligeramente complicada, con muñecos y pantalones ajustados. Claro que podría haber rechazado la propuesta de componer una música con las tales características dadas de antemano, pero ya sabemos que Bowie siempre seguirá el sendero menos trillado.

Siempre había querido trabajar en la música de una película para niños pero que gustara a todas las edades, niños y adultos, y debo decir que Jim [Henson] me dio plena libertad para hacerlo.

D. B., 1986

La película fue un éxito absoluto en el Reino Unido, pero a nivel mundial no logró recuperar ni la mitad de su presupuesto. No obstante, con el tiempo, *Labyrinth* ha llegado a ser algo así como un clásico de culto, incluso se proyecta en algunas salas en foros especiales dedicados al «terror-rockero».

Visto en perspectiva, la parte positiva del proyecto fue satisfactoria, concretamente por las canciones «As The World Falls Down», y «Underground», mientras que uno puede mirar lo demás con una sonrisa. Pero quienes no sonrieron en aquel momento fueron los ejecutivos de EMI Records, que querían una especie de *Let's Dance II*, y lo que había hecho Bowie, claramente, no lo era.

Esta página: Labyrinth: Bowie como Jareth, el rey de los duendes, en su mundo subterráneo.

Página siguiente: «That's Motivation!». En *Absolute Beginners*, vendiéndole al personaje principal, Colin, el sueño de una carrera en publicidad.

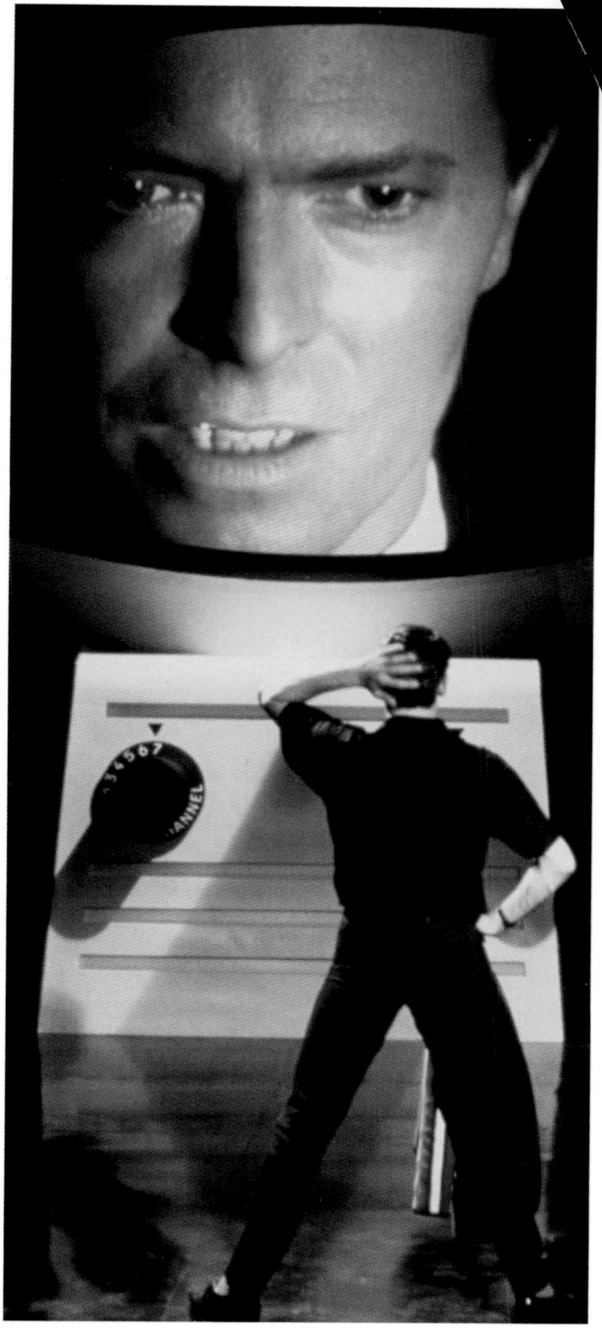

Unos meses antes del estreno de *Labyrinth*, Bowie apareció como el ejecutivo de publicidad Vendice Partners en la adaptación a la pantalla que hizo Julien Temple de la novela de Colin MacInnes *Absolute Beginners* (*Principiantes*).

Como siempre, la industria cinematográfica británica estaba pasando por momentos difíciles, y el pujante y joven director parecía ser el hombre que podía insuflarle nueva vida.

Bowie ya se había interesado antes por Temple. Con motivo de la promoción de su single «Blue Jean» de 1984, los dos habían filmado *Jazzin' For Blue Jean*, una cinta de veintidós minutos de duración que desdibujaba los límites entre lo que se consideraba un vídeo (un metraje breve y directo con fines promocionales) y una «película» (con extensión suficiente para poder expresar un conflicto y su resolución, así como el correspondiente diálogo). La cinta se proyectó en cines junto con *The Company of Wolves* (*En compañía de lobos*) como atractivo adicional a la exhibición de la película. En la época en que se realizaba el rodaje, Bowie comentó a la revista *NME*:

Creo que los planes que tiene [el director Julien Temple] para su propia película, Absolute Beginners, *pueden ayudar mucho al joven cine británico… Me encantaría hacer algo con él…*

D. B., 1984

Ambientada en 1958, la película cuenta la historia de un joven fotógrafo, Colin, que trata de conquistar el amor de la diseñadora de moda Crepe Suzette, demasiado concentrada en su propia carrera, sobre el telón de fondo de un Notting Hill (un barrio de Londres) cargado de tensiones interraciales. La película fracasó estrepitosamente, quizás, entre otras cosas, por la excesiva expectativa generada.

Uno de los mayores defectos fue la anacrónica banda sonora, que se incorporó como una serie de largos vídeos musicales, por lo que resulta paradójico que una de las mejores cosas de *Absolute Beginners* sea quizá la estupenda canción del mismo título. Lanzada en marzo de 1986, llegó al segundo lugar en las listas del Reino Unido y al 53 en Estados Unidos, y es una de las mejores canciones de Bowie.

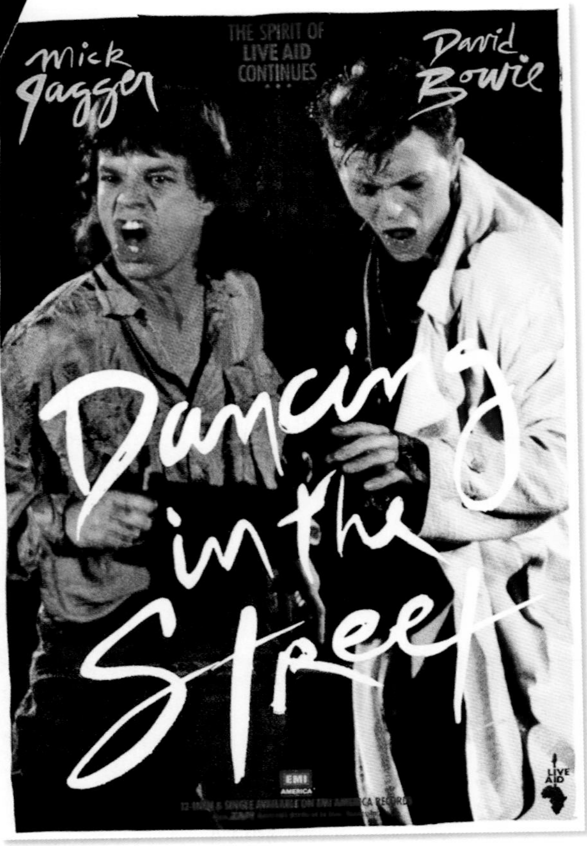

En el concierto Live Aid en el Wembley Stadium, el 13 de julio de 1985, cantando como solista (*pág. siguiente*); interpretando en grupo «Do They Know It's Christmas?» (*inferior*); y en el *backstage* con Paul McCartney (*centro*). Bowie también grabó a dúo con Mick Jagger el single «Dancing In The Street» (*superior izquierda*) para la misma causa.

Superior: «Now Hear This, Robert Zimmerman»... De la letra de la canción «Song For Bob Dylan» (Canción para Bob Dylan). Robert Zimmerman es el verdadero nombre de Bob Dylan. Fotografiado con Bob Dylan en una exposición en 1985.

VER LET ME DOWN 1987

“TERMINÉ POR SUCUMBIR, TRATANDO DE HACER LAS COSAS MÁS ACCESIBLES, QUITÁNDOLE LO QUE LE IMPRIMÍA FUERZA A MI TRABAJO”.

DAVID BOWIE, 1995

Das

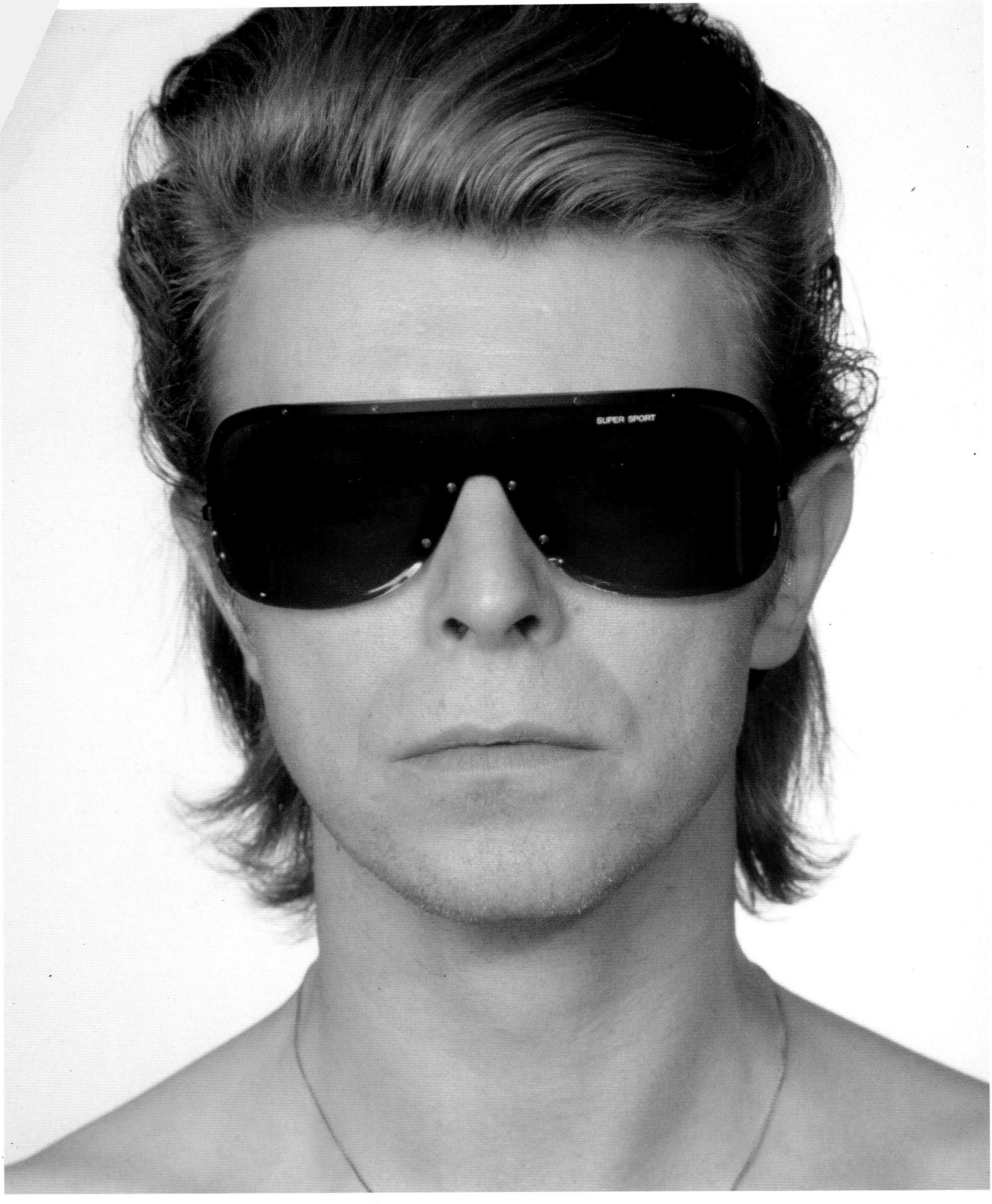
SUPER SPORT

1986

27 de junio

Se estrena la película *Labyrinth* [Dentro del laberinto], con David Bowie en el papel de Jareth, rey de los duendes.

23 de octubre

Sale el álbum de Iggy Pop *Blah Blah Blah*.

Noviembre

Sale en el Reino Unido «When The Wind Blows» / «When The Wind Blows (instrumental)» (posición 44).

1987

Enero

Sale en Estados Unidos «Magic Dance» / «Magic Dance (dub)» / «Within You» (no llega a las listas).

Marzo

Sale «Day-In Day-Out» / «Julie» (17.° lugar en el Reino Unido, 21.° en Estados Unidos).

17-30 de marzo

Gira promocional para la prensa Glass Spider.

27 de abril

Sale *Never Let Me Down* (6.° lugar en el Reino Unido, 34.° en Estados Unidos).

Página 181: «Standing by the wall» (de la letra de «"Heroes"»). De nuevo en Berlín, durante la gira Glass Spider, en junio de 1987, dos años antes de la caída del Muro.

Página anterior: En otro guiño a 1977, Bowie volvió a reunirse con Iggy Pop para componer y coproducir juntos el álbum de este *Blah Blah Blah*, que incluye la canción «Shades», la cual también se lanzó como single.

Cuando David Bowie decidió abrazar la condición de superestrella a nivel mundial, cometió un error estratégico: lo que había contribuido a hacer de él lo que era, le sería negado a partir de ese momento. Su popularidad se debía a su enorme talento como compositor de canciones, a su arrojo como artista, a su gusto por la experimentación, a su compromiso por ampliar las fronteras del rock, abarcando el teatro y la literatura. Su carrera a través de diversos géneros y medios de expresión había recibido la aclamación de un público de muy diversa procedencia: la atracción que ejercía iba desde los barrios humildes hasta los estamentos académicos.

Pero la imaginación que lo había espoleado hasta ese momento es algo que ya no necesitaría. Durante todo el año 1986, había hecho oídos sordos a los requerimientos de EMI de sacar un nuevo álbum y hacer la correspondiente gira; en 1987 ya no podía seguir negándose. Lo que necesitaba ahora era un álbum que se adentrara en el pop de masas, y cuya música pudiera interpretarse en vivo en los grandes escenarios.

Los días de «recortar» letras o sacar fichas a la manera de las «estrategias oblicuas» de Brian Eno eran cosa del pasado. Todo esto lo tenía algo confuso: la fila de ceros en que terminaba ahora su cuenta bancaria, y el hecho de ser una estrella conocida desde Londres hasta Laos eran cosas gratificantes, pero artísticamente inertes. Se encontraba ante una nueva etapa de su carrera en un terreno que le resulta desconocido.

El guitarrista Carlos Alomar, que desde hacía tiempo trabajaba con Bowie, le dijo a su biógrafo David Buckley: «No quería ir al estudio a grabar un álbum. Cuando dejas que tus compromisos políticos o una compañía discográfica interfieran con lo que haces, se va la inspiración».

Never Let Me Down se compuso y grabó en Suiza en un período de tres meses, para lo cual Bowie recurrió a una combinación de lo viejo con lo nuevo: reapareció el siempre fiel Carlos Alomar, y contó por primera vez con Peter Frampton como artista invitado (su padre había sido profesor de arte de Bowie en la escuela).

Las canciones marcaron un cambio en las letras hacia temas políticos, algo que Bowie no había querido hacer hasta el momento. El single promocional del álbum, «Day-In Day-Out», ejemplificaba este nuevo enfoque, criticando la difícil situación de las personas sin hogar en Estados Unidos. Su vídeo (dirigido una vez más por Julien Temple) era una confusa incursión en la crítica social, donde aparecía hasta un intento de violación y se veía a Bowie en patines. Posteriormente sería vetado tanto por la BBC en el Reino Unido como por la MTV en Estados Unidos.

El single que le siguió, «Time Will Crawl», estaba inspirado en el desastre nuclear de Chernobyl de 1986.

La canción que daba título al álbum, y tercer single, era de índole más personal, sobre la asistente personal de Bowie, Coco Schwab, que había estado trabajando para él desde mediados de la década de 1970. Aunque David siempre ha insistido en que su relación fue meramente platónica, también llegó a declarar en cierta ocasión:

Hay un cierto romance en ello, supongo, dentro de lo difícil que es que dos personas se sientan absolutamente cómodas en mutua compañía durante tanto tiempo, sin que ninguna de ellas espere demasiado de la otra.

D. B., 1987

Por otro lado, estaban la ya habitual canción de Iggy Pop, que esta vez fue «Bang Bang», y Mickey Rourke, que hizo un esfuerzo con una parte de rap en «Shining Star (Makin' My Love)».

Mi mayor sorpresa fue encontrarme por primera vez con Mickey Rourke y que me dijera: «Oye, ¿sabes que por el año 1973 yo me vestía como tú, llevaba el pelo verde y botas de tacón, con pantalones de cuero?». Yo trataba de imaginarme a Mickey Rourke vestido así, y le pregunté: «¿Eras un glam rocker?» *Y me contestó: «¡Claro!, yo era el único; en Florida nadie había visto nada así antes». Me pareció sencillamente fascinante. Me sentí muy animado.*

D. B., 1989

Un problema difícil que se le presentó a Bowie con el álbum fue el sonido. En los ochenta, los sintetizadores y fondos de batería electrónicos desempeñaron un papel importante en los discos de más de un artista, hasta el punto de convertir las canciones en productos meramente llamativos, desprovistos de auténtico valor. En cambio, las variaciones vocales de Bowie siempre han armonizado bien con una música que resulta tan interesante como su propia voz, ya sea en la locura cacofónica de *"Heroes"* como en el recortado funk de *Station To Station*.

Los sonidos que se solían oír en la década de 1980 eran bastante monótonos, sin ninguna capacidad de sorprender y menos de asombrar. Bowie había expresado su deseo de regresar a los sonidos del rock 'n' roll, pero la insulsa producción de sonido que se hacía por aquel entonces disfrazaba buena parte de los resultados que Bowie buscaba en sus nuevas canciones.

No obstante, también había auténtica experimentación en muchos sitios, si uno sabía escuchar. Public Enemy estaba haciendo con el hip hop una música disonante, aguda e inteligente construida sobre pequeñas piezas. El estilo house también empezaba a despegar, influenciando a las bandas de guitarra del Reino Unido, como los Happy Mondays y The Stone Roses. Singles como «Beat Dis», de Bomb The Bass, y «Pump Up The Volume», de MARRS, sugerían áreas interesantes donde explorar. A pesar de ello, Bowie decidió hacer un álbum que después lamentaría.

En su lanzamiento, *Never Let Me Down* vendió mucho menos de lo esperado. En Estados Unidos llegó al n.° 34 en la lista de éxitos, y en el Reino Unido alcanzó la sexta posición. En cambio, se vendió muy bien en los países escandinavos.

Aunque Bowie defendió el álbum con ahínco, llegando a interpretar la mayoría de sus canciones en su nefasta gira Glass Spider, con el tiempo expresaría serias dudas acerca de sus supuestos méritos, y también sobre su propia posición como artista dentro de la corriente principal de la época:

Let's Dance *fue un álbum excelente dentro de un cierto género, pero los dos álbumes que le siguieron revelaron claramente mi falta de interés hacia mi propio trabajo.* Never Let Me Down *fue un álbum espantoso. He llegado a un momento en el que no quiero emitir juicios acerca de mí mismo. Simplemente expongo lo que hago, en las artes visuales o en la música, porque todo lo que hago lo siento de verdad. Aunque artísticamente sea un fracaso, no me molesta de la manera en que me molesta haber hecho* Never Let Me Down. *Creo que ni siquiera me importaba ir al estudio a grabar. De hecho, cuando lo oigo, me pregunto si alguna vez me preocupó.*

D. B., 1995

Al menos, *Never Let Me Down* sirvió para algo: le enseñó a Bowie que la felicidad no reside en la atracción de las masas y en las presentaciones multitudinarias, sino en la excelencia artística. La pregunta en esos momentos era si sería capaz de recuperar su antigua actitud.

Miembro indiscutible de la *jet set*, lo cierto es que *Never Let Me Down* nunca llegó a despegar. Aunque en canciones como «Day-In Day-Out» y «Time Will Crawl» abordaba temas sociales y políticos de la actualidad, por primera vez en su carrera estaba fuera de la realidad.

N MACHINE 1989

> "TUVE QUE RECUPERAR LA PASIÓN POR LO QUE HACÍA. NO PODÍA SEGUIR POR ESE CAMINO. ERA CUESTIÓN DE SALIR DE AQUELLO O DE HUNDIRME COMPLETAMENTE EN LA BASURA".
>
> DAVID BOWIE, 1989

1987

30 de mayo

Se inicia oficialmente la gira Glass Spider en el Stadion Feyenoord de Rotterdam.

Junio

Sale «Time Will Crawl» / «Girls» (33.° en el Reino Unido, en Estados Unidos no llega a las listas).

Agosto

Sale «Never Let Me Down» / «87 And Cry» (34.° en el Reino Unido, 27 en Estados Unidos).

28 de noviembre

Finaliza la gira Glass Spider en el Western Springs Stadium de Auckland, Nueva Zelanda.

1988

1 de julio

Colabora con la compañía de danza *avant-garde* La La La Human Steps interpretando *Look Back In Anger* en un concierto benéfico para el ICA [Instituto de Arte Contemporáneo] de Londres.

12 de agosto

Aparece en la película *The Last Temptation of Christ* (*La última tentación de Cristo*), donde interpreta brevemente el papel de Poncio Pilatos.

1989

22 de mayo

Sale *Tin Machine* (3.er lugar en el Reino Unido, 28.° en Estados Unidos).

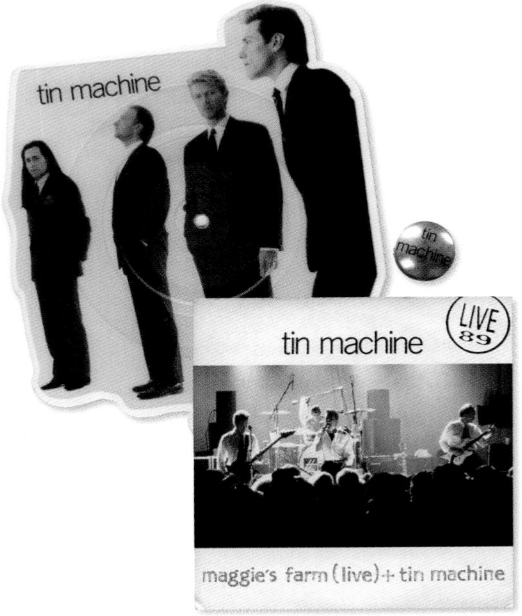

Página 187: En el escenario durante la gira Glass Spider en 1987. Su siguiente proyecto sería mucho menos ambicioso.

Página anterior: La formalidad del atuendo oculta el carácter fuerte y directo de las canciones de *Tin Machine*.

La ambiciosa, y también rentable, gira Glass Spider, que se extendió de mayo a noviembre de 1987, abarcó Europa, Norteamérica y Australasia, y convocó a un público estimado en unos tres millones de personas. No obstante, no logró aumentar mucho las ventas del álbum *Never Let Me Down*. La gira finalizó dejando a David Bowie muy rico, pero también muy cansado y muy infeliz:

La última gira conllevó mucha responsabilidad. Estaba bajo tensión permanente, cada día. No me quedó más remedio que apretar los dientes y seguir adelante, lo que sin duda no es la mejor manera de trabajar.

D. B., 1989

Los críticos destrozaron la gira, la vieron excesiva en cuanto a la expresión e inapropiadamente teatral para un artista de la talla de Bowie. Además, al interpretar cada noche todas las canciones del nuevo álbum, excepto quizás un par de ellas, se veía obligado a renunciar a sus mejores canciones anteriores y, con ellas, al reconocimiento que solía recibir por la calidad del trabajo que había hecho hasta la fecha. En cambio, ahora lo acusaban de dar entretenimiento en vez de ofrecer arte, así como de distanciarse del auténtico intercambio entre artista y público.

Afectado por las críticas, Bowie decidió decir basta. Tenía la fama y tenía el dinero que tanto había ansiado. Era el momento de dejar de jugar a Bowie la superestrella y volver a ser Bowie el artista, un ser mucho más interesante que ver en el espejo cada mañana.

Reeves Gabrels era un guitarrista extraordinario al que le gustaba explorar los límites del sonido. Su esposa, Sarah, que trabajó como publicista en la gira Glass Spider, le había entregado a Bowie una cinta con grabaciones suyas. A este le gustó y, a mediados de 1988, ambos iniciaron una colaboración en los estudios favoritos de Bowie, en Montreux, donde se reunieron con el productor Tim Palmer con la intención de trabajar en un álbum conceptual basado en la obra *West*, de Steven Berkoff. La idea original fue pronto rechazada, pero sus experimentos les dejaron algunas cosas prometedoras, como una primera versión de «Heaven's In Here» y «Baby Universal». Pensando todavía en un proyecto de Bowie en solitario, ambos decidieron que necesitaban una sección rítmica.

Los hermanos Sales (el batería, Hunt, y el bajista, Tony, hijos del comediante Soupy Sales) habían hecho la sección rítmica del álbum de Iggy Pop *Lust For Life*, coelaborado y coproducido por el propio Bowie. Rockeros puros y de actitud similar, su llegada a Monreux significó un marcado cambio en el tono de las sesiones. Trabajando de manera espontánea y democrática, empezaron a surgir nuevas canciones de hard-rock, sobre las que Bowie iba improvisando las letras sin necesidad de hacer muchas revisiones.

David vio la oportunidad de restañar las numerosas heridas que le había hecho la crítica, saliendo de la corriente principal de la música de moda, nunca demasiado profunda, y abandonando definitivamente la perspectiva de los trajes de lentejuelas y las mansiones de Las Vegas. Desaparecía el Bowie artista de espectáculos para reaparecer como cantante de una banda de rock que se llamaría Tin Machine y que tocaría en pequeños locales y teatros.

Es la primera banda en la que había estado, no dirigido o guiado, ¡desde The Kon-rads en 1963! Había pensado simplemente en una colaboración musical, pero el hecho de que aquello evolucionara tan rápido hacia la idea de una banda fue estupendo, y es fantástico que se haya convertido en eso, sin ninguna idea preconcebida.

D. B., 1991

Después de un intervalo, los miembros de la banda se reencontraron en Nassau, en las Bahamas, donde en poco tiempo compusieron más de treinta canciones, con un sonido sencillo y directo, sin jugueteos ni florituras, y casi *overdubs*. Reunieron catorce de las canciones en un álbum que presentaron a la prensa en Nueva York.

Las primeras respuestas de la crítica fueron positivas. Tras esa primera audición, la revista *Q* describió la música como «benéficamente espléndida, directa, fuerte y rebosante de vida». Se sucedieron los comentarios positivos, y el álbum alcanzó enseguida la tercera posición en las listas del Reino Unido. El golpe vendría después.

Visto en perspectiva, Tin Machine tiene un sonido directo, impulsivo, que se impone, pero también tiene algunas piezas de genuino interés musical. El tema que abre el disco, «Heaven's In Here» establece el ritmo y el tono que seguirá, cargado de fuertes guitarras y rápidas vocalizaciones; «Crack City» es una combinación de Bo Diddley con Bob Dylan; «I Can't Read» podría haber formado parte de *Lodger*, y la versión de «Working Class Hero» es una de las mejores interpretaciones de Bowie, en la que reemplaza el socarrón cinismo de Lennon por un tono directo y desafiante.

Con el espíritu de volver a empezar, de volver a lo básico, la banda inició una gira por una serie de locales pequeños (a diferencia de los enormes espacios por los que había pasado Bowie en su gira Glass Spider), viajando juntos en furgoneta y olvidando por completo en sus conciertos el catálogo de su repertorio anterior.

Nunca me he sentido conmovido por un artista en un estadio, excepto quizás en sentido negativo, cuando me han entrado ganas de buscar la salida... La espontaneidad y la interacción son cosas que van juntas; el ambiente es algo determinado por la coreografía.

D. B., 1991

No obstante, muchos seguidores y críticos no podían aceptar que Bowie, el supremo individualista, formase ahora parte de un grupo musical. Es posible también que se hubiera situado un poco fuera de juego. Por aquel entonces estaba pendiente principalmente de algunos grupos estadounidenses nuevos que estaban experimentando con los sonidos, como The Pixies y Sonic Youth, bandas que todavía no se habían incorporado a la corriente imperante. Puede que esta nueva dirección de Bowie hubiera tomado por sorpresa a sus fans tradicionales, a la vez que el público más joven no se sentía muy atraído por un artista «mayor» venido de otra corriente que experimentaba con los sonidos *underground*:

Nunca me ha preocupado la perspectiva de perder seguidores. Aunque recientemente se me había olvidado un poco esa actitud. Mi fortaleza ha estado siempre en el hecho de que no me importaba en lo más mínimo lo que la gente pensara de lo que estaba haciendo... Una actitud que estoy recuperando de nuevo...

D. B., 1989

Pero a EMI sí le preocupaba. Los beneficios económicos del álbum no habían logrado entusiasmarlos y, cuando el grupo anunció que pensaba sacar un segundo disco, el sello discográfico se echó atrás y dejó a Bowie solo. No le importó: ya estaba adoptando un nuevo enfoque.

Uniéndose a un grupo. Por primera vez desde la década de 1960, Bowie era de nuevo el cantante de una banda de rock. Los otros miembros de Tin Machine eran el bajista Tony Sales (*izquierda*), el batería Hunt Sales y el guitarrista Reeves Gabrels (*derecha*).

Ludwig

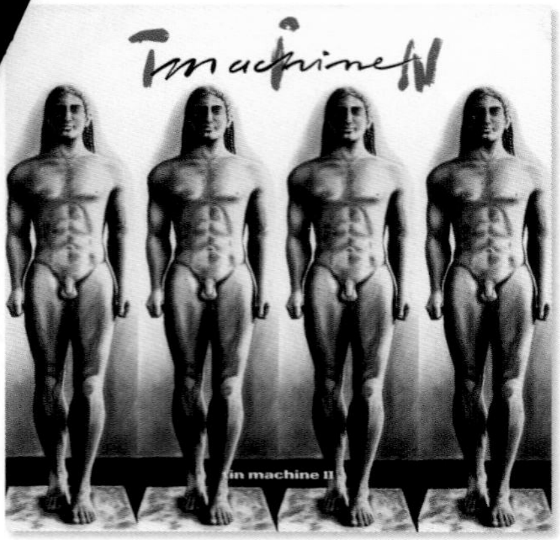

"TIN MACHINE FUE
LO MEJOR QUE PUDE HACER
PARA RESOLVER MI CRISIS
DE LOS CUARENTA".

DAVID BOWIE, 1994

1989

Junio

Sale el single de Tin Machine «Under The God» / «Sacrifice Yourself» (51.° en el Reino Unido, en Estados Unidos no llega a las listas).

14 de junio

Se inicia la gira Tin Machine 1989 en The World, Nueva York.

3 de julio

Finaliza la gira Tin Machine 1989 en el Forum de Livingston, Escocia (después se añadió una última presentación en el Moby Dick's de Sídney, el 4 de noviembre).

Septiembre

Sale el single de Tin Machine titulado «Tin Machine» / «Maggie's Farm (live)» (posición 48 en el Reino Unido, en Estados Unidos no llega a las listas).

Octubre

Sale el single de Tin Machine «Prisoner Of Love» / «Baby Can Dance (live)» (no llega a las listas).

1990

Marzo

Sale «Fame '90» / «Fame '90 (Queen Latifah rap version)» (28.° lugar en el Reino Unido, no llega a las listas en Estados Unidos).

4 de marzo

Inicia la gira Sound+Vision en el Colisée de Quebec, Canadá.

2 de abril

Gana el premio Ivor Novello por su «contribución destacada a la música británica».

Mayo

Sale el disco de Adrian Belew «Pretty Pink Rose» / «Neptune Pool» / «Shoe Salesman» / «Oh Daddy» (con la colaboración de David Bowie en la primera canción) (no llega a las listas).

29 de septiembre

Finaliza la gira Sound+Vision en el estadio del River Plate de Buenos Aires.

1991

7 de julio

Aparece como sir Roland Moorcock en dos episodios de la serie de HBO *Dream On* (*Sigue soñando*).

Agosto

Sale en el Reino Unido el single de Tin Machine «You Belong In Rock 'n' Roll» / «Amlapura (Indonesian version)» (llega a la posición 33).

2 de septiembre

Sale *Tin Machine II* (posición 23 en el Reino Unido, 126 en Estados Unidos).

Muchos pudieron haber pensado que la imaginación musical de Bowie estaba, al menos de momento, un tanto mermada. Pero pronto volvería a lucir todo su esplendor. Mientras tanto, el cantante seguía conservando su capacidad de sorprender.

En marzo de 1990 inició la gira Sound+Vision. Según dijo, sería la última vez que cantara sus anteriores éxitos en el escenario; una última vez para pasear las canciones que lo habían hecho famoso y, después, el pasado se quedaría para siempre en el pasado. Pensó que esta maniobra le abriría las puertas de su futuro.

Saber que no podré volver a apoyarme en las viejas canciones me incita a hacer cosas nuevas, lo que es bueno para un artista.

D. B., 1990

La gira iba a servir también para promocionar un *box set* del mismo nombre que abarcaba toda su carrera anterior, con muchas grabaciones raras y curiosidades. Lo que, a su vez, estaba pensado para despertar el interés en un programa de reedición de álbumes en proyecto con la EMI y Rykodisc.

Durante esta gira, en un intento por difuminar la separación entre público y artista, Bowie estableció una línea telefónica por la que los fans podían pedir sus canciones favoritas para que las interpretara en vivo. La revista musical británica *NME* se dio cuenta inmediatamente de la oportunidad que ofrecía aquella propuesta para hacer bromas, y la línea se vio congestionada por lectores que pedían «The Laughing Gnome».

En Estados Unidos, las solicitudes más frecuentes fueron «Fame», «Let's Dance» y «Changes», mientras que en Europa las canciones más pedidas fueron «"Heroes"» y «Blue Jean».

Esta vez, Bowie no hizo gala de las extravagancias de la gira Glass Spider. Vestido otra vez como el Thin White Duke, desplegó un uso imaginativo de las pantallas de vídeo (diseñadas por Édouard Lock) para acercar el espectáculo al público, tal como comentaba Lock: «El sonido se puede amplificar para abarcar grandes espacios; el problema es que no tenemos la misma tecnología en el terreno visual. Todavía hoy, la gente que va a un estadio puede que solo llegue a ver en el escenario una figura del tamaño de un guisante... Lo que han hecho siempre los rockeros es ampliar el propio escenario, lo que en realidad agrava el problema, pues solo consiguen destacar lo pequeño que es en realidad un ser humano... En cambio, lo que me propuse aquí fue crear una arquitectura que girara en torno a la persona, no al escenario: poner a la persona allí, y usar partes de su cara, etcétera, para crear una estructura más esférica».

La gira de Bowie tuvo un éxito impresionante, con 108 conciertos en veintisiete países entre marzo y septiembre de 1990. Cuando se encontraba casi a punto de terminar, el cantante anunció que dejaba su sello discográfico, EMI.

Dado el poco entusiasmo que había suscitado Tin Machine en la compañía, en marzo de 1991 Bowie y los demás miembros del grupo se cambiaron a la recién formada Victory Music, donde se dispusieron a completar su segundo álbum a partir del puñado de canciones que habían grabado en Sídney al finalizar su primera gira de 1989. Cuando se reunieron en Los Ángeles con Hugh Padgham (cuya última colaboración había sido en el álbum *Tonight*), solo necesitaron añadir tres canciones más.

Resultó un disco aún más ruidoso e inaccesible que el primero, en el que Bowie daba rienda suelta a todo el vapor acumulado, gritando y vociferando, completamente metido en el heavy rock. En su lanzamiento, Reeves Gabrels comentó a propósito del espíritu de *Tin Machine II*: «En el grupo hay una absoluta desconfianza hacia todo lo que pueda parecer cómodo. En el momento en que algo empieza a parecerse a una manera propia de hacer las cosas, sentimos que debemos cambiar de parámetros».

El disco tiene algunos puntos notables: «Baby Universal», «Goodbye Mr. Ed», «One Shot», «Shopping For Girls»..., pero también hay otros muy mediocres. En su conjunto, es un álbum contrario a las tendencias del momento. Por aquel entonces dominaba la música house, que llenaba las discotecas de todo el mundo con entusiasmo y con éxtasis. El rap había alcanzado un gran éxito gracias a grupos como A Tribe Called Quest, De La Soul y Gang Starr. En el Reino Unido, la música de guitarra estaba aún dominada por la escena musical de «Madchester», de influencia bailable, liderada por grupos como Happy Mondays. Esta denominación deriva de la ciudad inglesa de Manchester, donde surgió. Sugiere algo así como «la locura (*mad-*) de Manchester», al parecer originada en el EP *Madchester Rave On (Hallelujah)* de Happy Mondays. El único vínculo entre Tin Machine y la música de su época era el naciente estilo grunge, que encabezaban grupos como Nirvana, Pearl Jam, Soundgarden y Alice In Chains. Pero con una diferencia generacional.

En muchos sentidos, Tin Machine fue un refugio para Bowie, un lugar donde permanecer en un segundo plano mientras reavivaba su chispa creadora. Siendo solo uno entre cuatro, los errores podían diluirse más fácilmente, al tiempo que se mantenía en la onda. Él siempre negó que fuera esa su intención, y después de las críticas generalmente malas de ese segundo álbum, mantuvo, no obstante, su compromiso con la causa al embarcarse en una nueva gira mundial de siete meses.

Otra vez presentándose en pequeños locales y dentro de una atmósfera de espontaneidad («no teníamos ningún programa previsto», confesaría), Tin Machine realizó un total de sesenta y nueve conciertos en doce países, durante los cuales grabaron también un álbum en vivo: *Tin Machine Live: Oy Vey, Baby*.

Bowie profesó su lealtad al grupo hasta el último momento; pero al acercarse el final de la gira ya estaban trabajando los engranajes en su cabeza, y pronto iría otra vez al estudio para grabar en solitario.

Hoy, la crítica sobre Tin Machine es menos negativa que en su día. Son innegables los anacronismos, que quizás desviaron la atención de las virtudes del grupo. Para algunos, sin embargo, su música fue solo una pantalla que permitió a David Bowie destruir su propio mito mientras se reencontraba de nuevo a sí mismo para resurgir como artista en solitario. Tin Machine también le aportó una valiosa relación con el guitarrista Reeves Gabrels, que se convertiría en un importante colaborador para el momento de su impresionante regreso en plena forma.

Me liberó musicalmente, y a veces hay que volver a ciertas cosas para poder trabajar en una idea. Tin Machine fue esa clase de trabajo en proceso, aunque se encontró con una hostilidad total. Pero recuerdo que Low *tuvo exactamente la misma respuesta, y ahora se le considera un hito del rock artístico, según los críticos.*

D. B., 1993

Páginas 193, 194 y siguiente: Después de tomarse un tiempo en 1990 para su gira en solitario Sound+Vision, Bowie regresó con Tin Machine para grabar un segundo álbum de estudio. El grupo también viajó desde el otoño de 1991 a la primavera de 1992, tocando en escenarios mucho más reducidos que los que David había estado visitando desde la década de 1960. Bowie llegó a desempolvar su apreciado saxofón para esos conciertos (*derecha*), que dieron lugar a un álbum, *Oy Vey, Baby*, el último de Tin Machine.

ACK TIE WHITE NOISE 1993

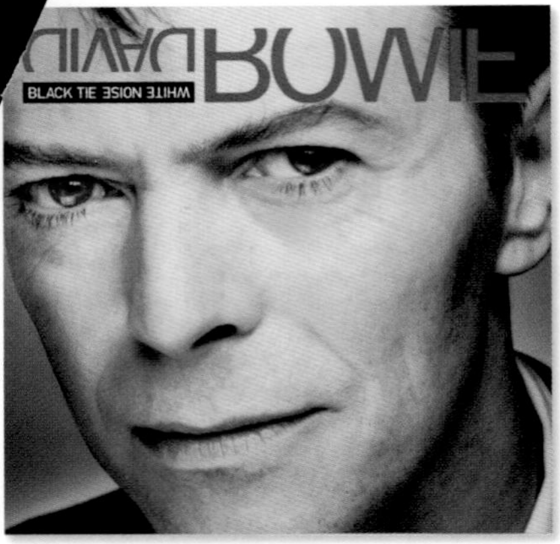

«ME ESTOY ACERCANDO POR FIN A MI PROPIA ESENCIA. HE TARDADO UN POCO, ¿VERDAD?».

DAVID BOWIE, 1993

1991

Octubre

Sale el single de Tin Machine «Baby Universal» / «You Belong In Rock 'n' Roll (extended version)» (posición 48 en el Reino Unido, no llega a las listas en Estados Unidos).

5 de octubre

Se inicia la gira de Tin Machine llamada It's My Life en el Teatro Smeraldo de Milán.

30 de octubre

Se estrena la película *The Linguini Incident*, con David Bowie en el papel protagonista.

1992

17 de febrero

Finaliza la gira de Tin Machine, It's My Life, en el Budokan Hall de Tokio.

20 de abril

Participa en el concierto en homenaje a Freddie Mercury en el Wembley Stadium de Londres.

24 de abril

Contrae matrimonio con la modelo Iman (Iman Mohamed Abdulmajid).

3 de junio

Aparece en un cameo en la película *Twin Peaks: Fire Walk With Me*, como Phillip Jeffries.

27 de julio

Sale *Tin Machine Live: Oy Vey, Baby* (no llega a las listas).

Agosto

Sale «Real Cool World» (varias ediciones) (posición 53 en el Reino Unido, en Estados Unidos no llega a las listas).

30 de agosto

Première en Múnich de la *Sinfonía No. 1 «Low»*, de Philip Glass (basada en el álbum *Low* de Bowie).

1993

Marzo

Sale «Jump They Say» (varias ediciones) (9.° lugar en el Reino Unido, en Estados Unidos no llega a las listas).

5 de abril

Sale *Black Tie White Noise* (1.er lugar en el Reino Unido, 39.° en Estados Unidos).

Aunque su participación en el concierto en homenaje a Freddie Mercury (*superior derecha*) confirmó su posición dentro de la comunidad del rock, Bowie no era ningún dinosaurio. Una nueva generación de grupos musicales británicos como Blur, Oasis y, en especial, Suede (*superior izquierda*) no rehuyeron asociarse con su nombre.

«Hay una buena parte de ti en este tema», le dijo Brett Anderson a David Bowie al interpretar una canción del primer álbum de su grupo, Suede, en un acto organizado por la revista *NME* en marzo de 1993. Bowie tenía otra vez el beneplácito de la crítica. La gira y el *box set* Sound+Vision le habían recordado al mundo su inmenso talento, mientras que nuevas y jóvenes voces hacían fila para cantar sus alabanzas: los integrantes de Blur eran obvios seguidores suyos, así como Morrissey, y hasta los chicos de Oasis expresaron también su admiración, llegando a interpretar «"Heroes"» en la cara B de su disco «D'You Know What I Mean?», en 1997. Bowie estaba otra vez de moda, y seguiría estándolo.

Con un sentido impecable de la oportunidad, sacó un álbum innegablemente rebosante de frescura, experimental y moderno. *Black Tie White Noise* era resultado de su retorno a una de sus fuentes musicales más fructíferas: la música afroamericana contemporánea.

La música negra le había servido siempre para sacar lo mejor de sí mismo. Bowie había crecido bajo el embrujo del soul: vibrante, sexy, mundano. En eso no estaba solo, pues la mayor parte de los grandes vocalistas británicos blancos de la década de 1960 (John Lennon, Mick Jagger, Ray Davies, Steve Marriott, Bryan Ferry, Rod Stewart) habían querido cantar como Otis Redding y bailar como James Brown. Aunque Bowie había erigido su reino con el rock 'n' roll de Ziggy, algunos de sus discos de más éxito estaban inmersos en el ritmo negro más que en las guitarras Rickenbacker, como *Station To Station* y *Young Americans*, y sus mejores canciones del llamado «período berlinés» (el funk recortado de «Sound And Vision», o el sincopado ritmo bailable de «"Heroes"») tenían algo que ver con el rhythm & blues.

El primer artista que de verdad me gustó fue Little Richard, cuando tenía como ocho años de edad. Me quedé fascinado por lo que oía... Era como si se abriera el cielo. Porque su voz parecía como salir del cielo... Una voz extraordinaria. Eso despertó mi interés por la música negra estadounidense.

D. B., 1993

En ese espíritu, y diez años después de que trabajaran juntos en *Let's Dance*, Bowie volvió a contactar con el productor Nile Rodgers. En aquella ocasión, la colaboración le había reportado grandes beneficios, y lo convirtió en una estrella del pop. Esta vez no era esa la senda por la que quería seguir, y Rodgers se encontraría con que ahora Bowie tenía mucho más control de sus sesiones.

Poco antes de empezar a grabar, David se casó con la supermodelo Iman en Suiza. Días después ambos viajaron a Los Ángeles para ver

Izquierda: Cantando «Under Pressure» con Annie Lennox en el concierto en homenaje a Freddie Mercury, en Wembley, el 20 de abril de 1992. Luego, después de una conmovedora interpretación de «"Heroes"», Bowie, de manera espontánea y memorable, recitó de rodillas el padrenuestro.

Página siguiente: «Really quite paradise», de la letra de «Lady Stardust» («Un auténtico paraíso»). Con su nueva esposa Iman en el estreno de la película *Exit To Eden*, en octubre de 1994. Bowie e Iman se conocieron en una cena en 1990 y se casaron dos años después, poco antes de la grabación de *Black Tie White Noise*.

algunas casas adonde vivir, pero al encontrar la ciudad conmocionada por disturbios decidieron establecerse en Nueva York. Esta experiencia de satisfacción personal en contraste con un telón de fondo de conflictos sociales tendría cierta influencia en su nuevo trabajo.

En junio la pareja celebró públicamente su matrimonio en Florencia, con una larga lista de celebridades invitadas y un helicóptero lleno de cámaras revoloteando desde arriba. Bowie compuso una pieza especialmente para la ocasión, «The Wedding», que es la que abre y cierra el álbum, quizás un reconocimiento de que ahora su vida se iniciaba y se cerraba en torno a su nueva esposa. El saxofón, el primer instrumento de David, domina en toda la canción, como si el amor le hubiera hecho también reencontrarse consigo mismo.

El álbum mantiene esa misma alta calidad en todas las demás canciones. «You've Been Around», escrita con Reeves Gabrels (en un principio se pensó incluirla en *Tin Machine II*), podría encajar sin problema en cualquiera de los álbumes de la trilogía de Berlín. Sus inteligentes arreglos dan protagonismo a la voz de Bowie, a la que se va incorporando progresivamente la instrumentación a medida que la canción avanza:

Lo que me gusta de la canción es que carece de referencia armónica durante la primera mitad. Solo suena la percusión, mientras la voz parece omnipresente...

D. B., 1993

Tras el portentoso rumor introductorio, la canción se va haciendo decididamente funky, sexy, llena de virtuosos pasajes de bajo y trompetas:

La textura de una canción, para mí, está casi por encima del contenido de la letra. La sexualidad está en el ritmo, y para mí es muy importante la sexualidad de las personas: es algo que me motiva.

D. B., 1993

«You've Been Around» va seguida de «I Feel Free», del grupo Cream, la original canción de jazz-rock con un matiz psicodélico, actualizada aquí con el empuje de un ritmo moderno y una agudeza que va ganando en intensidad. Bowie siempre había admirado a Cream, al igual que su antiguo colega musical Mick Ronson, por lo que era fantástico que los dos volvieran a unirse para esta canción, por primera vez juntos en un disco desde *Pin Ups*. Por desgracia, también sería la última.

Ronson padecía cáncer. Su contribución a la carrera de Bowie entre 1970 y 1973 había sido inmensa. Cuando el éxito llamó a la puerta de Bowie para apoderarse de él y sumirlo en un mar de dificultades personales, Ronson fue una voz solitaria que advirtió al cantante de la fatalidad de los hábitos que estaba adquiriendo, lo que demostraba su buen corazón. Ronson moriría una semanas después del lanzamiento de esta colaboración final, pero su fama como gigante de la música continúa creciendo.

La inclusión de «I Feel Free» era también, en parte, señal de la reconciliación de Bowie (ahora un hombre nuevo con una nueva visión de futuro) con algunos elementos de su pasado; concretamente, con el suicidio de su medio hermano Terry Burns en 1985, quien había sido también la inspiración de «Jump They Say», el primer single derivado del álbum.

Mientras Bowie crecía, Terry había sido una importante influencia para él: le había enseñado grandes libros, le había dado a oír una música estupenda, le había proporcionado las herramientas para entender la cultura beatnik antes de sucumbir ante la terrible enfermedad mental. Frente al mundo que dice «salta», Bowie le aconseja: «Watch your arse», juego de palabras con la letra de la canción «They say 'Jump'... I say he should watch his ass»:

Una de las pocas veces que salí con mi medio hermano Terry, fuimos a un concierto de Cream, que tuvo un efecto devastador sobre él en el sentido de abrirle la visión a otra clase de música. «Jump They Say» tiene que ver, hasta cierto punto, con mis sentimientos hacia Terry. Fue una relación difícil en mi vida, porque éramos tan parecidos en tantas cosas...

D. B., 1993

En todo el álbum, Bowie está recombinando el pasado con vistas al futuro. Desde Ronson y su hermano Terry, la vuelta del pianista Mike Garson en «Looking For Lester», pasando por múltiples referencias a su catálogo musical (en «You've Been Around» canta *Ch-ch-ch-ch-ch-ch-changed*, en alusión a la letra de su antigua canción «Changes»), hasta la eterna pregunta de Marvin Gaye: *What's going on?* [«¿Qué está pasando?»], la cual recibe una ominosa respuesta en la canción que da título al álbum: *There'll be some blood* [«Habrá sangre»]...

«Black Tie White Noise» está inspirada en los disturbios de L[os] Ángeles, que Bowie había presenciado personalmente, y que fue[ro]n consecuencia de la paliza que unos policías dieron a un hombre negro llamado Rodney King. Para Bowie, la ira y la violencia desatada confirman de forma dramática la existencia de profundas grietas en la sociedad. La canción, que rezuma cinismo, alude a anuncios de Benetton de personas blancas y negras ardiendo en las hogueras de los enfrentamientos.

Era como si los prisioneros inocentes de alguna gran prisión trataran de escapar, de liberarse de sus cadenas.

D. B., 1993

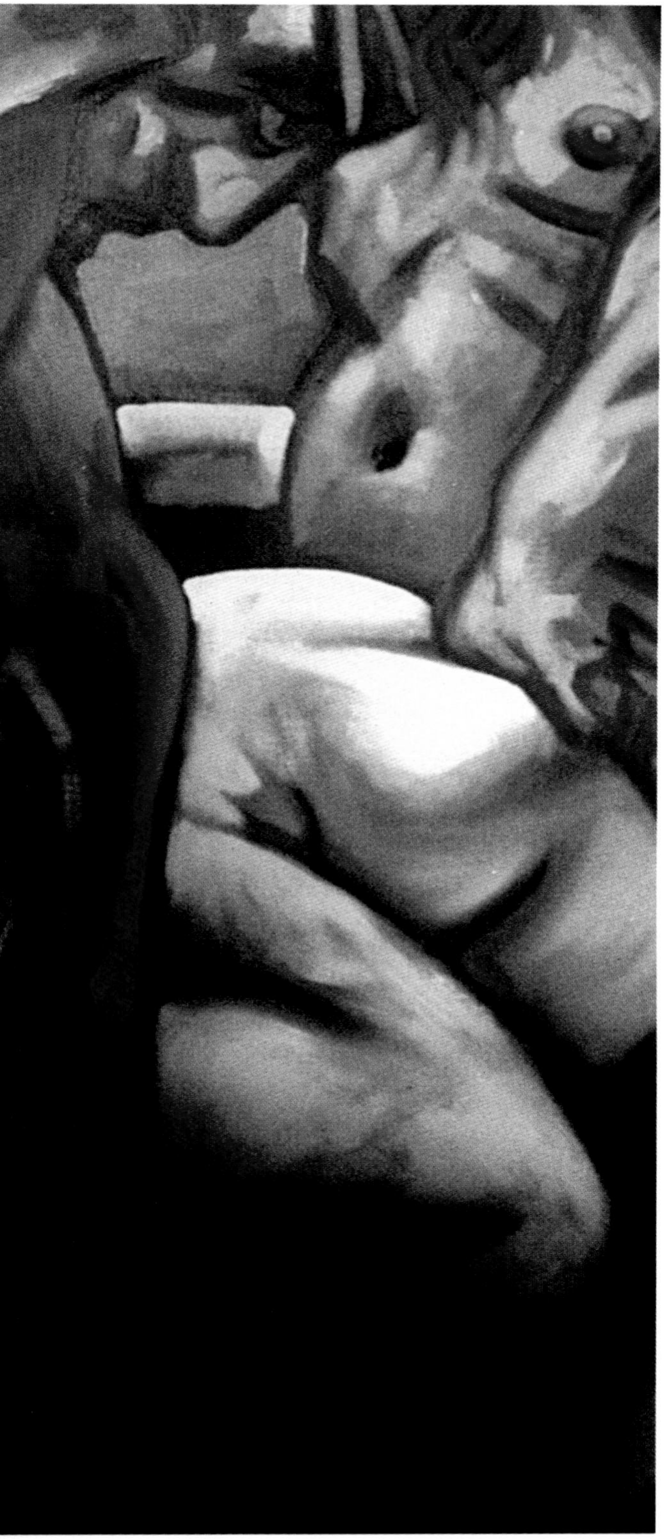

«Nite Flights» es un homenaje a Scott Walker, un artista que B wie admiraba desde hacía mucho y cuyo estilo vocal había imitad más de una vez; mientras que «Pallas Athena» demuestra que sus instintos de experimentación siguen intactos.

«Miracle Goodnight» es un homenaje a su nueva esposa, discreto y sin adornos, emotivo por su simplicidad: *Morning star you're beautiful/ Yellow diamond high/ Spins around my little room/ Miracle goodnight* [«Hermosa estrella matutina/ Diamante amarillo del cielo/ Que recorre mi habitación/ Milagro de buenas noches»]. En la canción, la voz de Bowie tiene la entonación perfecta, un tanto distante y presente al mismo tiempo.

«Looking For Lester» es sobre una persona homónima con la que no tiene relación de parentesco, Lester Bowie, el legendario trompetista, a quien David llamó en un principio para participar en «Don't Let Me Down & Down» y acabó tocando en seis de los temas e imprimiendo al disco uno de sus rasgos característicos.

En reconocimiento de su nuevo estatus en el terreno musical, Bowie hace un guiño a uno de sus seguidores, interpretando la canción de Morrissey «I Know It's Going To Happen Some Day»: es Bowie cantando a Morrissey de la manera en que Morrissey canta al estilo de Bowie.

El álbum completa el círculo con «The Wedding», donde reafirma su felicidad con imágenes del cielo en un vestido de novia.

Bowie tenía entonces cuarenta y seis años, y el amor le hacía cobrar una nueva conciencia de sí mismo. En *Black Tie White Noise* sus ideas están presentes de manera más relajada y fluida que con la energía furiosa de Tin Machine. Amistoso y acogedor, hasta sus rincones más sombríos tienen aquí matices de tonos cálidos, no de dura oscuridad. El álbum tuvo una buena acogida. En Estados Unidos alcanzó la posición 39, y pudo haber llegado más alto de no haber sido intervenida económicamente su nueva discográfica en Norteamérica, Savage. En el Reino Unido encabezó directamente las listas, reemplazando en el primer lugar, con suave ironía, el primer álbum de sus jóvenes acólitos de Suede.

«Si hay una colección de canciones capaz de devolverle la posición suprema, es esta».

Q, mayo de 1993

Delante de una pintura de Peter Howson, pintor oficial de la guerra civil de Bosnia, en 1994.

E BUDDHA OF SUBURBIA 1993

> «ESTE ÁLBUM BIEN PODRÍA SER UNO DE LOS PROYECTOS EN LOS QUE MÁS HE DISFRUTADO».
>
> DAVID BOWIE, 1993

1993

29 de abril
Muere Mick Ronson a la edad de 46 años.

Junio
Sale «Black Tie White Noise» (varias ediciones) (posición 36 en el Reino Unido, en Estados Unidos no llega a las listas).

Octubre
Sale «Miracle Goodnight» (varias ediciones) (posición 40 en el Reino Unido, en Estados Unidos no llega a las listas).

Noviembre
Sale en el Reino Unido «Buddha Of Suburbia» / «Dead Against It» (35.° lugar).

8 de noviembre
Sale en el Reino Unido *The Buddha Of Suburbia* (posición 87).

Página 207: Fotografía realizada por Albert Sánchez en 1993.

Página anterior: Preparándose para el vídeo *Miracle Goodnight* en Los Ángeles, mayo de 1993.

Bowie lo consideró uno de los mejores álbumes de su carrera, y puede que tuviera razón. En *The Buddha Of Suburbia* se mueve sin dificultad y con seguridad por una impresionante variedad de estilos, tan cómodo con las ensoñadoras canciones de la década de 1960 como con el pop moderno, el acid house, el jazz y la música ambiente.

La novela de Hanif Kureishi en la que se basa el álbum trata acerca de un muchacho que crece en el Bromley de la década de 1970, cuya madre se llama Margaret, y que tiene que afrontar los problemas de su entorno, tanto raciales como relacionados con creencias religiosas, junto con las dificultades que le plantea su propia sexualidad, mientras su mejor amigo se está forjando una carrera como estrella del rock... Elementos suficientes para despertar la simpatía y la identificación de Bowie.

De hecho, tanto el cantante como el escritor tienen muchos elementos biográficos en común. Ambos crecieron en las afueras de Londres, sintiéndose como extraños, una sensación de alienación que se encuentra presente en sus respectivos trabajos; ambos recurrieron a tácticas sorpresivas y chocantes para llamar la atención: Bowie jugando con su aspecto y confundiendo su género, en la ropa y en su uso de maquillaje, y Kureishi había escrito el guión de una película, *My Beautiful Laundrette* (*Mi hermosa lavandería*), en la que un joven skinhead se enamora de un joven asiático. Además, ambos, Bowie y Kureishi, comparten los mismos intereses artísticos, especialmente en lo que respecta a la música y la literatura.

Cuando la BBC le pidió que escribiera el fondo musical para la dramatización que preparaban de la novela, Bowie compuso más de cuarenta piezas individuales de música incidental como temas de transición entre las conocidas canciones de la década de 1970 que aparecerían en la serie televisiva. Esa banda sonora, que no ha salido al público, ya era de bastante calidad como para haber sido nominada a los premios BAFTA, pero el proceso le despertó una serie de ideas que evolucionaron en una dirección muy distinta: una colección de canciones que tenía poco que ver con la serie de televisión, aparte del título y algunos temas compartidos.

Animado por haber vuelto a encontrar su musa, Bowie pasó tan solo seis días componiendo y grabando el álbum, más otros quince trabajando en las mezclas (y habrían sido menos, según reseña en las notas de la carátula, de no ser por «algunos problemas técnicos»). Acompañado de Erdal Kizilcay, con el que había trabajado por última vez en *Never Let Me Down*, entró en los estudios dispuesto a evitar todos los clichés (una constante en su carrera) y a separar los motivos musicales de la banda sonora original para enriquecerlos sobre la marcha hasta convertirlos en algo completamente distinto.

Muchas veces quitaba la continuidad dejando solo la percusión, sin ninguna referencia armónica. Trabajando por capas, iba reforzando el tema sin tener idea de la clave de la composición, por así decirlo. Al restablecer la continuidad, aparecían ciertas contraposiciones evidentes. Las más desastrosas y las más atractivas las aislaba para repetirlas a distintos intervalos, lo que al final daba la impresión de algo premeditado.

D. B., 1993

Al final, la única pieza del álbum que se usó para la serie de televisión fue la que le dio el título, una exquisita canción pop con aire sesentero en la que Bowie insertó inteligentemente ciertas sugerencias de sus clásicos anteriores, como «Space Oddity» y «Starman», canciones que le habían servido para salir del perímetro exterior de la ciudad y entrar en el mundo de sus sueños de adolescente. Con frases como *Living lies by the railway line, Screaming in South London, Sometimes I fear that the whole world is queer* [«viviendo mentiras junto a la línea del tren», «gritos al sur de Londres», y «a veces temo que todo el mundo sea raro»], la canción es un amable compendio de la naturaleza quimérica de la vida en las afueras de la capital, en un entorno de silencio y sueños callados.

¿Qué debería seguir? Un poco de acid house, por supuesto. «Sex And The Church» conjura sonidos electrónicos casi generadores de trance con la robótica vocalización de Bowie entonando por encima del fondo musical.

Pero lo que sigue es otro cambio de dirección: «South Horizons» empieza como un tema instrumental a ritmo de jazz, con Mike Garson desplegando todo su genio en el piano hasta la mitad de la canción, cuando se transforma de pronto otra vez en acid house, antes de que todos los elementos confluyan en una excitante mezcla definitoria de su propio género. ¿Por qué no? Suena la mar de bien.

«The Mysteries» es música ambient en su más fina expresión, tan buena como lo que hay en *Low* o *"Heroes"*, o aún mejor. Música madura y cautivadora, dotada de significado y profundidad, cuyos instrumentos fluyen hacia un lago de sonido en el que se hunden en suaves ondulaciones.

«Bleed Like A Craze, Dad» es una pieza enteramente bailable, a tono con los tiempos y con ecos del éxito de 1992 «Connected», del grupo Stereo MC, que combina de nuevo piano jazz, esta vez con fuertes pasajes funk, con un impresionante rock de guitarra. Garson improvisó sus aportaciones él solo, en California, y se las envió a Bowie para que las incorporara como quisiera.

La siguiente es la animada «Strangers When We Meet», con su acompasada percusión realizada con los pies, directamente sacada de la canción de The Spencer Davis Group «Gimme Some Lovin'», poderosa y motivadora en sonido y estructura. Su manera de ascender en intensidad recuerda a «"Heroes"», aunque aquí la letra es mucho más elíptica e introspectiva. De haber salido como single, sin duda habría llegado a las listas, pero Bowie prefirió regrabarla para su próximo álbum, en una versión que no alcanza el empuje y la integridad de esta.

«Dead Against It» sigue el juego y el estilo de The Pet Shop Boys, mientras que en «Untitled No. 1» la voz fría y perfectamente controlada de Bowie flota sobre una oleada de sintetizadores.

«Ian Fish, UK Heir» es un anagrama de Hanif Kureishi, y quizás el punto más débil, comparativamente hablando, del álbum: un tema instrumental que no logra encontrar la presencia o la naturaleza evocadora de «The Mysteries». La última pieza es un *reprise* de la canción que da título al álbum, esta vez con Lenny Kravitz en la guitarra.

En los textos de la carátula, Bowie señala algunas de las influencias del álbum: libre asociación de palabras en la creación de las letras, Pink Floyd, Harry Partch, locales de música blues, el bulevar Unter den Linden y el Brücke Museum de Berlín, el álbum *Pet Sounds* de los Beach Boys, Roxy Music, T. Rex, The Casserole, Neu!, Kraftwerk, Bromley, prostitutas y el Soho, las actuaciones de Philip Glass en Londres en 1970/71, y el acid house. Es revelador que también haya puesto a Eno en esa lista. Su viejo compinche musical no participó en el disco, pero David no tiene inconveniente en concederle todo el crédito por la inspiración que le dio con sus métodos de trabajo.

Página anterior: Tanto Hanif Kureishi, autor del libro *The Buddha Of Suburbia*, como David Bowie crecieron en la zona residencial de Bromley, al sur de Londres, e incluso fueron a la misma escuela secundaria. A David le entusiasmó la idea de componer una música basada en la novela de Kureishi, la cual recibió buenas críticas pero tuvo pocas ventas.

Derecha: Fotografía realizada por Albert Sánchez en 1993.

Brian Eno, en mi humilde opinión, ocupa en la música popular de finales del siglo veinte una posición similar a la de Clement Greenberg en el arte durante la década de 1940 o Richard Hamilton en 1960. En general, la percepción que tiene Brian de la forma o la finalidad en la cultura deja a la mayoría de los críticos boquiabiertos al borde del abismo, sin otra cosa que decir que el típico parloteo de moda.

D. B., 1993

Si estaba tratando de seducirlo, lo consiguió, porque pronto volverían a trabajar otra vez juntos en el siguiente álbum de Bowie.

Entre tanto, el lanzamiento de *The Buddha of Suburbia* se encontró con una casi total indiferencia general; solo los fans más fieles fueron capaces de apreciar su valor. A pesar de que solo el título del álbum y de la canción principal tenían alguna conexión con el programa televisivo de la BBC, salió a la venta como banda sonora y con una portada torpemente diseñada que casi no dejaba ver que era un disco de David Bowie. En Estados Unidos tardó dos años en salir, pero al menos fue con una portada más acertada. De todos modos, uno habría pensado que las previas incursiones de Bowie en el cine y en los sonidos experimentales deberían haber despertado más interés por este trabajo, pero el hecho de que la EMI lanzara la recopilación *The Singles Collection* solo una semana después contribuyó a distraer aún más la atención. Por desgracia, hasta ahora el *Buddha* permanece en los suburbios de la inmensa producción de Bowie. Pero es seguro que la historia no lo dejará ahí.

"ES COMO PINTAR O ESCULPIR... NO ESTÁS DEL TODO SEGURO DE LO QUE ESTÁS HACIENDO. PERO CUANDO LO HAS TERMINADO, LO RECONOCES COMO TUYO".

DAVID BOWIE, 1995

1994

25 de abril

Sale *Santa Monica '72* (posición 74 en el Reino Unido, en Estados Unidos no llega a las listas).

h. septiembre

Entra a formar parte del consejo editorial de la revista de arte *Modern Painters*.

1995

18-29 de abril

Presenta su primera exposición de arte en solitario en la Kate Chertavian Gallery de Londres.

14 de septiembre

Se inicia la gira Outside en el Meadows Amphitheater de Hartford, Connecticut, Estados Unidos.

Septiembre

Sale «The Hearts Filthy Lesson» (varias ediciones) (posición 35 en el Reino Unido, 92 en Estados Unidos).

25 de septiembre

Sale *1.Outside* (8.° lugar en el Reino Unido, 21.° en Estados Unidos).

Página 213: El arte de no quedarse callado. Fotografía por Gavin Evans, 1995.

Página anterior: La gira Outside fue la primera que hacía Bowie desde Tin Machine en 1992. El artista de apoyo para la etapa norteamericana de la gira fue el grupo de rock industrial Nine Inch Nails. En un gesto típicamente suyo, la atracción principal del evento subió al escenario (como se ve aquí) antes de terminar la actuación de los Nine Inch Nails y se unió a ellos en la interpretación de canciones como «Scary Monsters» y «Hallo Spaceboy».

Animado por el éxito comercial de *Black Tie White Noise* y rebosante de energía por el logro artístico de *The Buddha Of Suburbia*, David Bowie decidió embarcarse en un viaje marcado, una vez más, por una increíble imaginación y atrevimiento.

Y es que Bowie tenía algo de lo que carecían muchos de sus colegas: el deseo –mejor, la *necesidad*– de crear de una manera subversiva, de expresarse más allá de las convenciones acostumbradas. Es algo que le dió longevidad artística, que le permitió crecer al margen de sus contemporáneos, labrar diferentes campos y suscitar la continua admiración del público, sin importar lo que se pensara de algunas de sus cosechas.

Tenía cuarenta y ocho años, una edad y un nivel en los que un músico generalmente no está buscando mantenerse en la brecha de la composición mundial, sino que lo suyo es encontrarlos holgazaneando bajo el sol de Florida, haciendo recopilaciones de su pasado para cosechar beneficios futuros. Pero Bowie, por el contrario, se sentía aún más animado, aún más dispuesto a esculpir lo que no se había esculpido antes.

Su matrimonio con Iman fue de vital importancia también para la concepción de este álbum. En la recepción de la boda había encontrado tiempo para conversar con Brian Eno, lo que había reavivado su mutua admiración:

Ambos estábamos maravillados del hecho de que a ninguno de los dos le maravillara lo que estaba pasando en el mundo de la música popular.

D. B., 1995

Un año después, Bowie escribía su elogio de Eno en las notas de la carátula de *The Buddha Of Suburbia*, y Eno criticaba públicamente que el álbum hubiera sido visto por la prensa y el público como una banda sonora y nada más. Se veía venir la colaboración entre ambos.

En marzo de 1994 se encontraron en el estudio de grabación Mountain Studios, en Montreux, escenario de su última colaboración anterior para el álbum *Lodger*, hacía dieciséis años. El grupo que Bowie había formado para esta ocasión, Reeves Gabrels, Mike Garson, Erdal Kizilcay y Sterling Campbell, estaba compuesto por viejos conocidos.

Una vez más, Eno llegó con sus fichas de «estrategias oblicuas», que ahora habían evolucionado hacia el juego de roles. Contó que en una navidad había conocido un juego familiar de charadas que lo había fascinado: «Se me ocurrió que lo mejor de los juegos

es que de alguna manera te liberan de tener que ser tú mismo; te permiten adoptar comportamientos que de otro modo serían ridículos, incómodos o completamente irracionales».

Eno trazó en detalle un perfil ficticio para cada uno de los músicos, y les pidió que asumieran el estilo del personaje, que podía ser «un exmiembro decepcionado de una banda de rock sudafricana» o «el último superviviente de una catástrofe»... Bowie, mientras tanto, que no había escrito una nota musical desde antes de entrar en el estudio, llevó un caballete, pinturas, pinceles, carboncillo y folios.

El arte y la música tenían ahora una importancia similar en su vida. En 1994 se había incorporado al consejo editorial de la revista *Modern Painters*, y se había estado interesando cada vez más en la obsesión del arte moderno por los temas mórbidos y sangrientos: el sufrimiento y la mutilación en artistas como Rudolf Schwarzkogler, o los animales cuidadosamente disecados de Damien Hirst. En abril de 1995 presentó su primera exposición de arte en solitario en la Kate Chertavian Gallery de Londres, titulada *New Afro/Pagan And Work 1975-1995*.

Las «estrategias oblicuas» de Eno no eran el único método en juego para incentivar la creación artística. Bowie, inspirado por William Burroughs, había estado usando desde la década de 1970 una técnica de «recortes» para la composición de las letras, y ahora contaba con un programa informático especialmente diseñado para ello:

Introducía tres temas distintos a través del teclado del ordenador, que tenía un programa de distribución al azar que dividía cada oración en tres o cuatro frases, y estas se mezclaban con las de las otras oraciones, lo que producía una extraordinaria yuxtaposición de ideas, que eran bastante raras. Algunas de las oraciones resultantes eran tan fabulosas que las ponía directamente en la canción, mientras que otras servían para generar nuevas ideas.

D. B., 1995

Con estos experimentos e improvisaciones, todas las pistas de acompañamiento estuvieron escritas y grabadas en solo diez días. El resto del año, Bowie y Eno lo pasaron desarrollando y enriqueciendo los temas, incorporándoles entramados conceptuales:

Una vez que empezamos a explorar el tema, nos dimos cuenta de que habíamos construido un hilo narrativo aproximado, no lineal, con esta pequeña variedad de personajes, y que había una secuencia de la trama que desembocaba constantemente en aspectos conflictivos. Como en la vida real, no había finales ni principios precisos y perfectos: todo era como un gran lío, y pensamos que así mismo debía ser. Decidimos no intentar perfeccionarla.

D. B., 1995

De ese modo, *1. Outside* resultó un álbum un tanto conceptual, en el que un detective, el profesor Nathan Adler, investiga el asesinato de una jovencita de catorce años hallada en la escalera de un museo. Aquí el álbum es el que define el concepto, no al revés, y pensar que *1. Outside* se encuentra comprendido dentro de algo tan limitado como una «historia» es subestimarlo:

Aunque el tema del álbum pueda ser el relato de Nathan Adler, su contenido es en realidad la textura de 1995. La historia es tan solo el esqueleto: la carne y la sangre son la manera de sentir de la época en torno a ese año de 1995.

D. B., 1995

Todo ello hace de este disco un objeto complejo, fragmentado, confuso, motivador, compulsivo, frenético, deliberadamente antagonista y energético, que ruge frente al oyente con un sonido denso, implacable, portador de una sensación de intranquilidad, de riesgo. Un objeto incluso tenebroso, en el que el oyente nunca está seguro del paisaje sonoro en que se encuentra: precisamente la experiencia inquietante que sus creadores buscaban generar. No es un álbum al que se acceda fácilmente sin dar alas a la imaginación.

El oyente rara vez puede anticipar las canciones; al contrario, se desvían por cauces inesperados y desconcertantes. La pieza que da título al álbum, por ejemplo, es una melodía que podría haber sido interpretada por la orquesta de Glenn Miller, pero sobre un estrepitoso fondo de percusión y cuerdas dramáticas.

«Hallo Spaceboy» se sostiene mediante un furioso y fascinante pasaje de guitarra. «The Motel» es Bowie y Eno en su expresión más arquetípica, que de algún modo recuerda extrañamente a *Aladdin Sane*. «I Have Not Been To Oxford Town» es funk clásico al estilo de Bowie, mientras que «A Small Plot Of Land» empieza como un jazz libre hasta que hace su entrada, al estilo de Scott Walker, cantando como un monje ruso en una torre vacía.

Pero esto es solo un intento de describir el estilo de las canciones, no su textura. Bowie quería encapsular el sentir de un mundo que se aproximaba al comienzo de un nuevo milenio, reflejar la sociedad posmoderna, fragmentada y bombardeada por una información incesante que le llegaba de todos lados, sin una estructura jerárquica ni linealidad narrativa:

No hay una religión definitiva, un sistema político definitivo, una forma definitiva del arte, no hay absolutos aquí ni allá. Son tantos los conflictos y las contradicciones que, cuando los aceptas tal como son, cuando aceptas que son una manifestación de la propuesta teoría del caos, que esta es en realidad una sociedad deconstruida, te encuentras entonces con que las contradicciones casi desaparecen. Cada elemento de la información que recibes es tan carente de importancia como los demás.

D. B., 1995

Cada uno de los setenta y cinco minutos de *1. Outside* demanda mucho del oyente. Pero aun cuando no llegue a gustarle, no podrá

Página anterior: Al empezar la etapa europea de la gira, ya en el concierto de Wembley en noviembre de 1995, Bowie estuvo acompañado por Morrissey. Pero el antiguo líder de los Smiths abandonó pronto la gira, según dijo porque no estaba preparado para compartir el escenario de la manera como después lo haría el grupo Nine Inch Nails.

Derecha: «Gracias, Tony, y gracias a todos. Creo que cantaré algo para vosotros». Modesto discurso de aceptación de Bowie al recibir el galardón por su «contribución destacada» de manos de Tony Blair, en la entrega de los premios BRIT, de la industria fonográfica británica, en 1996.

acusar a sus creadores de falta de arrojo artístico. De hecho, en su forma original iba a ser un disco más largo y aún más exigente. Al principio, bajo el título provisional de *Leon*, se pensó en un CD doble, quizás triple. Según Reeves Gabrels, «iba a ser una seria declaración musical».

Como era de suponer, la perspectiva de un disco así asustó a la discográfica, por lo que entre enero y febrero de 1995 Bowie y Eno estuvieron en la Hit Factory de Nueva York con un nuevo grupo de músicos, entre los que se encontraba Carlos Alomar, trabajando en el que iba a ser el noveno álbum con Bowie. «Me sorprendió que volviera a llamarme –comentaría–. Yo estaba encantado de volver a llevar el ritmo de la parte eléctrica». Además de reelaborar y editar el material existente, también grabaron otros temas más fácilmente clasificables de «canciones», como «Thru' These Architects Eyes», «We Prick You» y «I Have Not Been To Oxford Town».

En junio de 1995 Bowie firmó un nuevo contrato con Virgin America y BMG en el Reino Unido, y tres meses más tarde *1.Outside* salió por fin a la venta: la acogida tanto por parte de la crítica como del público fue muy buena, y se vendió de maravilla.

En ese momento, Bowie manifestó su intención de continuar la historia de Nathan Adler con un álbum al año hasta el 2000. Por desgracia no fue así, pero había vuelto a encontrar la agradable encrucijada donde confluyen el éxito de crítica y comercial.

Superior: Promocionando *1.Outside* en la tienda HMV, en Herald Square, Nueva York, 1995.

EL ARTE DE BOWIE

La única cosa por la que he pensado que podría cambiar mi motivación profesional es la pintura, las artes visuales. Y estuve muy cerca de hacerlo en la década de 1980.

D. B., 1995

Toda la carrera de David Bowie fue una constante experimentación en una larga variedad de formas de expresión artística, desde los llamativos personajes, deliberadamente teatrales, de Ziggy Stardust y Aladdin Sane, pasando por las letras elaboradas por medio de «recortes» y los vídeos experimentales hasta la apropiación, a veces incluso expropiación, de géneros musicales.

En 1975 empezó a dedicarse en serio a la pintura, pero tardó veinte años en adquirir la confianza suficiente como para atreverse a exponer públicamente su trabajo, lo que hizo de manera notable a través del autorretrato que publicó como portada de *1.Outside*.

En 1994 contribuyó con la exposición de Brian Eno *Little Pieces From Big Stars*, destinada a recaudar fondos para los niños de la guerra, presentando su narración multimedia titulada *We Saw A Minotaur*. Después de ello, la Berkeley Square Gallery de Londres incluyó su trabajo en la exposición *Minotaurs, Myths and Legends*, entre las obras de Francis Bacon y Picasso.

En 1995, el año de su primera exposición en solitario, colaboró también con Damien Hirst en el diseño del cartel para el Festival de Jazz de Montreux. En 1996, en la Bienal de Florencia pudieron verse instalaciones diseñadas por él en colaboración con Tony Oursler, a las que siguieron otras colaboraciones, por ejemplo, con Laurie Anderson y Beezy Bailey, entre otros artistas, además de varias exposiciones en solitario, dos de ellas en la Rupert Goldsworthy Gallery de Nueva York.

En 1997 fue uno de los fundadores de la editorial de arte 21, desde la que en 1998 montó una gigantesca broma al publicar una monografía sobre la obra de «Nat Tate». Varios críticos de arte no pudieron menos que sonrojarse al descubrir que el supuesto artista era en realidad una fusión de dos de las galerías más célebres de Gran Bretaña, la National y la Tate.

En la década de 1990, como miembro del consejo editorial de *Modern Painters*, Bowie estuvo a cargo de una serie de exhaustivas entrevistas con algunos destacados artistas, entre ellas la última que concedió Roy Lichtenstein.

Página siguiente: Un tanto nervioso antes de la inauguración de su primera exposición en solitario, *New Afro/Pagan And Work 1975-1995*, en la Kate Chertavian Gallery de Londres, en abril de 1995. Está apoyado en una escultura con forma de sarcófago titulada *District 6*, inspirada, como gran parte de los trabajos presentados en esta exposición, en un viaje reciente a Sudáfrica.

RTHLING 1997

> NO QUIERO RENUNCIAR A LA POSIBILIDAD DE EXPERIMENTAR. CUANDO SE HA LLEGADO HASTA CIERTO PUNTO, YA NO ES POSIBLE VOLVERSE ATRÁS. Y YO HE LLEGADO A ESE PUNTO. EN MI TERRENO, LO ESTOY LOGRANDO.

DAVID BOWIE, 1997

1995

24 de octubre

Sale en Estados Unidos *The Buddha Of Suburbia* (no llega a las listas).

31 de octubre

Recibe el «premio a la inspiración» en los Q Awards.

Noviembre

Sale «Strangers When We Meet» (varias ediciones) (posición 39 en el Reino Unido, en Estados Unidos no llega a las listas).

1996

17 de enero

Es incluido en el Rock and Roll Hall of Fame.

Febrero

Sale «Hallo Spaceboy» (varias ediciones) (12.° lugar en el Reino Unido, en Estados Unidos no llega a las listas).

19 de febrero

Recibe de las manos de Tony Blair el premio por su «contribución destacada» en la entrega de los premios BRIT.

20 de febrero

Finaliza la gira Outside en el Palais Omnisports de París.

9 de agosto

Se estrena la película *Basquiat*, en la que Bowie interpreta a Andy Warhol.

Noviembre

Sale en el Reino Unido «Telling Lies» (varias ediciones) (no llega a las listas).

1997

Enero

Sale «Little Wonder» (varias ediciones) (14.° lugar en el Reino Unido, no llega a las listas en Estados Unidos).

9 de enero

Concierto por su cincuenta cumpleaños en el Madison Square Garden, de Nueva York.

3 de febrero

Sale *Earthling* (6.° lugar en el Reino Unido, 39.° en Estados Unidos).

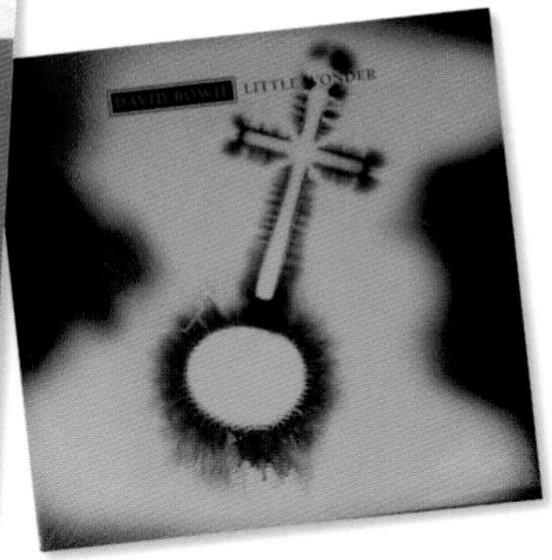

Página 221: Fotografía realizada por Michael Benabit en Nueva York, 1997.

Página anterior: Cantando en el concierto de celebración de su cincuenta cumpleaños en el Madison Square Garden de Nueva York, el 9 de enero de 1997.

A finales de la década de 1980, Gran Bretaña estaba bajo el dominio del acid house: los clubes se llenaban de adolescentes esclavizados por los marcados compases cuatro por cuatro y las pequeñas pastillas blancas. 1988 fue declarado el «segundo verano del amor».

Pero las pastillas fueron desapareciendo, y los tiempos se volvieron más sombríos. El dinero empezó a escasear y cayeron bombas estadounidenses en Oriente Próximo. La música de los clubes pareció cerrarse sobre sí misma. Los altavoces rebosaron de agresividad, el ritmo se aceleró a más de 160 pulsaciones por minuto y surgió el drum 'n' bass.

El nuevo sonido del drum 'n' bass tenía que ser por fuerza más interesante para Bowie que la simple linealidad del acid house; la habilidad del nuevo ritmo de descomponer las canciones pop en pequeños fragmentos debió de intrigarle y entusiasmarle: «¿Quién podía resistirse a su influencia? –confesaría– Es el ritmo más emocionante del momento».

Así pues, *Earthling* es el álbum drum 'n' bass de Bowie. Aunque, de hecho, no del todo. Hay unas cuantas canciones características del nuevo ritmo, pero lo que hizo Bowie en realidad fue añadir esos elementos del drum 'n' bass a su propia armazón musical, no usar la nueva corriente como núcleo de ese disco único. Por ejemplo, el batería Zachary Alford desarrolló varios patrones de percusión para grabarlos a 120 pulsaciones por minuto, que después aceleró a 160, y sobre esa base improvisó otras secuencias rítmicas, hasta crear un complejo híbrido «tecno».

Bowie, mientras tanto, resucitó su vieja entonación a lo Anthony Newley, que al pasear sobre el fondo de percusión creaba una nueva y fresca tensión musical.

Earthling es un disco más corto y menos fuerte que *1.Outside*, lo que en modo alguno significa que sea menos intenso. Descomponiendo el andamiaje de su predecesor, su única concesión a la melodía resulta de la vocalización y la instrumentación ocasional, como en el riff de los metales en «Seven Years In Tibet», por ejemplo, o los coros que conducen «Battle For Britain (The Letter)» o «Dead Man Walking». Lo que más destaca es la disonancia musical y la abstracción lírica:

> *Vivimos en una época de fragmentación y caos, pero debemos tomarla por el lado positivo, no tenerle miedo; no verla como la destrucción de la sociedad, sino el material a partir del cual podemos reconstruir una sociedad nueva. Lo que decepciona es ver cómo algunos rebuscan entre las ruinas solo con la intención de volver a establecer absolutos.*
>
> D. B., 1997

El «temor a los estadounidenses» que Bowie había confesado en *Earthling* no se notó en el concierto por su cincuenta cumpleaños en el Madison Square Garden, en el que participaron muchas estrellas, como Frank Black, Robert Smith y Dave Grohl (en la imagen superior, durante la interpretación de «Seven Years In Tibet»). La presencia más destacada fue Lou Reed (*inferior*), que participó en las interpretaciones de «Queen Bitch», «Waiting For The Man», «Dirty Blvd.» y «White Light/ White Heat».

La grabación empezó al terminar la gira Outside, la cual duró cinco meses, después de que Bowie dijera que solo haría seis conciertos. Tampoco esta vez quiso basar el espectáculo en sus éxitos anteriores, aunque reelaboró de manera radical algunas de sus viejas canciones, como «The Man Who Sold The World». De manera inevitable, los conciertos suscitaron algunas críticas, pero Bowie optó por ignorarlas: estaba demasiado entusiasmado con su nuevo grupo como para preocuparse por ello. Las giras los habían pulido hasta formar una unidad compacta, y quería tener una «fotografía sonora» de lo bien que sonaban juntos.

De modo que en agosto de 1996 entró en los estudios Looking Glass de Nueva York con Reeves Gabrels, la bajista Gail Ann Dorsey, Mike Garson y Zachary Alford en la batería, y también se trajo al ingeniero de sonido Mark Plati, veterano del álbum *Graffiti Bridge*, de Prince, para que se hiciera cargo de los *samplers* y los *loops*.

En unas pocas semanas ya había compuesto y grabado siete nuevos temas, y un resto que había quedado de *1.Outside* cobró nueva vida como «I'm Afraid Of Americans». «Telling Lies» la había grabado él solo con anterioridad, en abril.

«Can't tell them apart at all» (de la letra de «Andy Warhol»): casi un cuarto de siglo después de escribir una canción sobre Andy Warhol y de haberse encontrado con él después, Bowie tuvo el placer de representarlo en la pantalla en la película de Julian Schnabel sobre la vida del artista estadounidense Jean-Michel Basquiat, estrenada en 1996. En la fotografía (*izquierda*), con sus compañeros de reparto: Jeffrey Wright (en el papel protagonista), Gary Oldman (como el artista de ficción Albert Milo) y Dennis Hopper (como el marchante Bruno Bischofberger).

El álbum se inicia con «Little Wonder», donde el frenético sonido drum 'n' bass hace fondo al lacónico acento *cockney* que adopta Bowie para la canción. Insistiendo en que en *1.Outside* es más importante la textura que el detalle, explicaría más tarde que la opacidad de las letras era completamente intencionada:

Algo que advertí hace mucho, mucho tiempo (y su mejor ejemplo probablemente sea «Warszawa», del álbum Low*) es que una cantidad importante de la información musical reside en el sonido mismo de las palabras. La fonética, contra el fondo del contexto musical, es capaz de transmitir fuertes connotaciones emotivas sin necesidad de que tenga sentido racional.*

D. B., 1997

Sigue «Looking For Satellites», la historia de un hombre que observa el cielo en busca de respuestas; aquí el satélite es una metáfora del avance de la raza humana, frente a nuestra eterna necesidad de encontrar algún sentido espiritual a la vida antes de que la muerte llame a nuestra puerta. Un cántico inicia la melodía inicial, a la que se unen los instrumentos dejando espacio para la fantasmal vocalización de Bowie, hasta que el cántico vuelve a quedar solo otra vez.

Necesito encontrar un equilibrio espiritual entre mi vida, tal como la he construido, y mi desaparición. Ese período de tiempo, desde el día de hoy hasta que me vaya, es lo único que realmente me interesa.

D. B., 1997

«Battle For Britain (The Letter)» remite a la portada del álbum donde se ve a Bowie vistiendo un frac con los colores de la bandera británica. En algún momento considerada un símbolo del nacionalismo radical, a mediados de los noventa la bandera nacional representaba cada vez más el centro liberal. La cultura británica volvía a adquirir confianza a través de una entusiasta nueva generación de artistas, escritores y diseñadores, al tiempo que el *britpop* infundía una vitalidad nueva al rock en competencia con el que venía de Estados Unidos. Bowie se mantuvo al margen de este nacionalismo liberal, mientras aún luchaba con la noción de identidad. Después de todo, hacía ya mucho tiempo que era ciudadano del mundo.

Probablemente sea parte de un sentido de «¿Soy o no soy británico?». Es una guerra interior de la mayoría de los expatriados. No vivo en Inglaterra desde 1974, pero me encanta el país, y siempre regreso. En especial, encuentro Londres tan excitante ahora como lo he encontrado siempre. A un nivel creativo, está lleno de energía. Es como si al fin hubiéramos comprendido que ya no tenemos el resto de la Commonwealth, o del mundo, que nos sirva de apoyo y gratificación, que tenemos que hacer las cosas por nosotros mismos si queremos demostrar quiénes somos.

D. B., 1997

En la estupenda pieza «Seven Years In Tibet» se aprecia en particular la influencia vocal de Bowie en cantantes como Damon Albarn, de Blur. Es una canción que se alza inesperadamente, con toda la confluencia de percusión y guitarras que se sostienen mediante un pegadizo estribillo de bronces. Aquí Bowie vuelve a su fascinación adolescente por el misticismo oriental. En una entrevista para la revista musical *Mojo*, insistía en el efecto que le causó la lectura del libro homónimo de Heinrich Harrer de 1952: sintió deseos de ser tibetano, de vestir túnica y vivir como un monje.

La letra de «Dead Man Walking» se inspiró en las actuaciones de Neil Young con Crazy Horse para los conciertos benéficos de Bridge School, en los que participó Bowie en octubre de 1996. Crea un delicioso encuentro de armonías, sobre cuya contrastante energía de fondo destaca la agradable voz de un hombre que se declara *older than the movies* [«más viejo que las películas»].

«The Last Thing You Should Do» es la faceta de «consejero» de Bowie: *What have you been doing to yourself?* [«¿Qué has hecho de ti?»], pregunta, mientras la percusión retumba de fondo. *It's the last thing you should do* [«Es lo último que deberías hacer»].

«I'm Afraid Of Americans» pone de manifiesto la paradoja cultural estadounidense: el consumismo de las grandes multinacionales que representan los modelos de Mickey Mouse y McDonald's, y que amenaza con ahogar la perdurable belleza de los grandes logros de Estados Unidos en el terreno de la música, el cine, la literatura, el diseño del vestido...

En conjunto, *Earthling* muestra a Bowie de regreso, tanto en el plano geográfico como espiritual. Es el regreso de un refugiado, reasimilándose a sí mismo con las imágenes y los sonidos de su país, reconsiderando su lugar en el mundo, sopesando con tranquilidad el valor de sus otras identidades, de su antigua identificación con Estados Unidos.

«Bowie parece más repleto de energía con el transcurso del tiempo, más capaz cada vez de encontrar rápido acomodo a la creciente suma de influencias y contradicciones culturales de sus musas... Sería maravilloso que todos los rockeros mantuvieran a sus cincuenta años ese mismo interés por el futuro».

Mojo, marzo de 1997

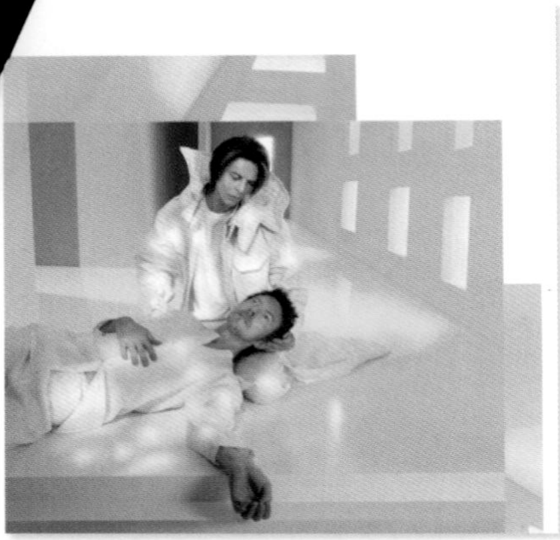

'NO ME ARREPIENTO DE NADA. SI ALGUNA VEZ MIRO HACIA EL PASADO —LO QUE HAGO RARAMENTE—, NO TIENDO A VERLO COMO UN LASTRE, SINO COMO ALGO QUE ME DA ALAS'.

DAVID BOWIE, 1999

1997

Febrero

Se emiten los «bonos Bowie».

12 de febrero

Recibe una estrella en el Paseo de la Fama de Hollywood.

Abril

Sale «Dead Man Walking» (varias ediciones) (32.° en el Reino Unido, en Estados Unidos no llega a las listas).

Mayo

Es director fundador de la editorial 21 Publishing.

15 de mayo

Première en Londres de la *Sinfonía No. 4 «Heroes»* de Philip Glass, basada en *"Heroes"*.

7 de junio

Se inicia la gira Earthling en el Flughafen Blankensee de Lübeck, Alemania.

Agosto

Sale «Seven Years In Tibet» (varias ediciones) (61.° en el Reino Unido, no llega a las listas en Estados Unidos).

Sale en el Reino Unido, con el nombre de Tao Jones Index, «Pallas Athena (live)»/ «V-2 Schneider (live)» (no llega a las listas).

Octubre

Sale en Estados Unidos «I'm Afraid Of Americans» (varias ediciones) (66.° en las listas).

Noviembre

Sale en el Reino Unido, junto con varios artistas, «Perfect Day 97» / «Perfect Day 97 (female version)» / «Perfect Day 97 (male version)» (1.er lugar).

7 de noviembre

Finaliza la gira Earthling en el estadio Ferrocarril Oeste de Buenos Aires.

1998

Febrero

Sale en el Reino Unido «I Can't Read (short version)»/ «I Can't Read (extended version)»/ «This Is Not America» (posición 73).

31 de marzo

Participa en una elaborada broma artística, ofreciendo una cena por el lanzamiento de la biografía, escrita por William Boyd, de un artista ficticio, «Nat Tate».

1 de septiembre

Lanza BowieNet, «el primer proveedor de servicios de internet creado por un artista».

18 de diciembre

Se estrena la película *Il Mio West*, con Bowie en el papel de Jack Sikora.

1999

Marzo

Se estrena B.U.S.T.E.D. (*Everybody Loves Sunshine)*, en la que Bowie interpreta a Bernie.

Julio

Se estrena *Mr. Rice's Secret* (*El secreto del Sr. Rice*), con Bowie como protagonista.

Agosto

Sale en el Reino Unido el single de Placebo «Without You I'm Nothing» (varias mezclas), con la participación de David Bowie (no llega a las listas).

Septiembre

Sale «Thursday's Child» (varias ediciones) (16.° en el Reino Unido, en Estados Unidos no llega a las listas).

21 de septiembre

Sale *'hours...'* para su descarga en internet (el CD sale el 4 de octubre) (5.° en el Reino Unido, 47.° en Estados Unidos).

Página 229 y anterior: Tras el lanzamiento de su propio proveedor de servicios de internet en 1998, Bowie se dedicó a crear música para un juego de ordenador, con la que produjo un álbum, *'hours...'*, que fue el primero de un artista perteneciente a una de las mayores discográficas, que se vendió como descarga de internet. Fotografías de Jill Greenberg, 1999.

Bowie siempre disfrutó dando sorpresas y pillando desprevenidos a los demás. En 1997 emitió un producto financiero que la prensa llamó «bonos Bowie»: el mismo que una vez había cantado sobre flotar en el espacio, ahora flotaba en el mercado financiero.

Lo que hizo fue tomar un préstamo de cincuenta y cinco millones de dólares a reintegrar en un período de diez años, dando como aval sus ingresos por derechos de autor sobre su repertorio de canciones, y una vez transcurrido ese lapso volvería a recuperar sus derechos. La empresa Prudential Insurance Securities hizo la compra de los bonos, mientras que Bowie también le vendió su repertorio de canciones a EMI por casi treinta millones de dólares, con lo que se convirtió en un hombre muy rico, con bastante dinero para hacer lo que quisiera, incluso recuperar los derechos de publicación que todavía poseía Tony Defries.

¡La marca de David Bowie! Algo que antes se hacía con el nombre de un artista después de que se hubiera muerto... Es una innovación, no es algo que se haga habitualmente, lo que siempre me ha parecido subversivo.

D. B., 1999

Con tres álbumes llenos de ingenio, desde el punto de vista artístico satisfactorios y comercialmente exitosos a sus espaldas, hizo otra jugada inesperada: escribió algunas canciones nuevas, con versos pegadizos y arreglos sencillos, algo que al oírlo se quedara en la cabeza.

'hours...' se empezó a gestar a finales de 1998. La mayor parte de ese año Bowie había estado pendiente de otras cosas: organizando una editorial de arte, apareciendo en tres películas y creando el proveedor de internet BowieNet.

Durante ese tiempo, le habían pedido que hiciera la música de un juego de ordenador llamado *Omikron: The Nomad Soul*. Este tipo de juegos habían usado tradicionalmente una música de fondo disonante de creación industrial; Bowie, por supuesto, siguió otra dirección.

Sus álbumes más recientes habían marcado un regreso a los métodos de trabajo espontáneos del período de Berlín, basados en la rápida composición y grabación al calor del ajetreo del estudio. Pero para *'hours...'*, Bowie y Reeves Gabrels se fueron a las Bermudas, donde se sentaron para componer al estilo tradicional. A principios de 1999 le presentaron una demo de su trabajo a la compañía de videojuegos Eidos, en París, y para cuando regresaron a las Bermudas ya tenían todas las canciones terminadas y listas para grabar.

Además de compartir con Gabrels, por vez primera, los créditos por la composición, Bowie también les pidió a sus fans, por internet, que propusieran sus propias letras para las canciones del álbum. Alex Grant fue el ganador, que pudo así ir a Nueva York para participar en el coro de la canción resultante, «What's Really Happening?», a la que él había aportado la letra.

Lo que llama la atención de *'hours...'* es la cantidad de canciones que, de una manera reposada, echan la mirada hacia el pasado, recordando con anhelo episodios vividos, amores, lazos familiares...

Fue, en realidad, un ejercicio de búsqueda, de motivos de remordimiento, de autorrecriminación y de lamentaciones pasadas, que quise explorar como temas para el álbum.

D. B., 1999

¿Por qué este incansable artista, con la vista siempre puesta en el futuro, sentía ahora la necesidad de explorar esos sentimientos? ¿Quizás el éxito de sus operaciones financieras le había proporcionado tal sentido de tranquilidad que le parecía poder completar de manera segura un análisis profundo de su pasado? ¿Era esa mirada hacia atrás un requisito de su propia proyección hacia el futuro? ¿O era la cercanía del nuevo milenio lo que le inspiraba? ¿O acaso solo una cuestión de edad? Bowie tenía ya cincuenta y dos años, una edad en la que muchos se dan cuenta de que probablemente tengan más años a sus espaldas que los que le queden por vivir; y súbitamente el pasado se convierte en un interesante lugar de exploración, cuando menos de claves para entender el presente.

Pero Bowie estaba por aquel entonces más satisfecho consigo mismo de lo que nunca había estado. La angustia que lo había acompañado durante la década de 1970 había desaparecido. Y no sentía que tuviera nada que probar. Sabía bien quién era, se sentía libre y feliz.

Una de las canciones fundamentales del álbum es «Seven», una amable y melódica meditación sobre su padre, su madre y su hermano. *I forgot what my brother said/ I remember how we wept/ On a bridge of violent people/ I was small enough to cry* [«He olvidado lo que decía mi hermano» –canta, pero...– «recuerdo cómo lloramos/ Sobre un puente lleno de violentos/ yo era lo bastante pequeño para llorar»].

Años antes, Bowie se había sentido asaltado por el temor de que los problemas mentales de su hermano pudieran también afectarle a él. Y puede que fuera así. Quizás fue esa la raíz de su genio, la esquizofrenia creativa que originó todo ese disparatado y vertiginoso mundo musical.

Es una canción más personal, pero no estoy convencido de que sea autobiográfica. En cierto modo, es obvio que no lo es. El progenitor de esta pieza es alguien claramente desilusionado, no es un hombre feliz. ¡Mientras que yo sí lo soy!... En realidad, lo que traté de hacer, principalmente, es retratar el sentimiento de angustia que puede tener un hombre de mi edad.

D. B., 1999

Con sus conocimientos de numerología, Bowie considera el siete como un número importante. Quien tiene el siete como número de vida (que se calcula a partir de la fecha de nacimiento) se caracteriza por ser un «explorador y buscador de la verdad». Pero no acaba ahí el perfil numerológico: «Tiene un claro y decidido sentido de sí mismo como ser espiritual. Como resultado de ello, el camino de su vida es investigar lo desconocido, buscar respuestas al misterio de la existencia. Está bien dotado para esa tarea: posee una mente aguda y es un pensador analítico, capaz de gran concentración y de profundidad teórica; le gusta la investigación, así como resolver problemas intelectuales. Sabe interpretar pistas, tiene una gran capacidad de visión creativa y para aportar soluciones prácticas a los problemas. Disfruta de la soledad, y prefiere trabajar solo». ¿No resulta muy familiar?

«Survive» y «Something In The Air» son reflexiones sobre relaciones del pasado, pero no está claro a quién se refieren. Como en el resto de las letras del álbum, Bowie traza pinceladas gruesas, difusas, y deja los detalles a la interpretación de cada uno. Quince años antes, había declarado a la revista *NME*:

Hay mucho contenido inconsciente que está en la melodía misma, y en la colocación de una palabra en particular sobre una nota determinada. Para bien o para mal, esa información está implícita en la canción, no en el compositor ni en su intención, ni siquiera en la letra.

D. B., 1984

La vaguedad de las composiciones de *'hours...'* es consecuencia, en parte, de la relación de este trabajo con el videojuego *Omikron*.

Página siguiente: Interpretando «Thursday's Child» en el programa musical francés *Les Années Tubes*, en octubre de 1999.

Página 234: En el programa de la VH1 *Storytellers*, en agosto de 1999. Diez años después se lanzó un álbum y un DVD de esta actuación, con canciones de la totalidad de su carrera.

Página 235: En el escenario, durante la entrega de los premios BRIT en febrero de 1999. Bowie se unió a la banda británica Placebo para interpretar una versión de «20th Century Boy», de T. Rex, y ese mismo año cantó en el single de Placebo «Without You I'm Nothing».

Tal como había pasado antes con la banda sonora de *Labyrinth*, Bowie estaba trabajando dentro de un marco no enteramente definido por él, aunque este otro contexto (no dirigido a niños, una experiencia no lineal y más compleja, con una variedad de registros) le dejaba, obviamente, más libertad de acción.

Puede que hayamos producido unas canciones muy susceptibles de interpretación personal, que generen una especie de fuerza emocional... Me parece bastante obvio que, en un juego bien construido, los jugadores se ven obligados a recurrir a sus propias experiencias reales, de donde regresan constantemente, sin solución de continuidad, otra vez al mundo del juego. La música, en conexión a la vez con 'hours...' *y* Omikron, *establecería un puente que ayuda a mantener la creencia en ambos.*

D. B., 1999

El rock juguetón de «The Pretty Things Are Going To Hell» («Las cosas bonitas van al infierno», quizás el mejor título de Bowie) expresa las dudas que a veces despierta la edad, como la difuminación de ciertos límites que antes parecían muy precisos, en quién confiar, quién no merece nuestro afecto, qué hacer, hacia dónde dirigirnos...

La conmovedora canción «Thursday's Child», el primer single del álbum, con su estribillo *Monday, Tuesday, Wednesday* [«Lunes, martes, miércoles»], remite a la fascinación del joven Bowie por la canción «Inchworm», de Frank Loesser, que cantaba Danny Kaye en la película *Hans Christian Andersen* (*El fabuloso Andersen*), de 1952.

El propio Bowie ha sugerido que el álbum representaba una búsqueda de respuestas espirituales; la religión organizada nunca fue de su interés, lo que no quiere decir que no le interesara la búsqueda espiritual:

Un sistema de creencias no es otra cosa que un sistema personal de apoyo. Depende de mí que sepa construir uno que no esté grabado en la piedra, que tenga la capacidad de adaptarse a los cambios.

D. B., 1999

El álbum está impregnado de imaginería religiosa, desde las letras a la portada, que es un homenaje a *La Pietà*. El mismo título puede ser una referencia al *Libro de las horas*, el antiguo devocionario medieval que asignaba oraciones y meditaciones a las distintas horas del día. Pero también es, como reconoce el propio cantante,

un juego de palabras con *«ours»* [«nuestras»], una insinuación de que nuestras experiencias individuales en el transcurso del tiempo también son compartidas.

Como tal, *'hours...'* es un álbum que corresponde a una crisis de la mitad de la vida: las vagas y sosegadas, pero intensas preocupaciones de un hombre que contempla el futuro con aprensión, y que espera, sin mucha agudeza, que el pasado le permita reconciliarse con el presente: toda una metáfora de la posición del ser humano ante la inminencia del nuevo milenio.

He pasado por unas cuantas crisis existenciales, la mayoría de ellas cuando tenía algo más de veinte años. No fue una época de mi vida particularmente feliz. Me he inspirado, de manera desordenada, en mis experiencias de entonces para componer un álbum sobre mi vida actual.

D. B., 1999

Bowie tenía todavía una carta más en la manga: *'hours...'* sería el primer álbum de un artista importante que pudo descargarse completo de internet, dos semanas antes de que el CD llegara a las tiendas.

Quizás había echado un poco la mirada atrás, pero sin duda con un ojo también puesto en el futuro.

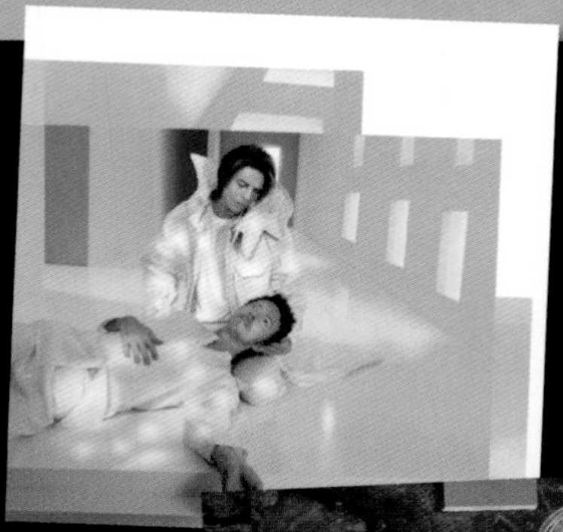

EL ARTE DE LA PORTADA

La portada de *'hours...'* es una referencia directa a *La Pietà*, una imagen habitual en el arte medieval y del Renacimiento, en la que la Virgen María aparece sosteniendo en sus brazos a Cristo fallecido. Fotografiado por Tim Bret-Day, el Bowie de *'hours...'* sostiene al Bowie de la época de *Earthling* (fotografiado por Frank Ockenfels). La clara referencia religiosa prosigue en la contraportada, donde se ve un tríptico de Bowie con una serpiente. Y la yuxtaposición del tipo gótico en las letras de su nombre con la moderna tipografía *sans-serif* del título del álbum refuerza el tema general de las canciones: el examen espiritual del pasado para encarar el futuro, la confesión del pecado para encontrar la redención, el fin de la despreocupación de los años jóvenes y la propia resurrección a través de conciencia de sí mismo.

La referencia a *La Pietà* es evidente en la portada de *'hours...'*, como vemos en *La Pietà* de Miguel Ángel (Basílica de San Pedro, Vaticano, Roma).

«LO QUE ME GUSTA DE MI MÚSICA ES QUE DESPIERTA LOS FANTASMAS DE MI INTERIOR. NO QUIERO DECIR LOS DEMONIOS, SINO LOS FANTASMAS».

DAVID BOWIE, 2002

1999

9 de octubre
Actuación para NetAid en el Wembley Stadium de Londres.

10 de octubre
Se inicia la gira *'hours...'* en el HQ, de Dublín.

14 de octubre
Recibe la Orden de las Artes y las Letras del Ministerio de Cultura de Francia, en grado de *Commandeur*.

28 de octubre
Recibe el premio «Legend» de la Warner Brothers en los WB Radio Music Awards.

7 de diciembre
Finaliza la gira *«hours...»* en el Vega de Copenhague.

1999-2000
Aparece como Julian Priest en nueve episodios de la serie de televisión *The Hunger*.

2000

Enero
ale «Survive» (varias ediciones) (28.° en el Reino Unido, en Estados Unidos no llega a las listas).

25 de junio
Encabeza el cartel del Festival de Glastonbury.

27 de junio
La BBC graba su presentación en el BBC Radio Theatre de Londres, para su emisión el 24 de septiembre.

Julio
ale «Seven» (varias ediciones) (32.° en el Reino Unido, en Estados Unidos no llega a las listas).

15 de agosto
Nace su hija Alexandria Zahra Jones.

13 de septiembre
Sale *liveandwell.com* para los suscriptores de BowieNet.

2001

26 de febrero
Se presenta junto con Moby y Philip Glass en el concierto benéfico del Tibet House Trust, en el Carnegie Hall de Nueva York (evento que se repetiría en 2002 y 2003).

2 de abril
Muere su madre, Margaret Mary Jones, conocida como «Peggy», a la edad de 88 años.

28 de septiembre
Se interpreta a sí mismo en la película *Zoolander*.

20 de octubre
Inaugura el «Concert For New York City», en el Madison Square Garden de Nueva York.

2002

10 de junio
Sale *Heathen* (5.° lugar en el Reino Unido, 14.° en Estados Unidos).

Página 237: Como un muñeco de juguete. Fotografía de Sukita, 2002.

Página anterior: La última vez que Bowie se había presentado en el Festival de Glastonbury, en 1971, el evento tenía el pintoresco nombre de Glastonbury Fayre, y su puesta en escena empezó a las cinco de la mañana. En su regreso triunfante en el año 2000, encabezaba el espectáculo en el Pyramid Stage ante casi 100.000 personas.

El domingo 25 de junio de 2000, Bowie presentó un concierto que hizo historia en el escenario principal (el Pyramid Stage) del Festival de Glastonbury como acto de clausura. Por primera vez desde hacía mucho tiempo, interpretó algunas de sus canciones de más éxito, lo que fue un recordatorio para el mundo, y también para sí mismo, de la calidad de su repertorio. Canciones que habían resistido la prueba del tiempo, que sonaban tan relevantes y plenas de vitalidad como siempre. Un mes después empezó a trabajar en su nuevo álbum, que se llamaría *Toy* [«Juguete»]... o, al menos, esa era la intención.

Tenía el plan de actualizar algunas de las canciones que había escrito en la década de 1960, como «The London Boys», «Liza Jane» (su primer single, con The King Bees), «I Dig Everything», «Can't Help Thinking About Me», «You've Got A Habit Of Leaving», «Baby Loves That Way», «Conversation Piece», «Let Me Sleep Beside You», «Silly Boy Blue», «In The Heat Of The Morning» (otro juego, esta vez con la película interpretada por Sidney Poitier, *In The Heat Of The Night* [*En el calor de la noche*]) y «Karma Man».

Había también algunas canciones que había escrito pero nunca había grabado («Hole In The Ground» y «Miss American High», según se rumoreaba), y además incluiría otras nuevas: «Toy», que después cambiaría su nombre a «Your Turn To Drive», así como «Afraid» y «Uncle Floyd», que reaparecerían en *Heathen*, la última como «Slip Away», mientras que «Toy», bajo el título «Your Turn to Drive», apareció finalmente en el recopilatorio de 2014 *Nothing Has Changed*.

Bowie interrumpió la grabación hacia la mitad del proceso para estar con su esposa Iman, que el 15 de agosto dio a luz a su hija, a quien llamaron Alexandria Zahra Jones. El mismo Bowie cortó el cordón umbilical.

Los dos meses siguientes los dedicó a estar con la pequeña. No quería repetir el mismo error que cometió cuando nació su hijo Duncan, en mayo de 1971, tratando de compaginar la atención al bebé con la composición y la actuación musical. Con la llegada de Alexandria, decidió que esta vez estaría presente. «Y mi espíritu está satisfecho», dijo al llegar la niña.

No estuve con mi hijo el tiempo que hubiera debido... Fui muy ambicioso, quise ser una presencia real, y al mismo tiempo también quería ser alguien... Por suerte, ahora nos va bien y puedo permitírmelo. Pero daría cualquier cosa si pudiera volver atrás y pasar esos días con él cuando era pequeño.

D. B., 2003

Cuando, después, regresó al estudio, a principios de 2001 le entregó el resultado de su trabajo a EMI/Virgin Records. Tenían mucho trabajo por delante, dijeron, pero lo lanzarían en algún momento, quizás en mayo.

Pero al llegar el verano, las perspectivas del disco eran aún más débiles. La discográfica le hizo otra propuesta: ¿por qué mejor no hacía un álbum con material nuevo?

Bowie calló, pero se molestó mucho. Ya había entusiasmado a sus fans diciendo que *Toy* «no sería tanto un *Pin Ups II* como una Actualización I». En marzo de 2002 dejó el sello discográfico para crear el suyo propio: ISO Records, y firmó un acuerdo de marketing y distribución con Columbia. Por cierto, *Toy* no salió al mercado, pero algunas de esas grabaciones han ido saliendo en las caras B de otros singles.

Con las cintas maestras de *Toy* todavía en los escritorios de los ejecutivos de EMI/Virgin, Bowie volvió al estudio para grabar otro álbum. El polvo del pasado todavía se estaba asentando a su alrededor, pero se trajo a un viejo amigo que le ayudaría con una nueva escoba.

Bowie y Tony Visconti no habían vuelto a verse desde su último trabajo juntos en *Scary Monsters*. Se decía que a Bowie le había molestado la manera excesivamente franca con la que Tony había hablado en las entrevistas acerca del tiempo que estuvieron juntos. Pero ahora ambos habían crecido, y su mutuo afecto superaba cualquier antigua desavenencia.

«Le escribí varias veces para decirle que cualquier cosa que fuera lo que yo hubiera hecho, podíamos hablarlo –confesaría Visconti en 2006–. Hasta que un día me llamó. No pude evitar llorar, porque echaba de menos su amistad. Y simplemente no dio ninguna importancia al problema. En cuestión de minutos nos pusimos al día y empezamos a hablar sobre el futuro».

Desde 1998 ambos estuvieron colaborando en diversos proyectos puntuales: un single por aquí, un arreglo de cuerdas por allá, hasta que todos esos preparativos culminaron en una reunión decisiva que Bowie calificó de «perfecta: fue como si hubiéramos pasado directamente del álbum anterior a este. Fue de lo más gratificante volver a trabajar juntos».

2 de octubre de 2002: Otra vez en el Hammersmith Odeon (ahora Apollo), escenario del retiro de Ziggy, para la última cita europea de la gira Heathen. Por primera vez en un concierto formal, Bowie interpretó la tan analizada canción final de *Hunky Dory*, «The Bewlay Brothers».

El objetivo artístico de David no se diferenciaba mucho ahora del que había tenido en *'hours...'*: adentrarse un poco en lo espiritual, plantear «las grandes preguntas sin sonar demasiado pomposo». Con la diferencia de que esta vez la actitud era más grave, más seria.

Su madre había muerto en abril de 2001, con 88 años de edad. Su viejo amigo, el diseñador Freddie Burretti, la seguiría un mes después. En *'hours...'*, Bowie dijo haber adoptado una determinada posición para transmitir esa sensación de intranquilidad e incertidumbre que reflejan las canciones y afrontar el hecho de que la vida se hacía cada vez más corta; pero esta vez no estaba actuando, ahora resultaba palpable el sentido de melancolía ante el hecho de la muerte.

Creamos tantos círculos dentro de la línea recta por la que nos dicen que viajamos... Pero la verdad, por supuesto, es que no hay ningún viaje: venimos y nos vamos, todo al mismo tiempo.

D. B., 2002

Empezaron e trabajar en los estudios Looking Glass de Nueva York, donde Philip Glass había grabado sus versiones sinfónicas de las magníficas obras *Low* y *"Heroes"*, que Bowie había hecho junto con Visconti en 1992 y 1996, respectivamente.

Bowie llegó con unas cuarenta piezas musicales, no canciones terminadas, sino puntos de partida para ir trabajando. No empezaron a perfilar nada en concreto hasta que el equipo, que incluía también al fiel Carlos Alomar y el recién llegado guitarrista David Torn, se trasladó a los nuevos estudios Allaire, que acababan de abrirse en Catskill Mountains, en la zona norte de Nueva York. Situada en una colina que domina una lujosa urbanización de la década de 1920, con unas vistas que abarcan unos ochenta kilómetros a la redonda, la nueva sede de grabación ejerció un notable efecto en el estado de ánimo de Bowie:

Es como cuando uno lee sobre el encuentro de una epifanía, una revelación en el camino de Damasco. Embriagado por la tranquilidad y la atracción que ejercía el lugar, todo lo que había escrito cobró como una nueva dimensión, con intensidad plena.

D. B., 2002

En el transcurso de un día ya estaba componiendo otras canciones en un apasionado arrebato, entre ellas la que quizás sea la pieza más lograda del álbum, «Sunday».

Sobre un fondo puro de voces etéreas, Bowie, con su mejor entonación a lo Scott Walker, canta acerca de un mundo destruido: *We could look for cars or signs of life* [«Podríamos buscar algún vehículo, señales de vida»], antes de evocar ominosamente la eterna verdad, como la expresa Giuseppe Tomasi di Lampedusa en *Il Gattopardo* (*El gatopardo*), cuando dice que es preciso que todo cambie para que todo siga igual. Pero lo que nos dice Bowie es *Nothing has changed and everything has changed* [«No ha cambiado nada, y todo ha cambiado»]. Elevándose por entre las nubes en busca del rostro de Dios, temerosamente insiste en que debemos encontrar la paz, debemos encontrar el amor, y finaliza: *All my trials, Lord, will be remembered* [«Todas mis desventuras, Señor, serán recordadas»].

Otra vez le habla al cielo en «A Better Future» y «I Would Be Your Slave», de manera airada, impaciente, cuestionando la providencia divina, frustrado por la elusividad del Ser Supremo para un hombre que no tiene la fortaleza natural de la fe.

La letra de «Afraid» acomete, con alegre descaro, una profunda disección de la naturaleza de la paz interior. *Things really matter to me/ But I put my faith in tomorrow* [«Las cosas de verdad me importan –dice– pero pongo mi fe en el mañana»], para evocar seguidamente el mensaje de rechazo espiritual que su viejo amigo John Lennon construye en «God», con las palabras *I believe in Beatles/ I believe my little soul has grown* [«Creo en los Beatles/ Creo que mi pequeña alma ha crecido»]. Pero a pesar de todo, tiene miedo [*«so afraid»*], por lo que se vuelca en sí mismo, tratando de encontrar fuerzas en su propia experiencia vital: *If I put faith in medication/ If I can smile a crooked smile/ If I can talk on television/ If I can walk an empty mile/ Then I won't feel afraid* [«Si pongo mi fe en la medicina/ Si puedo sonreír con sorna/ Si puedo hablar por la televisión/ Si puedo andar una milla vacía/ Entonces no sentiré miedo»].

Cuando me pongo filosófico, en esas «largas horas solitarias», resurgen todas mis frustraciones, siempre con las mismas preguntas desde que tenía diecinueve años. Nada ha cambiado en esta agotadora búsqueda espiritual. Si se pudiera definir la relación de lo espiritual con alguna claridad, todo lo demás encajaría en su lugar. Aparecería una moralidad, un plan a seguir, habría algún sentido en todo. Pero es algo que se me escapa. Aun así, no puedo evitar componer sobre este problema.

D. B., 2003

Por supuesto, mucha gente pensó que el álbum reflejaba los terribles acontecimientos del 11 de septiembre de 2001, cuando se produjo el ataque terrorista a las Torres Gemelas de Nueva York. Pero como advirtió Bowie con agudeza, hay una media docena de sus álbumes que, si hubieran salido después de aquellos dramáticos acontecimientos, se habrían interpretado de la misma manera. La angustia, la preocupación, el miedo, el rechazo, la soledad, son temas recurrentes en la obra de Bowie. Y ahora podríamos añadir a la lista la moralidad.

Cuando uno es joven, quiere «convertirse» en algo. A mi edad me interesa más ser. *Y dentro de no demasiado tiempo lo que me interesará es sobrevivir, estoy seguro... Es como si hubieran tocado a mi puerta y me hubieran susurrado una respuesta. Pero no entiendo muy bien lo que dice, ni siquiera en qué lenguaje lo dice.*

D. B., 2002

Bowie tenía ahora hijos, un alma gemela, una noción de su lugar en el mundo. Detestaba que la muerte le arrebatara todo eso algún día, pero no había nada que pudiera hacer. Todo lo que tenía era su amor por la vida. Así que levantó la mirada al cielo, esperando una respuesta de un Dios que no sabía si existía. El sonido de sus preguntas es el sonido de *Heathen*.

Derecha: Los temas religiosos aparecen en varios momentos de la carrera musical de Bowie, sobre todo en la canción «Word On A Wing», casi una oración, en el álbum *Station To Station*; y más recientemente en el arte de clara inspiración cristiana de la portada de *'hours...'*. Como actor, incluso había representado a Poncio Pilatos en la película de Martin Scorsese *The Last Temptation of Christ* (*La última tentación de Cristo*). Por su parte, la carátula de *Heathen*, con sus imágenes profanadas y su huida de la luz, parece representar un rechazo de la religión.

EL ARTE DE LA PORTADA

La portada de *Heathen* es una de las más impactantes de los discos de Bowie. Sus ojos («los espejos del alma») aparecen blancos y terribles, en un rostro s apariencia casi metálica, desprovisto de emociones.

En el folleto interior del CD, las imágenes religiosas profanadas no representan incredulidad, sino rechazo de Dios, lo que define la actitud del pagano (*heathen*). La imagen de *La masacre de los inocentes*, de Guido Reni, parece expresar el eco de los por aquel entonces recientes ataques terroristas de 11 de septiembre. Los tres libros que se muestran son también significativos: *La gaya ciencia*, de Nietzsche, contiene la impía afirmación «Dios ha muerto»; *La teoría general de la relatividad*, de Einstein, y *La interpretación de los sueños*, de Freud, son obras clave en las que el ser humano busca, y encuentra, respuestas sin recurrir a la divinidad. Otra imagen muestra a Bowie bajando con determinación por una escalera, alejándose de la luz. El mensaje, en su conjunto, puede interpretarse como un rechazo deliberado a un Dios que, según toda apariencia, nos ha abandonado, en favor de la fría tranquilidad que ofrece el conocimiento secular.

ALITY 2003

«El pasado se aleja velozmente, el futuro es muy incierto, y el presente se hace cada vez más pequeño. Hoy todo se vuelve muy difuso en nuestras vidas. Lo único realmente importante es cómo mi familia y yo sobrevivimos día a día».

DAVID BOWIE, 2002

2002

Junio

Dirige el festival de Meltdown, en el Royal Festival Hall de Londres.

29 de junio

Se inicia la gira Heathen con el propio concierto de Bowie en el festival de Meltdown, durante el cual interpreta todas las canciones de sus álbumes *Low* y *Heathen*.

Septiembre

Sale «Everyone Says Hi» (varias ediciones) (20.° lugar en el Reino Unido, en Estados Unidos no llega a las listas).

23 de octubre

Finaliza la gira Heathen en el Orpheum Theater de Boston.

2003

Septiembre

Sale «New Killer Star» (versión en vídeo y varias ediciones) (38.° lugar en el Reino Unido, no llega a las listas en Estados Unidos).

15 de septiembre

Sale *Reality* (3.er lugar en el Reino Unido, 29.° en Estados Unidos).

7 de octubre

Se inicia la gira A Reality en el Forum de Copenhague.

2004

Junio

Sale en el Reino Unido «Rebel Never Gets Old (radio mix)» / «Rebel Never Gets Old (7th Heaven edition)» / «Rebel Never Gets Old (7th Heaven mix)» / «Days (album version)» (posición 47).

25 de junio

Finaliza prematuramente la gira A Reality en el festival Hurricane de Scheessel, Alemania.

26 de junio

Bowie es sometido de urgencia a una operación del corazón en el Hospital St. George de Hamburgo, Alemania.

Noviembre

Sale en el Reino Unido «Band Aid 20: Do They Know It's Christmas?» / «Band Aid: Do They Know It's Christmas?» / «Band Aid: Do They Know It's Christmas? (live at Live Aid)» (1.er lugar en las listas).

2005

8 de septiembre

Se presenta con Arcade Fire en el concierto Fashion Rocks, en el Radio City Music Hall de Nueva York.

Noviembre

Sale el EP *Arcade Fire & David Bowie Live at Fashion Rocks*. Disponible para descarga: «Life On Mars?» / «Five Years» / «Wake Up» (no llega a las listas).

2006

8 de febrero

Se le otorga, en ausencia, el premio honorífico a toda su carrera en la entrega de los Grammys.

29 de mayo

Aparece como artista invitado en un concierto de David Gilmour en el Royal Albert Hall de Londres.

21 de septiembre

Aparece representándose a sí mismo en un episodio del programa televisivo de comedia de la BBC *Extras*, donde canta la canción «Pug Nosed Face».

17 de octubre

Se estrena la película *The Prestige* [*El truco final (El prestigio)*], donde Bowie interpreta a Nikola Tesla.

Noviembre

El programa *Culture Show* de la BBC le asigna el cuarto lugar en votos en la lista de los diez personajes vivos más destacados de Gran Bretaña.

9 de noviembre

Última presentación en directo en el concierto benéfico Black Ball, en el Hammerstein Ballroom de Nueva York.

Diciembre

Sale en el Reino Unido el disco de David Gilmour «Arnold Layne» (varias ediciones), con la participación de David Bowie (19.° lugar en las listas).

29 de diciembre

Se estrena la película de dibujos animados *Arthur And The Invisibles* (*Arthur y los Minimoys*), en la que Bowie le pone voz a Maltazard.

2007

Mayo

Es el comisario del High Line Festival de Nueva York.

3 de junio

Recibe el premio honorífico a toda su carrera [Lifetime Achievement Award] en la entrega anual de los premios Webby, de la Academia Internacional de Artes y Ciencias Digitales.

25 de junio

Sale la colección de DVD/CD *Glass Spider* (no llega a las listas).

12 de noviembre

Se estrena la película de dibujos animados *SpongeBob SquarePants: Atlantis SquarePantis* en el canal de televisión Nickelodeon, en la que Bowie le pone voz al personaje principal.

2008

22 de enero

Se estrena la película *August*, donde Bowie hace un cameo como Cyrus Ogilvie.

2009

6 de julio

Sale la colección de DVD/CD titulada *VH1 Storytellers* (no llega a las listas).

Agosto

Se estrena la película *Bandslam (School Rockband)*, en la que Bowie hace un cameo como él mismo.

2010

25 de enero

Sale *A Reality Tour* (posición 53 en el Reino Unido, en Estados Unidos no llega a las listas).

27 de septiembre

Reedición de *Station To Station* en presentación de lujo junto con *Live Nassau Coliseum '76*.

2011

Marzo

El inédito álbum *Toy* se filtra en internet.

Página 254: En la promoción de la gira A Reality, frente a la prensa australiana, en Sídney, en febrero de 2004.

Página anterior: Todo sonrisas en el Hartwall Areena de Helsinki, en octubre de 2003.

Página 248: En plena presentación, en el MEN Arena de Manchester, Inglaterra, durante el primer concierto de la gira A Reality en el Reino Unido, en noviembre de 2003.

En octubre de 2002, al finalizar la gira Heathen en Boston, Bowie, exultante, declaraba que su grupo era una de las mejores bandas con las que había trabajado. Estaba dispuesto a volver al estudio, hacer nuevas grabaciones y regresar a los escenarios.

En noviembre empezó a planear junto con Visconti un álbum que pudiera interpretarse directa y fácilmente en vivo. «*Heathen* –explicaría Visconti más tarde– tenía pinceladas muy fuertes dentro de un gran paisaje musical, con capas y capas de *overdubs*; mientras que para *Reality* [Bowie] quería otra cosa que pudiera reproducir con la banda en el escenario, con gran inmediatez».

Con esa idea, prepararon unas demos con nuevo material en enero de 2003, que presentaron al grupo de la gira Heathen.

La situación geográfica de los estudios de grabación, Allaire Studios, un lugar casi de retiro aislado en la montaña, había ejercido gran influencia en la música de *Heathen*, pero *Reality* requería una nueva ubicación. Si querían la emoción de la comunicación directa en vivo, los ajustados ritmos pop-rock del nuevo disco tendrían que elaborarse en un ambiente urbano, de modo que la grabación se hizo en el corazón de Nueva York, en los estudios Looking Glass. «*Reality* transmite la sensación de Nueva York», comentaría Bowie, y la ciudad recorre todo el álbum al igual que Broadway atraviesa Manhattan.

No me imagino viviendo en ningún otro lugar. El otro día me di cuenta de que he vivido en Nueva York más tiempo que en ningún otro sitio. Es curioso, pero soy un neoyorquino. Me suena raro decirlo, nunca pensé que lo sería.

D. B., 2003

Menos conceptual, menos unificado temáticamente que otros álbumes anteriores, las canciones de *Reality* pueden dividirse, no obstante, en varias categorías ya conocidas: la reflexión sobre la condición mortal («Never Get Old»), sobre la ansiedad, la soledad y la vida en un mundo posterior a los atentados del 11 de septiembre («Fall Dog Bombs The Moon»); hay otras letras más elusivas, cuyo valor reside más bien en la resonancia que transmiten («Bring Me The Disco King»), y hay también un regreso a la personificación de otras vidas que solo existen en la mente de Bowie («The Loneliest Guy» y «She'll Drive The Big Car»).

Los temas principales de mis composiciones son mis propios sentimientos, muy personales y más bien solitarios, los cuales exploro desde distintas perspectivas. Las cosas que hago no son tan intelectuales. ¡Por Dios, soy solo un cantante pop! No me considero una persona complicada.

D. B., 2002

Como siempre, frente al futuro de la humanidad, Bowie tiene una tendencia hacia el pesimismo. Pero confiesa que la paternidad le ha creado un dilema:

Ya no puedo ser tan negativo como lo era antes de que mi hija naciera. Si digo que el mundo es un desastre y que no es un lugar en el que valga la pena vivir, me dirá: «Pues muchas gracias por haberme traído aquí».

D. B., 2003

Musicalmente, las canciones vuelven a ser más sencillas, más accesibles que las de *1. Outside*, por ejemplo. En la canción «Pablo Picasso», de Jonathan Richman, Bowie se lanza a fondo hacia el punk al estilo de Stooges; en «Fall Dog Bombs The Moon» es Neil Young y Crazy Horse, conjurando el horror del 11 de septiembre; en «Days» confiesa una deuda de amistad sobre un impactante fondo de hechizantes guitarras acústicas: *Do I need a friend?/ Well, I need one now* [«¿Necesito un amigo? Sí, lo necesito ahora mismo»], canta antes de agregar lastimosamente: *All the days of my life, all the days I owe you* [«Todos los días de mi vida, todos te los debo»].

En todas las canciones de *Reality* subyace un Bowie inquieto, como si no estuviera seguro de ponerse a bailar o intentar responder las «preguntas tontas» que no puede dejar de preguntarse a sí mism día tras día.

Me parece que los temas sobre los que compongo no son tan variados. Mi interés consiste en encontrar nuevas maneras de plantear los mismos temas y, en el fondo, creo que eso es lo que hacen la mayoría de los que escriben... Siempre me encuentro con el mismo sentido de aislamiento, la falta de comunicación y esos sentimientos negativos, y probablemente será lo que haga durante el resto de mi vida. Hay algunas preguntas espirituales y demás, y nada de eso va a cambiar mucho, porque nunca ha cambiado, me parece, desde la época del mayor Tom hasta Heathen.

D. B., 2003

La canción que cierra el álbum es «Bring Me The Disco King», una estupenda pieza de jazz de *nightclub* de *avant-garde*. Casi cuarenta años en el medio musical, y todavía ampliando las fronteras.

Escrita en 1992, Bowie iba a incluirla al principio en *Black Tie White Noise* como una canción disco de relleno, de tempo algo acelerado. Por suerte, decidió no hacerlo, porque diez años más tarde la convirtió en todo un clásico, con su voz sonora y profunda (una reminiscencia de Sinatra), acompañada por el bello sonido del piano de Mike Garson, que pasea sus notas sobre la insistentemente lenta percusión de Sterling Campbell. Entre nebulosas imágenes del pasado, excesos, deseos y dudas, canta: *Close me in the dark, let me disappear/ Soon there'll be nothing left of me/ Nothing left to release* [«Enciérrame en la oscuridad, déjame desaparecer/ Pronto no quedará ya nada de mí/ Nada más que decir»].

Y no hubo nada que lanzar durante otros diez años.

Ya antes de que *Reality* llegara a las tiendas y recibiera la aclamación casi unánime de la crítica, Bowie estaba otra vez en marcha, y las entradas para sus conciertos se agotaban en cuestión de minutos. Con un nuevo álbum en la maleta y una nueva gira con una estupenda banda, todo iba la mar de bien. Y entonces, el 18 de junio de 2004, en Oslo, un lamentable accidente: una fan le arroja una piruleta que le da en el ojo. «¡Recuerden que solo tengo uno...!», grita.

Cinco noches después, en Praga, después de haber cantado nueve canciones, siente un dolor agudo en el pecho. Tiene que dejar el escenario para recibir atención médica inmediata. El pronóstico: pinzamiento de un nervio del hombro. Todos respiran aliviados.

Dos días más tarde, después de su presentación en el Festival Hurricane de Scheessel, Alemania, vuelve a sentir el dolor, pero esta vez más intenso. Al día siguiente lo ingresan de urgencia en el hospital St. George de Hamburgo, donde tienen que operarlo del corazón. La gira, las presiones, las exigencias, los esfuerzos realizados, la vida, todo pasaba factura.

Lo primero que dijo tras la operación fue:

Estoy muy contrariado, porque los primeros diez meses de esta gira habían sido fantásticos. Lo que quiero es recuperarme pronto para seguir trabajando. Pero os diré algo: no voy a escribir una canción sobre esto.

D. B., 2004

Bowie volvió a Nueva York, a Iman, a su hija y su familia, donde permaneció desde entonces.

Siempre discreto, nunca dijo una palabra sobre sus planes. ¿Se había retirado? ¿Estaba componiendo, grabando? Nadie lo sabía.

Hubo algunas breves apariciones. En 2005 se presentó en Fashion Rocks, en el acto organizado para recaudar fondos para las víctimas del huracán Katrina. Subió al escenario con una mano vendada y un ojo morado (era solo maquillaje) para cantar «Life On Mars?». Se retiró bajo un estruendoso aplauso, y regresó trayendo a la banda Arcade Fire, un grupo que defendió apasionadamente, para interpretar «Five Years», además de la canción del grupo «Wake Up». Luego les comentó a los periodistas que estaba asistiendo al gimnasio, y que se sentía muy complacido de haber cantado otra vez. Tan complacido estaba, de hecho, que solo cuatro días después volvió a presentarse con Arcade Fire en el concierto que el grupo daba en Central Park.

En 2006 le otorgaron un Grammy como reconocimiento a toda su carrera, pero no se presentó a la ceremonia. En mayo de ese mismo año subió otra vez al escenario en Londres para cantar con David Gilmour, de Pink Floyd, su versión de «Arnold Layne» y «Comfortably Numb». El 9 de noviembre de 2006 cantó en un concierto benéfico presentado por su esposa y Alicia Keys con el fin de recaudar fondos para financiar campañas de prevención del sida en África. Apareció en el popular programa de la televisión británica *Extras*, escrito y protagonizado por Ricky Gervais, e hizo campaña para salvar la emisora pública de radio 6Music, de la BBC, cuando los recortes presupuestarios amenazaron con eliminarla.

Inferior: El 23 de junio de 2004, Bowie se vio obligado a interrumpir su presentación en el T-Mobile Arena, en Praga, debido a un agudo dolor en el pecho. Después de una presentación más en Alemania, tuvo que cancelar el resto de la gira A Reality, y al día siguiente se sometía a una operación urgente de corazón.

Página siguiente: «Just gonna have to be a different man». David Bowie en su último concierto benéfico en directo, el Black Ball, en el Hammerstein Ballroom de Nueva York, el 9 de noviembre de 2006, donde cantó «Changes» con Alicia Keys.

E NEXT DAY 2013

«ME DIJO, «GUARDA EL SECRETO, Y NO SE LO DIGAS A NADIE. NI SIQUIERA A TU MEJOR AMIGO». YO LE DIJE: «¿PUEDO DECÍRSELO A MI NOVIA?», A LO QUE ÉL ME RESPONDIÓ: «SÍ, PUEDES CONTÁRSELO, PERO QUE NO SE LO CUENTE A NADIE»».

TONY VISCONTI, 2013

2012

27 de marzo

Se descubre una placa en Heddon Street, en el centro de Londres, en conmemoración del lugar donde se hizo la fotografía de Bowie para *The Rise And Fall Of Ziggy Stardust And The Spiders From Mars.*

12 de agosto

Declina una invitación para cantar «*"Heroes"*» en la ceremonia de clausura de los Juegos Olímpicos de Londres; no obstante, la canción se convierte en el himno no oficial del equipo británico en esas olimpíadas.

31 de agosto – 2 de septiembre

Se celebra el *Bowiefest,* festival en conmemoración de la carrera cinematográfica de Bowie, en el Instituto de Arte Contemporáneo de Londres.

14 de noviembre

Sale el vídeo de Soulwax *Radio Soulwax Presents DAVE,* grabación de una hora de duración en homenaje a la música de David Bowie.

2013

8 de enero

Sale el single «Where Are We Now?» el día de su 66 cumpleaños (6.° lugar en el Reino Unido, en Estados Unidos no llega a las listas) y anuncia un nuevo álbum, el primero desde hace diez años.

25 de febrero

Sale «The Stars (Are Out Tonight)» (no llega a las listas).

11 de marzo

Sale el álbum *The Next Day* (1.er lugar en el Reino Unido, 2.° en Estados Unidos).

23 de marzo-28 de julio

El Victoria and Albert Museum de Londres presenta *David Bowie is,* la primera exposición retrospectiva internacional de Bowie.

25 de mayo

La BBC Television emite el documental *David Bowie – Five Years.*

¡Brillante! El mismo día en que cumplió sesenta y seis años, el 8 de enero de 2013, David Bowie sacó su single n.° 108, «Where Are We Now?». Fue como si lo hubiera sacado de la nada. Nadie en el mundo, salvo quienes habían estado directamente involucrados, tenía idea de que lo hubiera estado componiendo, y mucho menos grabando.

Que hubiera podido mantenerlo en secreto se explica por los músicos que escogió para el proyecto: veteranos compañeros, como Earl Slick, Gail Ann Dorsey, Gerry Leonard y el productor Tony Visconti, todos los cuales demostraron a lo largo de los años su fidelidad y absoluto respeto por el artista.

¿Qué puede decirse del single con que nuevamente Bowie ha sorprendido a todo el mundo? «Where Are We Now?» es un trabajo majestuoso y elegíaco en el que revisita los días de Berlín. Dentro de su simplicidad, la canción tiene tal fuerza y capacidad de evocación, que muchos pensaron que el álbum (anunciado junto con la salida del single, y llamado *The Next Day*) sería de corte similar, es decir, que contendría una reflexión y puesta al día de Bowie con su pasado. La idea parecía confirmarla la imagen que se difundió como adelanto del trabajo artístico del álbum, que mostraba la emblemática portada de *"Heroes"* cubierta con un gran cuadrado blanco, una alusión más a un sentimiento de nostalgia.

Pero, por supuesto, Bowie había confundido una vez más a todos: no tenía ninguna intención de recrearse en el pasado.

The Next Day es un álbum que se nutre de la totalidad del legado artístico de Bowie. Surgidas de su siempre fértil imaginación, las canciones se sitúan en un lugar y un tiempo no especificados, de donde Bowie nos trae desperdigadas líneas plenas de profusos detalles, historias y personajes.

De lo que no revela mucho el propio álbum es de su autor. La confesión es un género que conlleva definiciones, clasificaciones, de las que todo auténtico artista rehúye como el antílope del depredador. Bowie, por el contrario, se limita a hacer música, una música que recorre el amplio paisaje cargada de ambición y de energía. Al escucharlo por primera vez, *The Next Day* suena rasgado, disparejo, disonante, incluso inconexo. Como en muchos de sus álbumes anteriores (es inevitable recordar *1. Outside*), Bowie ha creado un sonido complejo, de capas superpuestas, que se van revelando a medida que el disco se escucha una y otra vez.

Las cuatro primeras piezas son de una energía y una fuerza tal que parecen disipar cualquier duda que pudiera haber sobre el estado general de Bowie, que suena firme, robusto, con pleno control de la situación. Música con un propósito definido y que emociona.

En la canción que da título al álbum, hay una vociferante turba enloquecida que *can't get enough of that doomsday song* [«no cesa de escuchar la cantinela del día de juicio»], seguidora de un sacerdote con sotana púrpura y de quienes trabajan para Satanás aunque se vistan como santos. Visconti, el productor, comenta que Bowie ha leído mucho sobre historia medieval inglesa, lo que explica la macabra imaginación que despliega en la no obstante asertiva pieza.

Le sigue «Dirty Boys», un *staccato* musical marcado por arranques de saxofón barítono, una canción que no habría desentonado dentro del álbum *"Heroes"*.

El segundo sencillo que ha salido del álbum, «The Stars (Are Out Tonight)», empieza con un rizado pasaje de guitarra antes de dar paso a la cautivadora voz de Bowie, que entre el cambiante fondo de guitarras advierte con sonoridad constante contra celebridades y vampiros: ambos queman con sonrisas radiantes y fascinan con atractiva mirada... Y eso lo dice quien es, probablemente, una de las mayores celebridades del planeta.

«Love Is Lost» habla de una hermosa mujer joven, de veintidós años, cuyo país, casa, amigos y hasta sus ojos son nuevos, pero cuyos temores son tan antiguos como el mundo. Una persona capaz de prescindir de su pensamiento y de su propia alma, lo que provoca el lamento de Bowie: *Oh, what have you done? Oh, what have you done?* [«Oh, pero ¿qué has hecho? ¿Qué has hecho?»]...

La música es agresiva, fragmentada (¿como el alma de la mujer?), por lo que los suaves acordes que le siguen, de «Where Are We Now?», el tema quizás más sencillo y directo del álbum, suenan como un alivio. Una canción de duda pero también de esperanza, que se va elevando hasta alcanzar, hacia la mitad, el ritmo de un tambor militar, que da énfasis a la afirmación de Bowie *as long as there's me and as long as there's you* [«mientras exista yo y mientras existas tú»], pero no nos dice qué. Y es lo más cerca que llega a una confesión. Si duda, Bowie sigue siendo un moderno, siempre mirando hacia adelante, nunca atrás.

Aunque «Valentine's Day» recuerda algo de su pasado. Una canción que podría perfectamente acompañar a «The Prettiest Star», del álbum *Aladdin Sane*, en la que canta como en 1973. «If You Can See Me» es otra que podría figurar perfectamente en un álbum anterior, en este caso *Earthling*. Con el estilo drum 'n' bass que exploró de manera magistral en aquel trabajo, esta pieza rebosa también de urgencia y paranoia, con Bowie nadando entre estilos vocales distintos, representando distintos personajes.

Con un coro sublime, «I'd Rather Be High» está narrada desde la perspectiva de un joven recluta que es enviado a la guerra, un hombre que preferiría cualquier otra cosa en vez de tener que matar a otros. Una de las muchas piezas que merece destacarse en el álbum.

Página anterior: Con la sorpresa de un nuevo álbum y una exposición retrospectiva en el Victoria & Albert Museum, la Bowiemanía ha vuelto.

Página anterior: En la promo de «The Stars (Are Out Tonight)», Bowie y Tilda Swinton interpretan a una acomodada pareja de clase media. Swinton era una buena amiga de Bowie y pronunció un memorable discurso en la inauguración de la exposición *David Bowie is*.

Por su parte, «Boss Of Me» sigue una ruta similar, en este caso co un riff rasgado de guitarra, otra vez destacando contra un coro me- morable.

La canción que mejor suena del álbum es «Dancing Out In Spa- ce», con su persistente guitarra acompañada de sonidos que parecen de otro mundo, directa y al mismo tiempo etérea, bailable de manera irresistible, un rock 'n' roll adolescente venido del futuro. En contraste, «How Does The Grass Grow?» puede que sea la canción menos atractiva de *The Next Day*, aunque su cita del famoso tema instrumental «Apache», de los Shadows, nos lleve a la época de la primera banda musical de Bowie, The Kon-rads.

Y ya situados en el pasado, «(You Will) Set The World On Fire» nos deja en la popular escena de Greenwich Village de comienzos de la década de 1960, donde Pete Seeger, Bob Dylan y Joan Baez eran la voluble e inconstante atracción del momento, centrada en un personaje que no se nombra pero cuyas letras son tales que «Kennedy mataría por ellas». Y, sin embargo, la música es rock puro.

«You Feel So Lonely You Could Die» es una de las piezas más intrigantes, llena de perturbadoras imágenes de un asesinato, donde Bowie parece incluso amenazar o desear la muerte de alguien; pero ¿a quién se refiere? ¿Quizás alguien de quien estuvo cerca alguna vez? La canción se cierra con la percusión final de «Five Years», ¿quizás una pista de a esa identidad oculta?

La última canción, «Heat», se inicia de manera lánguida, pero va aumentando de temperattura mientras avanza, hasta que Bowie culmina el notable álbum repitiendo la frase: *My father ran the prison* [«Mi padre gobernaba la prisión»]. Una interesante y enigmática imagen para el no menos interesante final de un trabajo, *The Next Day*, en el que Bowie evade todo intento de descubrir alguna de sus claves.

El álbum saltó al número uno en las listas de más de veinte países. En Londres, una retrospectiva de buena parte de su recorrido profesional como artista en el Victoria & Albert Museum (la cual, por coincidencia –o quizás no– se inauguró dos semanas después de salir el disco) rompió todos los récords en ventas de entradas anticipadas. Además, estaba previsto que recorriera diversas ciudades del mundo entero. Las revistas internacionales mostraron el rostro de Bowie en la portada y, a falta de entrevistas del propio Bowie, especulaban sobre si haría o no una gira para interpretar en directo las canciones de *The Next Day*. En todos los sentidos, fue un regreso impresionante. David Bowie volvió a dar la espalda al pasado para asumir su futuro.

(BLACKSTAR) 2016

"SU MUERTE FUE COMO SU VIDA: UNA OBRA DE ARTE. CREÓ *BLACKSTAR* PARA NOSOTROS, FUE SU REGALO DE DESPEDIDA. DURANTE UN AÑO SUPE CUÁL IBA A SER EL DESENLACE. SIN EMBARGO, NO ESTABA PREPARADO. FUE UN HOMBRE EXTRAORDINARIO, LLENO DE AMOR Y DE VIDA. SIEMPRE ESTARÁ CON NOSOTROS".

TONY VISCONTI, 2013

2013

17 de junio

Sale *The Next Day* (no llega a las listas)

19 de agosto

Sale «Valentine's Day» (no llega a las listas)

25 de septiembre-19 de noviembre

La exposición *David Bowie is* comienza en la Art Gallery Ontario de Toronto y da la vuelta al mundo

4 de noviembre

Sale *The Next Day Extra*, una edición de coleccionista compuesta por tres discos que incluye *remixes*, *bonus tracks* y vídeos promocionales

16 de diciembre

Sale «Love Is Lost» (*remix* de James Murphy; no llega a las listas)

2014

31 de enero-10 de abril

La exposición *David Bowie is* llega al Museu da Imagem e do Som, São Paulo

19 de febrero

Recibe el Brit Award al Mejor artista masculino; se convierte así en el galardonado de más edad en la historia de estos premios

20 de mayo-24 de agosto

La siguiente parada de la exposición *David Bowie is* tiene lugar en Martin-Gropius-Bau, Berlín

23 de septiembre-4 de enero de 2015

La exposición *David Bowie is* llega al Museum of Contemporary Art Chicago. La inauguración coincide con el lanzamiento de un documental titulado *David Bowie Is Happening Now*

17 de noviembre

Sale «Sue (Or In A Season Of Crime)», grabada con la Maria Schneider Orchestra (81.° lugar en el Reino Unido, en Estados Unidos no llega a las listas)

18 de noviembre

Sale el recopilatorio *Nothing Has Changed* (9.° lugar en el Reino Unido, 57.° en Estados Unidos)

2015

2 de marzo-31 de mayo

David Bowie is se convierte en una de las primeras exposiciones celebradas en el nuevo Philharmonie de París

16 de julio-1 de noviembre

La exposición llega al ACMI, Melbourne

20 de noviembre

Sale «★ (Blackstar)» (no llega a las listas)

7 de diciembre-20 de enero de 2016

El musical *Lazarus*, escrito por Bowie con la colaboración de Enda Walsh, se representa en el New York Theatre Workshop

11 de diciembre-13 de marzo de 2016

La exposición *David Bowie is* regresa a Europa, al Groninger Museum, Groningen (Países Bajos). Está previsto que llegue a Japón en la primavera de 2017

17 de diciembre

Sale «Lazarus» (no llega a las listas)

2016

8 de enero

Sale ★ *(Blackstar)* (1.er lugar en el Reino Unido y Estados Unidos)

10 de enero

David Bowie fallece dos días después de cumplir 69 años

El domingo 10 de enero de 2016, David Bowie perdió la batalla contra el cáncer que libraba con total discreción desde hacía dieciocho meses. Murió tan solo dos días después de cumplir 69 años y de lanzar ★ *(Blackstar)*, su 29.° álbum de estudio. Cuando se dio a conocer la noticia, al día siguiente, poco después de las siete de la mañana, el mundo se quedó impactado y paralizado ante la pérdida de semejante icono cultural.

La tristeza compartida por millones de personas tenía varios motivos. El recuerdo de las alegrías proporcionadas por el artista era un factor principal. Muchos afirmaron que Bowie formaba parte de la banda sonora de su generación. La música de Bowie había crecido con nosotros; desde *Ziggy* hasta *Young Americans*, *"Heroes"* o *Scary Monsters*, habíamos viajado con él de una estación a otra en un viaje de proporciones épicas arraigado en el consciente colectivo: Londres, Nueva York Berlín, Kioto... cualquier lugar del cosmos, de hecho.

No obstante, había en juego una fuerza más poderosa impulsada por el profundo reconocimiento de su inmenso valor artístico. Durante toda su vida, Bowie se esforzó para crear una obra de la que todos pudiesen beneficiarse. Nuevos románticos, rockeros duros, modernistas, intelectuales, amantes de las vanguardias... todos encontraron en él música, principios e ideas que encajaban en sus mundos o que les llevaron a introducir cambios significativos y enriquecedores. Bowie y su arte lograron abrir mentes y corazones por igual.

Ningún otro artista fue tan desprendido.

★ *(Blackstar)* no cambia en nada esta visión acerca de la generosa grandeza artística de Bowie. Y aunque el cáncer se lo llevó, también provocó en él una actividad frenética antes del lanzamiento del álbum.

Le diagnosticaron la enfermedad en el verano de 2014. En noviembre de 2015, Bowie sabía que estaba en fase terminal. Y en aquel momento se encontraba sumergido de lleno en su nuevo proyecto, el musical *Lazarus*, coescrito con Enda Walsh (dramaturgo irlandés premiado con un Tony).

Lazarus se inspiró en *The Man Who Fell To Earth*, la novela que Walter Tevis publicó en 1963. Bowie fue el protagonista, Thomas Jerome Newton, en la versión cinematográfica dirigida en 1976 por Nicolas Roeg. El musical prosigue la historia de Newton treinta años más tarde. ¿Por qué ese personaje en ese momento? Tal vez porque Newton es, como él mismo se describe en la obra, «un hombre moribundo que no puede morir».

El musical, de dos horas de duración, incluye catorce temas del catálogo de Bowie. La novedosa presentación de algunos resulta sorprendente: hay una versión *synthpop* de «The Man Who Sold The World», un «"Heroes"» despojado de todo adorno hasta dejarlo en lo esencial y versiones sencillas de «Changes», «All The Young Dudes» y «This Is Not America».

Para el proyecto se recurrió a nombres de peso: entre ellos, Robert Fox, veterano productor y amigo de Bowie de toda la vida, y el actor Michael C. Hall, que interpretó el papel de Newton.

Al parecer, cuando Bowie y Hall se conocieron, el cantante le preguntó: «¿A ti qué te pasa?». Se refería a los intensos y atípicos personajes que Hall había interpretado en los éxitos televisivos *Six Feet Under (A dos metros bajo tierra)* y *Dexter*. Más tarde, Hall recordaría a Bowie con estas palabras: «Era muy generoso, realmente amable». No fue el primero en describirlo de ese modo.

La noche del estreno, el 7 de diciembre de 2015, Bowie entregó al actor un objeto personal, un recuerdo. Hall no reveló la naturaleza del regalo por respeto a la «absoluta discreción» de Bowie.

Robert Fox habló acerca de la participación activa de Bowie en los ensayos (un hecho más notable si cabe debido a lo avanzado de su enfermedad): «Algunos días no podía venir, pero cuando podía, no interfería [el cáncer] en su aportación. Para él fue más horrible que difícil para nosotros».

El director del musical, Ivo Van Hove, confesó a la coreógrafa de *Lazarus*, Annie B. Parson, que Bowie le había dicho que aquella era «la obra más triste» en la que había trabajado en toda su vida. Y Van Hove añadió: «Vi a un hombre luchando. Luchó como un león y continuó trabajando como un león hasta el final. Le respeté muchísimo por eso».

Lazarus incluye un tema nuevo, el que da título a la obra y que también aparece en ★ *(Blackstar)*. Las sesiones de grabación del álbum comenzaron en enero de 2015, en el estudio Magic Shop, próximo al domicilio de Bowie en el Lower Manhattan. Tenían lugar de once de la mañana a cuatro de la tarde. En abril, los siete temas estaban listos y el productor Tony Visconti se dedicó a mezclarlos en su estudio. Siguiendo el modelo establecido por *The Next Day*, la música se grabó en el más absoluto de los secretos.

Más tarde, ese mismo año y después de acabar la grabación, Bowie accedió a proporcionar el tema musical para una serie de Sky TV titulada *The Last Panthers*, basada en las fechorías de una banda de ladrones de joyas de los Balcanes llamada los Pantera Rosas (Pink Panthers). Bowie se reunió con el director de la serie, Johan Renck. «La música que nos ofreció encarnaba todos los aspectos de nuestros personajes y de la propia serie», afirmó Renck. «Oscura, inquietante, hermosa y sentimental (en el mejor sentido posible de la palabra). Bowie me inspiró y despertó mi curiosidad en todo momento, y durante todo el proceso me sentí abrumado por su generosidad».

Bowie explicó entonces a Renck que la música que le entregaba era la sección que abría un tema más largo titulado «Blackstar», y animó al director a grabar el vídeo correspondiente. Durante sus conversaciones previas al rodaje, Renck sugirió incluir rituales misteriosos que sugiriesen algo relacionado con el ocultismo. Bowie, por su parte, le envió un boceto de un personaje llamado Button Eyes (Ojos de botón) que deseaba retratar en el vídeo. El estado de salud de Bowie obligó a grabar aquella parte en un solo día, en septiembre de 2015.

En noviembre, Renck y Bowie se reunieron de nuevo para realizar otro vídeo: el de «Lazarus», el segundo single lanzado antes de presentar el álbum. En la pieza, Bowie aparece de nuevo como Button Eyes, retorciéndose en la cama de un hospital. También se grabaron tomas en las que Bowie luce un conjunto a rayas muy similar al que mostró en una grabación promocional de mediados de los setenta en la que aparece dibujando un diagrama cabalístico. En el vídeo baila y después escribe frenéticamente, como si se le estuviese agotando el tiempo, para acabar retrocediendo y metiéndose en un armario (entrar en el armario, como él mismo bromeó).

Dos meses más tarde, el día en que cumplía 69 años, se lanzó ★ *(Blackstar)*. El disco recibió una estupenda acogida por parte de los críticos, que no sabían nada de la grave enfermedad de Bowie. Se trata de un trabajo brillante que rebosa de ideas y energía. Y de creatividad. Se encuentra a diez pasos por delante de *The Next Day*.

En ★ *(Blackstar)* (el primer álbum comercial de Bowie que no incluye un primer plano suyo en la portada), el cantante aparece acompañado por el cuarteto de Donny McCaslin, una banda de jazz que

vio en un club de Nueva York en 2014 por sugerencia de su amiga Maria Schneider, música de jazz. El resultado es sobrecogedor, espectacular.

Bowie se apropia de un género, el free jazz, y adapta la forma a los contornos de sus composiciones. Algunos artistas utilizan estilos musicales que no les son habituales para demostrar su versatilidad (mira, mamá, he incluido un instrumento exótico en mi canción). Aquí no hay nada de ese diletantismo. El espíritu de aventura que corre por las venas del jazz encaja a la perfección con la energía artística de Bowie, esa fuerza que nos brindó álbumes pioneros como *Young Americans*, *Station To Station*, *Low*, «*"Heroes"*», *1. Outside* y tantos otros tesoros de versatilidad.

El tema que da título al álbum es también el que lo abre: un trabajo épico, denso, lleno de referencias, gótico, perturbador. Según el productor Tony Visconti, «Blackstar» es un matrimonio entre dos composiciones distintas. El primer movimiento de la canción es una declaración de una oscuridad agorera; está dominado por un conjuro cantado e imágenes de ejecuciones y velas. Y después da paso a una hermosa y ligera melodía.

Se han dicho muchas cosas acerca de «Blackstar», empezando con la afirmación de McCaslin según la cual Bowie le explicó que la canción era su respuesta a los actos del Estado Islámico. Los representantes del artista negaron de inmediato esa interpretación, dejando así a los fans la libertad de explorar otras vías en los días y las semanas posteriores a su muerte. Se ha hablado de ocultismo (los analistas sugieren que la canción incluye referencias a Aleister Crowley), de oncología (la «estrella negra» es un tipo de lesión cancerosa) y de astronomía (la «estrella negra» como estado de transición entre una estrella que ha explotado y una cantidad infinita). ¿O seguimos el camino de Kevin Cann, archivista y experto en Bowie, que señala a Elvis Presley?

En 1960, Elvis grabó un tema titulado «Black Star», una versión alternativa y poco conocida de «Flaming Star». La canción empieza así: «Todo el mundo tiene una estrella negra, una estrella negra sobre sus hombros, y cuando un hombre ve su estrella negra, sabe que ha llegado su hora...». ¿Pretendía Bowie encajar las piezas, haciendo referencia a uno de sus primeros héroes musicales (con el que, por cierto, compartía fecha de nacimiento) para dar sentido a su muerte inminente?

Por supuesto, Bowie rehuyó las explicaciones. Revelar el significado de su obra equivaldría a despojarse de su misterio, y el misterio siempre ha sido fundamental para su integridad artística. Había pasado casi una década desde su última entrevista. Esa postura le ayudó a crear una gran expectación entre sus numerosos seguidores, un furor que recuerda a la presión experimentada por Bob Dylan en los sesenta, un deseo similar entre su público de escuchar las aclaraciones que llevasen a la liberación.

Si, por ejemplo, creemos que Bowie se refería al significado médico de la «estrella negra» como forma de lesión cancerosa, ¿existe algo más triste en el ámbito de la música que el cantante insistiendo a mitad de su majestuoso tema en que no es una estrella de cine, ni del pop, ni el jefe de una banda, sino una estrella negra, un hombre definido únicamente por su enfermedad y cuyos logros quedan eclipsados por ésta?

Creo que no. Sin embargo, sus letras elípticas, impresionistas y plagadas de referencias hasta el final nos empujan a sumergirnos en su música, a crear nuestro propio significado. Las palabras y las imágenes de Bowie tienen que ser fuertes, duras como la piedra, para soportar tal presión colectiva de su público. Y lo son. Y cuando no es así, la música asume ese papel.

En «'Tis A Pity She Was A Whore», por ejemplo, Bowie comienza con una frase humorística (*Man, she punched me like a dude*, [«Hombre, ella me golpeó como si fuese un tío»]), y a continuación nos ofrece varias líneas que, sinceramente, no aportan gran cosa (el *New*

En el medio: fragmentos del impactante vídeo de diez minutos de ★ «Blackstar», dirigido por Johan Renck.

orker habló de la «inclinación a abrazar el absurdo» de Bowie en su crítica de ★ *(Blackstar)*). Sin embargo, la música... tan emocionante, con Bowie gritando extasiado ante el sonido de su maravillosa banda a toda marcha.

En «Lazarus» canta de manera desgarradora acerca del hecho de estar en el cielo, de tener «cicatrices que no se ven», de ser libre como un azulejo. Avanza el impacto de su muerte con la frase «Ahora todos me conocen» (cosa que, por supuesto, nunca sucedió y nunca sucederá).

«Lazarus» se construye sobre la repetición y la fuerza. Los dramáticos acordes de guitarra acaban cediendo el protagonismo a la voz de Bowie, que domina al final. Es una más de las maravillas sonoras que logra Tony Visconti en el álbum. El sonido de ★ *(Blackstar)* es magnífico; cada canción se desarrolla hasta su máximo potencial. En su capítulo final, Bowie no podría haber contado con un colaborador mejor.

El siguiente tema, «Sue (Or In A Season of Crime)», se grabó originalmente en 2014 con la orquesta de Maria Schneider y apareció en el recopilatorio *Nothing Has Changed*, presentado en noviembre de aquel año. La versión de ★ *(Blackstar)* se regrabó con la banda de McCaslin.

Con el uso del Nadsat, el lenguaje inventado por Anthony Burgess para *La naranja mecánica*, «Girl Loves Me» evoca de manera indirecta el espíritu de Ziggy (la adaptación cinematográfica de la novela de Burgess fue una inspiración decisiva para el aspecto de Ziggy). Bowie también canta en Polari, una jerga utilizada por los homosexuales del Londres de los cincuenta para mantener sus relaciones en secreto; se trataba de una forma lingüística que el cantante conocía muy bien. El efecto perturbador de la canción, logrado mediante el uso de múltiples voces y de una inteligente superposición de capas de sonido, deleita y sorprende.

Sin duda, los dos temas que cierran el álbum («Dollar Days» y «I Can't Give Everything Away») sitúan a ★ *(Blackstar)* en la posición de clásico. «Dollar Days» empezó siendo una sencilla pero conmovedora línea de guitarra que Bowie descubrió en el estudio. Esa melodía sirve de trampolín; la canción se eleva y se sostiene en el sonido de los sintetizadores, los paisajes musicales cambiantes y un maravilloso trabajo vocal, apasionado, abierto, humano, honesto. Bowie canta desde el alma: *Don't believe for just one second I'm forgetting you, I'm trying to, I'm dying to...* [«No penséis ni por un segundo que os voy a olvidar, lo intento, muero por hacerlo...»].

El tema acaba con un equivalente moderno del cierre de batería de «Five Years», que nos acompaña hasta «I Can't Give Everything Away», el mensaje final de Bowie. El título parece evidente (aunque, por supuesto, con Bowie nunca se sabe). Además, nos trae a la mente su primer single en solitario, «Can't Help Thinking About Me», en el que cantaba acerca de hacer las maletas y marcharse de casa con la esperanza de apañárselas solo. Ahora, parece que el hijo pródigo ha completado su viaje.

Durante toda su carrera, Bowie nos ofreció continuamente excentricidades, desafió a su público, trató de abrirnos los ojos a nuevas maneras, a nuevas experiencias. Nos observó desde fuera y nos invitó a entrar. ★ *(Blackstar)* continúa esa maravillosa tradición, la combinación única de generosidad y talento excepcional que caracterizó a Bowie. Curiosamente, Visconti reveló que pocos días antes del lanzamiento del álbum, Bowie le dijo que tenía cinco canciones nuevas y listas para grabar. La creatividad le acompañó hasta el final.

«David Bowie lo tenía todo. Era inteligente, creativo, valiente, carismático, genial, sexy y una verdadera fuente de inspiración, tanto visual como musical. Su trabajo es maravillosamente brillante, sí, muy prolífico y muy bueno. Existen grandes personas que hacen un gran trabajo, pero ¿quién más ha dejado una huella como la suya? Nadie como él. [...] Sea cual sea el viaje en el que su hermosa alma se encuentra inmersa, espero que él sienta de algún modo cuánto le echamos de menos».

***Kate Bush*, 2016**

Cuando se conoció la noticia de la muerte de Bowie, este mural del artista australiano Jimmy C, de 2013 y situado en Brixton, lugar de nacimiento del artista, se convirtió en un templo de culto. El cine local, denominado Ritzy, cambió su cartelera a «David Bowie, nuestro chico de Brixton, DEP». Cientos de fans se congregaron en el exterior para homenajear a este hombre tan destacado.

STAR MAN!
GOBLIN KING
Thank you
David
You influenced my life
from my teenage years
onward. I will treasure
and play your music always

'LA MÚSICA ME HA DADO MÁS DE CUARENTA AÑOS DE EXTRAORDINARIAS EXPERIENCIAS. NO PUEDO DECIR QUE HAYA DISMINUIDO LAS ANGUSTIAS O LOS HECHOS MÁS TRÁGICOS DE LA VIDA, PERO ME HA HECHO TANTA COMPAÑÍA EN LOS MOMENTOS DE SOLEDAD... Y HA SIDO UN MEDIO DE COMUNICACIÓN SUBLIME PARA LLEGAR A LOS DEMÁS. HA SIDO MI PUERTA PARA PERCIBIR EL MUNDO Y EL LUGAR EN EL QUE HABITO'.

DAVID BOWIE, 1999

DISCOGRAFÍA

ÁLBUMES DE ESTUDIO

DAVID BOWIE 1967

Grabado en Decca Studios
165 Broadhurst Gardens, West Hampstead, Londres, Reino Unido
Producido por Mike Vernon

Músicos
David Bowie – Voces, guitarra, saxofón
Derek Boyes – Órgano
John Eager – Batería
Derek Fearnley – Bajo

Portada
Gerald Fearnley – Fotografía
Kenneth Pitt – Texto de la carátula

Cara Uno
«Uncle Arthur»/«Sell Me A Coat»/«Rubber Band»/
«Love You Till Tuesday»/ «There Is A Happy Land»/
«We Are Hungry Men»/ «When I live My Dream»

Cara Dos
«Little Bombardier»/ «Silly Boy Blue»/ «Come And Buy My Toys»/
«Join The Gang»/ «She's Got Medals»/ «Maid Of Bond Street»/
«Please Mr. Gravedigger»

Fechas de lanzamiento
Reino Unido: 1 de junio de 1967
Estados Unidos: agosto de 1967

Sello discográfico y número de catálogo
Reino Unido: Deram SML 1007
Estados Unidos: Deram DES 18003

Máxima posición en las listas para la fecha de lanzamiento
Reino Unido y Estados Unidos: no llegó a las listas

Notas
Todos los temas compuestos por David Bowie.
La versión original en Estados Unidos no incluyó «We Are Hungry Men» ni «Maid Of Bond Street». Dos títulos aparecieron escritos con error en la portada: «Little Bombardier» como «Little Bombadier», y «Silly Boy Blue» como «Silly Boy Blues».
Reeditado en vinilo por Deram en 1984 (DOA-1).
Primera edición en CD en el año 1983 en Alemania, por London (800 087-2); en 1988 en el Reino Unido, por Deram (800 087-2); en 2010, por Deram (531 792-5) como Deluxe Edition, que incluyó mezclas stereo y mono más un disco adicional con singles contemporáneos, una versión de 1968 de «London Bye Ta-Ta», y una sesión del programa *Top Gear* de la BBC de 1967: «Rubber Band (mono)»/ «The London Boys (mono)»/ «The Laughing Gnome (mono)»/ «The Gospel According To Tony Day (mono)»/ «Love You Till Tuesday (mono)»/ «Did You Ever Have A Dream (mono)», «When I live My Dream (mono)»/ «Let Me Sleep Beside You (mono)»/ «Karma Man (mono)»/ «London Bye Ta-Ta (mono)»/ «In The Heat Of The Morning (mono)»/ «The Laughing Gnome (stereo)»/ «The Gospel According To Tony Day (stereo)»/ «Did You Ever Have A Dream (stereo)»/ «Let Me Sleep Beside You (stereo)»/ «Karma Man (stereo)»/ «In The Heat Of The Morning (stereo)»/ «When I'm Five»/ «Ching-A-Ling (stereo)»/ «Sell Me A Coat (1969)»/ «Love You Till Tuesday (BBC)»/ «When I live My Dream (BBC)»/ «Little Bombardier (BBC)»/ «Silly Boy Blue (BBC)»/ «In The Heat of the Morning (BBC)».

DAVID BOWIE/SPACE ODDITY 1969

Grabado en Trident Studios
17 St. Anne's Court, Wardour Street, Soho, Londres, Reino Unido
Producido por Tony Visconti («Space Oddity» por Gus Dudgeon)

Músicos
David Bowie – Voces, guitarra, estilófono, kalimba, órgano
Paul Buckmaster – Violonchelo
John Cambridge – Batería
Terry Cox – Batería
Keith Christmas – Guitarra
Herbie Flowers – Bajo
John «Honk» Lodge – Bajo
Benny Marshall – Armónica
Tim Renwick – Guitarra, flauta, flauta dulce
Tony Visconti – Bajo, flauta, flauta dulce
Rick Wakeman – Melotron, clavecín eléctrico
Mick Wayne – Guitarra

Portada
Vernon Dewhurst – Fotografía
Victor Vasarely – Grafismo de la portada
George Underwood – Ilustración contraportada

Cara Uno
«Space Oddity»/ «Unwashed And Somewhat Slightly Dazed»/
«Don't Sit Down*»/ «Letter To Hermione»/ «Cygnet Committee»

Cara Dos
«Janine»/ «An Occasional Dream»/ «Wild Eyed Boy
From Freecloud»/ «God Knows I'm Good»/
«Memory Of A Free Festival»

Fecha de lanzamiento
4 de noviembre de 1969

Sello discográfico y número de catálogo
Reino Unido: Philips SBL 7912 / Estados Unidos: Mercury 61246

Página anterior: Promoción de la gira Sound+Vision, Tokio, 12 de mayo de 1990.

áxima posición en las listas para la fecha de lanzamiento
eino Unido y Estados Unidos: no llegó a las listas

Notas
Todos los temas compuestos por David Bowie. Originalmente *David Bowie* (Reino Unido) y *David Bowie: Man Of Words, Man Of Music* (Estados Unidos). Retitulado *Space Oddity* desde su reedición en 1972. * La versión original estadounidense no incluye «Don't Sit Down», como todas las demás reediciones del álbum hasta 1990. La portada original de Estados Unidos también es diferente, y muestra de cerca el rostro de Bowie, sin el fondo de lunares de Victor Vasarely. Reeditado en vinilo como *Space Oddity* por RCA en 1972 (LSP 4813), con nueva portada mostrando una foto de Ziggy Stardust realizada por Mick Rock, y sin «Don't Sit Down»; en 1984 por RCA en el Reino Unido (PL 84813); en 1990 en Estados Unidos como un LP doble en vinilo transparente, por Rykodisc (RALP 0131-2) y en el Reino Unido como single de vinilo negro por EMI (EMC 3571), reincorporando el tema «Don't Sit Down» y los temas adicionales: «Conversation Piece»/ «Memory Of A Free Festival (Part 1)»/ «Memory Of A Free Festival (Part 2)»; en 2000 en el Reino Unido dentro de la serie Simply Vinyl Series de Virgin/EMI (SVLP 263). Reeditado en CD en 1985 por RCA (PD 84813); Edición 40 Aniversario: Doble CD, lanzado en 2009 (EMI DBSOCD 40), con el disco adicional: «Space Oddity (demo)»/ «An Occasional Dream (demo)»/ «Wild Eyed Boy From Freecloud (B-side)»/ «Let Me Sleep Beside You (BBC radio session)»/ «Unwashed And Somewhat Slightly Dazed (BBC radio session)»/ «Janine (BBC radio session)»/ «London Bye Ta-Ta (stereo version)»/ «The Prettiest Star (stereo version)»/ «Conversation Piece (stereo version)»/ «Memory Of A Free Festival (Part 1)»/ «Memory Of A Free Festival (Part 2)»/ «Wild Eyed Boy From Freecloud (alternate album mix)»/ «Memory Of A Free Festival (alternate album mix)»/ «London Bye Ta-Ta (alternate album mix)»/ «Ragazzo Solo, Ragazza Sola (full-lenght stereo version)».

THE MAN WHO SOLD THE WORLD 1970

Grabado en Trident Studios
17 St. Anne's Court, Wardour Street, Soho, Londres, Reino Unido
y Advision Studios
23 Gosfield Street, Londres, Reino Unido
Producido por Tony Visconti

Músicos
David Bowie – Voces, guitarra
Ralph Mace – Sintetizador
Mick Ronson – Guitarra, voces
Tony Visconti – Bajo, piano, guitarra
Mick «Woody» Woodmansey – Batería

Portada
Keef (Keith MacMillan) – Fotografía (edición del Reino Unido)
Mike Weller – Ilustración (edición de Estados Unidos)

Cara Uno
«The Width Of A Circle»/ «All The Madmen»/
«Black Country Rock»/ «After All»

Cara Dos
«Running Gun Blues»/ «Saviour Machine»/
«She Shook Me Cold»/ «The Man Who Sold The World»/
«The Supermen»

Fechas de lanzamiento
Estados Unidos: 4 de noviembre de 1970/ Reino Unido: abril de 1971

Sello discográfico y número de catálogo
Reino Unido: Mercury 6338 041 / Estados Unidos: Mercury 61325

Máxima posición en las listas para la fecha de lanzamiento
Reino Unido y Estados Unidos: no llegó a las listas

Notas
Todos los temas compuestos por David Bowie.
La portada original de la versión estadounidense tiene dibujado un comic de Mike Weller que representa a un vaquero delante del Cane Hill Hospital. Las reediciones de 1972, 1983 y 1984 tienen en la portada una foto en blanco y negro de Ziggy en actitud presumida, tomada por Brian Ward. Reeditado en vinilo en 1972 por RCA (LSP 4816); en 1983 por RCA (INTS 5237); en 1984 por RCA (NL 84654); en 1990 como un LP doble en Estados Unidos por Rykodisc (RALP 0132-2 2LP) y en el Reino Unido por EMI (EMC 3573); en 2001 en el Reino Unido dentro de la serie Simply Vinyl Series de Virgin/EMI (SVLP 264). Reeditado en CD en 1984 (PD-84654); en 1990 en Estados Unidos por Rykodisc (RCD 10132) y en el Reino Unido por EMI (CDP 79 1837 2) con los temas adicionales: «Lightning Frightening»/«Holy Holy»/ «Moonage Daydream (Arnold Corns)»/ «Hang On To Yourself (Arnold Corns)».

HUNKY DORY 1971

Grabado en Trident Studios
17 St. Anne's Court, Wardour Street, Soho, Londres, Reino Unido
Producido por Ken Scott y David Bowie

Músicos
David Bowie – Voces, guitarra, saxofón, piano
Trevor Bolder – Bajo, trompeta
Mick Ronson – Guitarra
Rick Wakeman – Piano
Mick «Woody» Woodmansey – Batería

Portada
Brian Ward – Fotografía
Terry Pastor – Colores

Cara Uno
«Changes»/ «Oh! You Pretty Things»/ «Eight Line Poem»/ «Life On Mars?»/ «Kooks»/ «Quicksand»

Cara Dos
«Fill Your Heart»/ «Andy Warhol»/ «Song For Bob Dylan»/ «Queen Bitch»/ «The Bewlay Brothers»

Fecha de lanzamiento
17 de diciembre de 1971

Sello discográfico y número de catálogo
Reino Unido: RCA SF 8244 / Estados Unidos: RCA LSP 4623

Máxima posición en las listas para la fecha de lanzamiento
Reino Unido: 3 / Estados Unidos: 93

Notas
Todos los temas compuestos por David Bowie, excepto el tema uno de la cara dos, por Biff Rose/Paul Williams. Reeditado en vinilo en 1981 por RCA (INTS 5064); en 1984 en el Reino Unido como picture disc (edición limitada) (BOPIC2); en 1984 por RCA (NL 83844); en 1990 como un LP doble en Estados Unidos por Rykodisc (RALP 0133-2) y en el Reino Unido por EMI (EMC 3572) con los temas adicionales: «Bombers»/ «The Supermen (alternate version)»/ «Quicksand (demo)»/ «The Bewlay Brothers (alternate mix)»; en 2001 en el Reino Unido dentro de la serie Simply Vinyl Series de Virgin/EMI (SVLP 265). Reeditado en CD en 1985 en Alemania por RCA (RCA PD-84623); en 1990 en Estados Unidos por Rykodisc (RCD 10133) y en el Reino Unido por EMI (CDP 79 1843 2) con temas adicionales (*superior*).

THE RISE AND FALL OF ZIGGY STARDUST AND THE SPIDERS FROM MARS 1972

Grabado en Trident Studios
17 St. Anne's Court, Wardour Street, Soho, Londres, Reino Unido
Producido por Ken Scott y David Bowie

Músicos
David Bowie – Voces, guitarra, teclados, saxofón
Trevor Bolder – Bajo
Dana Gillespie – Coros (en «It Ain't Easy»)
Mick Ronson – Guitarra, piano, voces
Rick Wakeman – Clavecín, teclados (en «It Ain't Easy»)
Mick «Woody» Woodmansey – Batería

Portada
Brian Ward – Fotografía
Terry Pastor – Colores

Cara Uno
«Five Years»/ «Soul Love»/ «Moonage Daydream»/ «Starman»/ «It Ain't Easy»

Cara Dos
«Lady Stardust»/ «Star»/ «Hang On To Yourself»/ «Ziggy Stardust»/ «Suffragette City»/ «Rock 'n' Roll Suicide»

Fechas de lanzamiento
Reino Unido: 6 de junio de 1972 / Estados Unidos: 1 de septiembre de 1972

Sello discográfico y número de catálogo
Reino Unido: RCA SF 8287 / Estados Unidos: LSP-1 4702

Máxima posición en las listas para la fecha de lanzamiento
Reino Unido: 5 / Estados Unidos: 75

Notas
Todos los temas compuestos por David Bowie, excepto el tema cinco de la cara uno, por Ron Davies. Reeditado en vinilo en 1980 por RCA (INTS 5063); en 1984 en el Reino Unido como picture disc (edición limitada) por RCA (BOPIC 3); en 1985 por RCA (NL 83843); en 1990 como un LP doble en Estados Unidos por Rykodisc (RALP 0134-2) y en el Reino Unido por EMI (EMC 3577) con los temas adicionales: «John, I'm Only Dancing (remix)»/ «Velvet Goldmine»/ «Sweet Head»/ «Ziggy Stardust (demo)»/ «Lady Stardust (demo)»; en 2001 dentro de la serie Simply Vinilo Series de Virgin/ EMI (SVLP 275). Reeditado en CD en 1985 en Alemania por RCA (PD-84702); en 1990 en Estados Unidos por Rykodisc (RCD 10134) y en el Reino Unido por EMI (CDP 79 4400 2); en 1990 como un box set de edición limitada en Estados Unidos por Rykodisc (RCD 90134) y en el Reino Unido por EMI (CDEMC 3577) con temas adicionales (*superior*); en 1999 en el Reino Unido por EMI (7243 52190003); en 2002 en el Reino Unido como Edición 30 Aniversario de 2CD, por EMI (539 8262) con los temas adicionales: «Moonage Daydream (Arnold Corns)»/ «Hang On To Yourself (Arnold Corns)»/ «Lady Stardust (demo)»/ «Ziggy Stardust (demo)»/ «John, I'm Only Dancing»/ «Velvet Goldmine»/ «Holy Holy»/ «Amsterdam»/«The Supermen»/ «Round And Round»/ «Sweet Head (take 4)»/ «Moonage Daydream (new mix)».

ALADDIN SANE 1973

Grabado en Trident Studios
17 St. Anne's Court, Wardour Street, Soho, Londres, Reino Unido
RCA Studios
155 East 24th Street, Manhattan, Nueva York, Estados Unidos
RCA Studios

611 Roy Acuff Place, Nashville, Tennessee, Estados Unidos
Producido por Ken Scott y David Bowie

Músicos
David Bowie – Voces, guitarra, armónica, saxofón
Trevor Bolder – Bajo
Mac Cormack (Geoff MacCormack) – Coros
Ken Fordham – Saxofón
Juanita «Honey» Franklin – Coros
Mike Garson – Piano
Linda Lewis – Coros
Mick Ronson – Guitarra, piano, voces
Brian «Bux» Wilshaw – Flauta, saxofón
Mick «Woody» Woodmansey – Batería

Portada
Brian Duffy – Fotografía

Cara Uno
«Watch That Man»/ «Aladdin Sane (1913–1938–197?)»/ «Drive-In Saturday»/ «Panic In Detroit»/ «Cracked Actor»

Cara Dos
«Time»/ «The Prettiest Star»/ «Let's Spend The Night Together»/ «The Jean Genie»/ «Lady Grinning Soul»

Fecha de lanzamiento
13 de abril de 1973

Sello discográfico y número de catálogo
RCA RS 1001

Máxima posición en las listas para la fecha de lanzamiento
Reino Unido: 1 / Estados Unidos: 17

Notas
Todos los temas compuestos por David Bowie, excepto el tema tres de la cara dos, por Mick Jagger/ Keith Richards. Reeditado en vinilo en 1981 por RCA (INTS 5067); y para Europa, por RCA (NL 83890); en 1984 como picture disc, por RCA (BOPIC 1); en 1990 en Estados Unidos, por Rykodisc (RALP 0135-2) y en el Reino Unido, por EMI (EMC 3579); en 1999 en el Reino Unido como Edición Limitada «Limited Millennium Edition», por EMI (7243 4994631 6); en 2001 dentro de la serie Simply Vinyl Series de Virgin/EMI (SVLP 276). Reeditado en CD en 1984 en Alemania por RCA (PD 83890); en 1990 en Estados Unidos, por Rykodisc (RCD 10135) y en el Reino Unido, por EMI (EMC 3579); en 1999, por EMI (7243 5219020); en 2003 como Edición 30 Aniversario de 2CD, por EMI (7243 5830122 9) con los temas adicionales: «John, I'm Only Dancing (sax version)»/ «The Jean Genie (original single mix)»/ «Time (single edit)»/ «All The Young Dudes (mono mix)»/ «Changes (live in Boston, 1/10/72)»/ «The Supermen (live in Boston, 1/10/72)»/ «Life On Mars? (live in Boston, 1/10/72)»/ «John, I'm Only Dancing (live in Boston, 1/10/72)»/ «The Jean Genie (live in Santa Mónica, 20/10/72)»/ «Drive-In Saturday (live in Cleveland, 25/11/72)». Edición remasterizada en 2013 por el 40 aniversario para EMI (DBAS40).

PIN UPS 1973

Grabado en Château d'Hérouville Studios
Pontoise, Francia
Producido por Ken Scott y David Bowie

Músicos
David Bowie – Voces, guitarra, saxofón
Trevor Bolder – Bajo
Aynsley Dunbar – Batería
Ken Fordham – Saxofón
Mike Garson – Piano
G A MacCormack (Geoff MacCormack) – Coros
Mick Ronson – Guitarra, piano, voces

Portada
Justin de Villeneuve – Fotografía de la portada
Mick Rock – Fotografía de la contraportada

Cara Uno
«Rosalyn»/ «Here Comes The Night»/ «I Wish You Would»/ «See Emily Play»/ «Everything's Alright»/ «I Can't Explain»

Cara Dos
«Friday On My Mind»/ «Sorrow»/ «Don't Bring Me Down»/ «Shapes Of Things»/ «Anyway, Anyhow, Anywhere»/ «Where Have All The Good Times Gone?»

Fecha de lanzamiento
19 de octubre de 1973

Sello discográfico y número de catálogo
RCA RS 1003

Máxima posición en las listas para la fecha de lanzamiento
Reino Unido: 1 / Estados Unidos: 23

Notas
Temas compuestos por (en orden): Jimmy Duncan/ Bill Farley; Bert Berns; Billy Boy Arnold; Syd Barrett; Nicky Crouch/ John Konrad/ Simon Stavely/ Stuart James/ Keith Karlson; Pete Townshend; George Young/ Harry Vanda; Bob Feldman/ Jerry Goldstein/ Richard Gottehrer; Johnnie Dee; Paul Samwell-Smith/ Jim McCarty/ Keith Relf; Roger Daltrey/Pete Townshend; Ray Davies. Reeditado en vinilo en 1981 por RCA (INTS 5236); en 1984 como disco ilustrado (edición limitada), por RCA

(BOPIC 4); en 1990 en Estados Unidos, por Ryko Analogue (RALP 0136-2) y en el Reino Unido, por EMI (EMC 3580) con los temas adicionales: «Growin' Up»/ «Amsterdam»; en 2001 dentro de la serie Simply Vinyl Series de Virgin/EMI (SVLP 277). Reeditado en CD en 1984 en Alemania por RCA (PD 84653); en 1990 en Estados Unidos, por Rykodisc (RCD 10146) y en el Reino Unido, por EMI (CDP 79 4767 2) con temas adicionales (*superior*); en 1999 por EMI (7243 5219030) remasterizado sin incluir los temas adicionales de las ediciones de 1990.

DIAMOND DOGS 1974

Grabado en Olympic Studios
117 Church Road, Barnes, Londres, Reino Unido
Island Studios
8–10 Basing Street, Londres, Reino Unido
Studio L. Ludolf
Machineweg 8–12, Hilversum, Países Bajos
Producido por David Bowie

Músicos
David Bowie – Voces, guitarra, saxofones, sintetizador Moog, Melotron
Aynsley Dunbar – Batería
Herbie Flowers – Bajo
Mike Garson – Teclados
Tony Newman – Batería
Alan Parker – Guitarra (en «1984»)
Tony Visconti – Cuerdas

Portada
Guy Peellaert – Ilustración de la portada
Terry O'Neill – Fotografía de la portada
Leee Black Childers – Collage desplegable

Cara Uno
«Future Legend»/ «Diamond Dogs»/ «Sweet Thing»/ «Candidate»/ «Sweet Thing (reprise)»/ «Rebel Rebel»

Cara Dos
«Rock 'n' Roll With Me»/ «We Are The Dead»/ «1984»/ «Big Brother»/ «Chant Of The Ever Circling Skeletal Family»

Fecha de lanzamiento
24 de abril de 1974

Sello discográfico y número de catálogo
RCA APL1 0576

Máxima posición en las listas para la fecha de lanzamiento
Reino Unido: 1 / Estados Unidos: 5

Notas
Todos los temas compuestos por David Bowie, excepto el tema uno de la cara dos, por David Bowie/ Warren Peace (Geoff MacCormack). En marzo de 2004 se vendió una portada original no censurada por una cantidad cercana a las 9.000 libras (algo más de 11.000 €). El álbum se lanzó en 2003 en un estuche de CD doble junto con *Aladdin Sane*, y en 2004 en un estuche de 3CD junto con *Aladdin Sane* y *Hunky Dory*. Reeditado en vinilo en 1981 por RCA (INTS 5068); en Europa, por RCA (NL 83889); en 1984 como picture disc (edición limitada), por RCA (BOPIC 5); en 1990 en Estados Unidos, por Ryko Analogue (RALP 0137-2) y en el Reino Unido, por EMI (EMC 3584) con portada no censurada y los temas adicionales: «Dodo»/ «Candidate (demo)». Reeditado en CD en 1984 en Alemania por RCA (PD 83889); en 1990 en Estados Unidos, por Ryko Analogue (RCD 10137) y en el Reino Unido, por EMI (CDP 79 5211 2) con temas adicionales (*superior*); en 1999, por EMI (7243 5219040) remasterizado; en 2004, por EMI (7243 57786027) como Edición 30 Aniversario de 2CD, con los temas adicionales: «1984»/ «Dodo»/ «Rebel Rebel (U.S. Single version)»/ «Dodo»/ «Growin' Up»/ «Alternative Candidate»/ «Diamond Dogs (K-Tel edit)»/ «Candidate (*Intimacy* mix)»/ «Rebel Rebel (2003)».

YOUNG AMERICANS 1975

Grabado en Sigma Sound
212 North 12th Street, Filadelfia, Estados Unidos
y Electric Lady
52 West 8th Street, Nueva York, Estados Unidos
Producido por Tony Visconti («Across The Universe» y «Fame» por David Bowie y Harry Maslin)

Músicos
David Bowie – Voces, guitarra, piano
Carlos Alomar – Guitarra
Ava Cherry – Coros
Robin Clark – Coros
Mike Garson – Piano
Anthony Hinton – Coros
Warren Peace (Geoff MacCormack) – Coros
Andy Newmark – Batería
Pablo Rosario – Percusión
David Sanborn – Saxofón
Diane Sumler – Coros
Luther Vandross – Coros
Larry Washington – Conga
Willie Weeks – Bajo
En «Across The Universe» y «Fame» solamente:
Dennis Davis – Batería
Jean Fineberg – Coros
Emir Kassan – Bajo
John Lennon – Voces, guitarra
Ralph McDonald – Percusión

an Millington – Coros
arl Slick – Guitarra

Portada
Eric Stephen Jacobs – Fotografía

Cara Uno
«Young Americans»/ «Win»/ «Fascination»/ «Right»

Cara Dos
«Somebody Up There Likes Me»/ «Across The Universe»/ «Can You Hear Me»/ «Fame»

Fecha de lanzamiento
7 de marzo de 1975

Sello discográfico y número de catálogo
RCA RS 1006

Máxima posición en las listas para la fecha de lanzamiento
Reino Unido: 2 / Estados Unidos: 9

Notas
Todos los temas compuestos por David Bowie, excepto: canción tres de la cara uno, por David Bowie/ Luther Vandross; tema dos de la cara dos, por Lennon/ McCartney; tema cuatro de la cara dos, por David Bowie/ Carlos Alomar/ John Lennon. El álbum fue lanzado en 2004 en un set de 3CD junto con *Let's Dance* y *Station To Station*. Reeditado en vinilo en 1984 por RCA (PL 80998); en 1991, por EMI (EMD 1021) con los temas adicionales: «Who Can I Be Now?»/ «It's Gonna Be Me»/ «John, I'm Only Dancing (Again)». Reeditado en CD en 1985 en Alemania por RCA (PD 80998); en 1991 en Estados Unidos, por Rykodisc (RCD 10140) y en el Reino Unido, por EMI (CDP 79 6436 2) con temas adicionales (*superior*); en 1999, por EMI (7243 5219050 8); en 2007 en Estados Unidos, por EMI (0946 3 51260 2 0) y en el Reino Unido (09463 51258 2 5) como juego de dos discos CD/DVD con metraje de *The Dick Cavett Show*, que incluye «1984», «Young Americans» y una entrevista con Dick Cavett. Temas adicionales en el CD: «John, I'm Only Dancing (Again)»/ «Who Can I Be Now?»/ «It's Gonna Be Me (with strings)».

STATION TO STATION 1976

Grabado en Cherokee Studios
751 North Fairfax Avenue, Los Ángeles, Estados Unidos
Record Plant Studios
8456 West Third Street, Los Ángeles, Estados Unidos
Producido por David Bowie y Harry Maslin

Músicos
David Bowie – Voces, guitarra, saxofón
Carlos Alomar – Guitarra
Roy Bittan – Piano
Dennis Davis – Batería
George Murray – Bajo
Warren Peace (Geoff MacCormack) – Voces
Earl Slick – Guitarra

Portada
Steve Schapiro – Fotografía

Cara Uno
«Station To Station»/ «Golden Years»/ «Word On A Wing»

Cara Dos
«TVC 15»/ «Stay»/ «Wild Is The Wind»

Fecha de lanzamiento
23 de enero de 1976

Sello discográfico y número de catálogo
RCA APLI 1327

Máxima posición en las listas para la fecha de lanzamiento
Reino Unido: 5 / Estados Unidos: 3

Notas
Todos los temas compuestos por David Bowie, excepto la canción tres de la cara dos, por Ned Washington/ Dimitri Tiomkin. La portada se diseñó inicialmente a todo color y sin marco; Bowie hizo los cambios en el último momento. Existen algunos ejemplares de prueba o para promoción a todo color. El álbum se lanzó en 2004 como un set de 3CD junto con *Let's Dance* y *Young Americans*. Reeditado en vinilo en 1981 por RCA (PL 81327); en 1991 por EMI (EMD 1020) con un grafismo en la portada a todo color y los temas adicionales: «Word On A Wing (live)»/ «Stay (live)». Reeditado en CD en 1985 en Alemania por RCA (PD 8132); en 1991 en Estados Unidos, por Rykodisc (RCD 10141) y en el Reino Unido, por EMI (CDP 79 6435 2) con portada a todo color y temas adicionales (*superior*); en 1999, por EMI (7243 5219060 7), remasterizado y con portada a todo color; en 2010, por EMI (BOWSTSX2010) como una edición especial de tres CD con los siguientes temas adicionales grabados en vivo en el Nassau Coliseum en 1976: «Station To Station»/ «Suffragette City»/ «Fame»/ «Word On A Wing»/ «Stay»/ «Waiting For The Man»/ «Queen Bitch»/ «Life On Mars?»/ «Five Years»/ «Panic In Detroit»/ «Changes»/ «TVC15»/«Diamond Dogs»/ «Rebel Rebel»/ «The Jean Genie» y una versión de «Panic In Detroit (unedited alternate mix)» solo para descarga de internet; en 2010, por EMI (BOWSTSD2010) como Edición de Lujo («Deluxe Edition») consistente en tres LP, cinco CD y un DVD con los temas adicionales: «Golden Years (single version)»/ «TVC15 (single edit)»/ «Stay (single edit)»/ «Word On A Wing (single edit)»/ «Station To Station (single edit)».

LOW 1977

Grabado en Château d'Hérouville Studios
Pontoise, Francia
Hansa Studios
Köthener Strasse 38, Berlín, Alemania
Producido por David Bowie y Tony Visconti

Músicos
David Bowie – Voces, sintetizador ARP, Tape Horn, bajo-sintetizador de cuerdas, saxofones, violonchelos, grabación, guitarra, armonio bajo, armónica, piano, percusión, Chamberlin, vibráfonos, xilófonos, sonidos ambient
Carlos Alomar – Guitarra
Dennis Davis – Percusión
Brian Eno – Splinter Mini-Moog, Report ARP, Rimmer EMI, tratamientos de guitarra, Chamberlin, voces (en «Sound And Vision»)
Ricky Gardiner – Guitarra
Eduard Meyer – Violonchelos (en «Art Decade»)
George Murray – Bajo
Iggy Pop – Voces (en «What In The World»)
Mary Visconti – Voces (en «Sound And Vision»)
Roy Young – Piano, órgano farfisa
Peter and Paul – Pianos, sintetizador ARP (en «Subterraneans»)

Portada
Steve Schapiro – Fotografía

Cara Uno
«Speed Of Life»/ «Breaking Glass»/ «What In The World»/ «Sound And Vision»/ «Always Crashing In The Same Car»/ «Be My Wife»/ «A New Career In A New Town»

Cara Dos
«Warszawa»/ «Art Decade»/ «Weeping Wall»/ «Subterraneans»

Fecha de lanzamiento
14 de enero de 1977

Sello discográfico y número de catálogo
RCA PL 12030

Máxima posición en las listas para la fecha de lanzamiento
Reino Unido: 2 / Estados Unidos: 11

Notas
Todos los temas compuestos por David Bowie, excepto: tema dos de la cara uno, por David Bowie/ Dennis Davis/ George Murray; tema uno de la cara dos, por David Bowie/ Brian Eno. Un pequeño número de LP originales se imprimieron en vinilo rojo. El álbum se lanzó en 2004 en un set como CD doble junto con *"Heroes"*. Reeditado en vinilo en 1981 por RCA (INTS 5065); en 1984, por RCA (NL 83856); en 1991, por EMI (EMD 1027), remasterizado y con los temas adicionales: «Some Are»/ «All Saints»/ «Sound And Vision (remixed)». Reeditado en CD en 1985 en Alemania por RCA (PD 83856); en 1991 en Estados Unidos, por Rykodisc (RCD 10142) y en el Reino Unido, por EMI (CDP 79 7719 2), remasterizado y con temas adicionales (*superior*); en 1999 por EMI (7243 521907 0 6).

"HEROES" 1977

Grabado en Hansa Studios
Köthener Strasse 38, Berlín, Alemania
Producido por David Bowie y Tony Visconti

Músicos
David Bowie – Voces, teclados, guitarra, saxofón, koto
Carlos Alomar – Guitarra
Dennis Davis – Percusión
Brian Eno – Sintetizadores, teclados, tratamientos de guitarra
Robert Fripp – Guitarra
Antonia Maass – Coros
George Murray – Bajo
Tony Visconti – Coros

Portada
Masayoshi Sukita – Fotografía

Cara Uno
«Beauty and the Beast»/ «Joe the Lion»/ «"Heroes"»/ «Sons of the Silent Age»/ «Blackout»

Cara Dos
«V-2 Schneider»/ «Sense of Doubt»/ «Moss Garden»/ «Neuköln»/ «The Secret Life of Arabia»

Fecha de lanzamiento
14 de octubre de 1977

Sello discográfico y número de catálogo
RCA PL 12522

Máxima posición en las listas para la fecha de lanzamiento
Reino Unido: 3 / Estados Unidos: 35

Notas
Todos los temas compuestos por David Bowie, excepto: tema tres de la cara uno, por David Bowie/ Brian Eno; temas tres y cuatro de la cara dos, por David Bowie/ Brian Eno; tema cinco de la cara dos, por David Bowie/ Brian Eno/ Carlos Alomar. El álbum se lanzó en 2003 en un set como CD doble junto con *Scary Monsters... And Super Creeps*, y en 2004 también en un set como CD doble junto con *Low*. Reeditado en vinilo en 1981 por RCA (INTS 5066); en 1984, por RCA (NL 83857); en 1991, por EMI (EMD 1025) con funda desplegable. Reeditado en CD

1984 en Alemania por RCA (PD 83857); en 1991 en Estados Unidos, por Rykodisc (RCD 10143) y en el Reino Unido, por EMI (CDP 79 7720 2) con los temas adicionales: «Abdulmajid»/ «Joe The Lion (remix)»; en 1999, por EMI (7243 521908 0 5), remasterizado.

LODGER 1979

Grabado en Mountain Studios
Rue du Théâtre 9, Montreux, Suiza
Record Plant Studios
321 West 44th Street, Nueva York, Estados Unidos
Producido por David Bowie y Tony Visconti

Músicos
David Bowie – Voces, piano, sintetizador, Chamberlin, guitarra
Carlos Alomar – Guitarra, batería
Adrian Belew – Mandolina, guitarra
Dennis Davis – Percusión
Brian Eno – Drone Ambient, preparación de piano y Cricket Menace, sintetizador, tratamientos de guitarra, trompetas Horse, corno «Heróica», piano
Simon House – Mandolina, violín
Sean Mayes – Piano
George Murray – Bajo
Roger Powell – Sintetizador
Stan – Saxofón
Tony Visconti – Mandolina, coros, guitarra

Portada
Brian Duffy – Fotografía
Derek Boshier y David Bowie – Diseño

Cara Uno
«Fantastic Voyage»/ «African Night Flight»/ «Move On»/ «Yassassin»/ «Red Sails»

Cara Dos
«D. J.»/ «Look Back In Anger»/ «Boys Keep Swinging»/ «Repetition»/ «Red Money»

Fecha de lanzamiento
18 de mayo de 1979

Sello discográfico y número de catálogo
RCA BOWLP 1

Máxima posición en las listas para la fecha de lanzamiento
Reino Unido: 4 / Estados Unidos: 20

Notas
Todos los temas compuestos por David Bowie/Brian Eno, excepto: temas tres y cuatro de la cara uno, por David Bowie; tema uno de la cara dos, por David Bowie/ Brian Eno/ Carlos Alomar; tema cuatro de la cara dos, por David Bowie; tema cinco de la cara dos, por David Bowie/ Carlos Alomar. El álbum se lanzó en 2004 en un set de CD doble junto con *Scary Monsters... And Super Creeps*. Reeditado en vinilo en 1982 por RCA (INTS 5212); en 1984, por RCA (NL 84234); en 1991, por EMI (064 7 97724 1) con los temas adicionales: «I Pray, Olé», «Look Back In Anger (1988 version)». Reeditado en CD en 1984 en Alemania por RCA (PD 84234); en 1991 en Estados Unidos, por Rykodisc (RCD 10146) y en el Reino Unido, por EMI (EMD 1026) con temas adicionales (*superior*); en 1999 por EMI (7243 521909 0 4), versión remasterizada.

SCARY MONSTERS... AND SUPER CREEPS 1980

Grabado en The Power Station
441 West 53rd Street, Nueva York, Estados Unidos
Good Earth Studios
59 Dean Street, Londres, Reino Unido
Producido por David Bowie y Tony Visconti

Músicos
David Bowie – Voces, teclados
Carlos Alomar – Guitarra
Roy Bittan – Piano
Andy Clark – Sintetizadores
Dennis Davis – Percusión
Robert Fripp – Guitarra
Chuck Hammer – Guitarra (en «Ashes To Ashes», «Teenage Wildlife»)
Michi Hirota – Voces (en «It's No Game (No. 1)»)
Lynn Maitland – Coros
George Murray – Bajo
Chris Porter – Coros
Pete Townshend – Guitarra (en «Because You're Young»)
Tony Visconti – Coros, guitarra acústica (en «Up The Hill Backwards» y «Scary Monsters»)

Portada
Brian Duffy – Fotografía
Edward Bell – Ilustración

Cara Uno
«It's No Game (No. 1)»/ «Up The Hill Backwards»/ «Scary Monsters (And Super Creeps)»/ «Ashes To Ashes»/ «Fashion»

Cara Dos
«Teenage Wildlife»/ «Scream Like A Baby»/ «Kingdom Come»/ «Because You're Young»/ «It's No Game (No. 2)»

Fecha de lanzamiento
12 de septiembre de 1980

Sello discográfico y número de catálogo
RCA BOWLP 2

Máxima posición en las listas para la fecha de lanzamiento
Reino Unido: 1 / Estados Unidos: 12

Notas
Todos los temas compuestos por David Bowie, excepto el tema tres de la cara dos, por Tom Verlaine. El álbum se lanzó en 2003 en un set como CD doble junto con *"Heroes"*, y en 2004 también en un set como CD doble junto con *Lodger*. Reeditado en vinilo en 1984 por RCA (PL 83647). Reeditado en CD en 1984 en Alemania por RCA (PD 83647); en 1992 en Estados Unidos, por Rykodisc (RCD 20147) y en el Reino Unido, por EMI (CDP 79 9331 2) con los temas adicionales: «Space Oddity (1979)»/ «Panic In Detroit (1979)»/ «Crystal Japan»/ «Alabama Song»; en 1999, por EMI (7243 521 895 0 2), edición remasterizada.

LET'S DANCE 1983

Grabado en The Power Station
441 West 53rd Street, Nueva York, Estados Unidos
Producido por David Bowie y Nile Rodgers

Músicos
David Bowie – Voces
Robert Arron – Saxofón tenor, flauta
Bernard Edwards – Bajo (en «Without You»)
Steve Elson – Saxofón barítono, flauta
Sammy Figueroa – Percusión
Mac Gollehon – Trompeta
Omar Hakim – Batería
Stan Harrison – Saxofón tenor, flauta
Nile Rodgers – Guitarra
Carmine Rojas – Bajo
Rob Sabino – Teclados
George y Frank Simms – Coros
David Spinner – Coros
Tony Thompson – Batería
Stevie Ray Vaughan – Primera guitarra

Portada
Greg Gorman – Fotografía
Derek Boshier – Ilustración
Mick Haggerty – Diseño

Cara Uno
«Modern Love»/ «China Girl»/ «Let's Dance»/ «Without You»

Cara Dos
«Ricochet»/ «Criminal World»/ «Cat People (Putting Out Fire)»/ «Shake It»

Fecha de lanzamiento
14 de abril de 1983

Sello discográfico y número de catálogo
EMI AML 3029

Máxima posición en las listas para la fecha de lanzamiento
Reino Unido: 1 / Estados Unidos: 4

Notas
Todos los temas compuestos por David Bowie, excepto: tema dos de la cara uno, por David Bowie/ Iggy Pop; tema dos de la cara dos, por Peter Godwin/ Duncan Browne/ Sean Lyons; tema tres de la cara dos, por David Bowie/ Giorgio Moroder. El álbum se lanzó en 2004 en un set como CD triple junto con *Station To Station* y *Young Americans*. Reeditado en un picture disc de vinilo en 1983 por EMI (AMLP 3029). Reeditado en CD en 1983 por EMI (EMI CDP 7 46002 2); en 1995, por Virgin (CDVUS96) con el tema adicional: «Under Pressure»; en 1998, por EMI (7243 493094 2 5); en 1999, por EMI (7243 521896 0 1), versión remasterizada.

TONIGHT 1984

Grabado en Le Studio
Morin Heights, Canadá
Producido por David Bowie, Derek Bramble y Hugh Padgham

Músicos
David Bowie – Voces
Carlos Alomar – Guitarra
Derek Bramble – Bajo, sintetizador (bajo, guitarra, sintetizador, armonías vocales)
Robin Clark – Coros
Steve Elson – Saxofón barítono
Sammy Figueroa – Percusión
Omar Hakim – Batería
Stanley Harrison – Saxofón alto y tenor
Curtis King – Coros
Mark Pender – Trompeta, fliscorno
Lenny Pickett – Saxofón tenor, clarinete
Iggy Pop – Voces (en «Dancing With The Big Boys»)
Carmine Rojas – Bajo
George Simms – Coros
Guy St Onge – Marimba
Tina Turner – Voces (en «Tonight»)

Portada
Mick Haggerty – Diseño e ilustración

Cara Uno
«Loving The Alien»/ «Don't Look Down»/ «God Only Knows»/ «Tonight»

a Dos
Neighborhood Threat»/ «Blue Jean»/ «Tumble And Twirl»/
«I Keep Forgettin'»/ «Dancing With The Big Boys»

Fecha de lanzamiento
24 de septiembre de 1984

Sello discográfico y número de catálogo
EMI America DB 1

Máxima posición en las listas para la fecha de lanzamiento
Reino Unido: 1 / Estados Unidos 11

Notas
Temas compuestos por (en orden): David Bowie; Iggy Pop/ James Williamson; Brian Wilson/ Tony Asher; David Bowie/ Iggy Pop; David Bowie/ Iggy Pop/ Ricky Gardiner; David Bowie; David Bowie/ Iggy Pop; Jerry Leiber/ Mike Stoller; David Bowie/ Iggy Pop/ Carlos Alomar. El álbum se lanzó en 2004 en un set de dos CD junto con *Never Let Me Down*. Reeditado en CD en 1984 por EMI (CDP 7 46047 2); en 1995, por Virgin (CDVUS97) con los temas adicionales: «This Is Not America»/ «Absolute Beginners»/ «As The World Falls Down»; en 1998, por EMI (7243 493102 2 3); en 1999, por EMI (7243 521897 0 0), versión remasterizada.

LABYRINTH 1986

Grabado en Atlantic Studios
1841 Broadway, Nueva York, Estados Unidos
Abbey Road Studios
3 Abbey Road, St. John's Wood, Londres, Reino Unido
Producido por David Bowie y Arif Mardin
(«Chilly Down» por David Bowie; «Opening Titles Including Underground» por Arif Mardin y Trevor Jones)

Músicos
David Bowie – Voces
Garcia Alston – Coros
Robin Beck – Coros (en «As The World Falls Down»)
Robbie Buchanan – Teclados, sintetizadores, programación
Albert Collins – Guitarra (en «Underground»)
Mary Davis Canty – Coros
Beverly Ferguson – Coros
Steve Ferrone – Batería, efectos de percusión
A Marie Foster – Coros
Bob Gay – Saxofón Alto (en «Underground»)
James Glenn – Coros
Diva Gray – Coros
Cissy Houston – Coros
Dan Huff – Guitarra (en «Magic Dance»)
Chaka Khan – Coros
Will Lee – Bajo, Coros
Marcus Miller – Coros
Jeff Mironov – Guitarra (en «As The World Falls Down»)
Nicky Moroch – Guitarra (en «Underground»' y «As The World Falls Down»)
Eunice Peterson – Coros
Marc Stevens – Coros
Rennele Stafford – Coros
Richard Tee – Piano y órgano Hammond B-3 (en «Underground»)
Fonzi Thornton – Coros
Luther Vandross – Coros
Daphne Vega – Coros
En «Chilly Down» solamente:
Kevin Armstrong – Guitarra
Charles Augins – Voces
Richard Bodkin – Voces
Kevin Clash – Voces
Neil Conti – Batería
Danny John-Jules – Voces
Nick Plytas – Teclados
Matthew Seligman – Bajo
En «Opening Titles Including Underground» solamente:
Harold Fisher – Batería
Brian Gascoigne – Teclados
Trevor Jones – Teclados
David Lawson – Teclados
Ray Russell – Guitarra
Paul Westwood – Bajo

Cara Uno
«Opening Titles Including Underground»/
«Into The Labyrinth»/ «Magic Dance»/ «Sarah»/
«Chilly Down»/ «Hallucination»

Cara Dos
«As The World Falls Down»/ «The Goblin Battle»/
«Within You»/ «Thirteen O'Clock»/ «Home At Last»/
«Underground»

Fecha de lanzamiento
23 de junio de 1986

Sello discográfico y número de catálogo
EMI America AML 3104

Máxima posición en las listas para la fecha de lanzamiento
Reino Unido: 38 / Estados Unidos: 68

Notas
Todos los temas compuestos por David Bowie, excepto: tema uno de la cara uno, por Trevor Jones/ David Bowie; temas dos, cuatro y seis de la cara uno, y temas dos, cuatro y cinco de la cara dos, por Trevor Jones.

NEVER LET ME DOWN 1987

Grabado en Mountain Studios
Rue du Théâtre 9, Montreux, Suiza
The Power Station
441 West 53rd Street, Nueva York, Estados Unidos
Producido por David Bowie y David Richards

Músicos
David Bowie – Voces, guitarra, teclados, Melotron, Moog, armónica, pandereta
Carlos Alomar – Guitarra, sintetizador de guitarra, pandereta, coros
Crusher Bennett – Percusión
Robin Clark – Coros
Steve Elson – Saxofón barítono
Peter Frampton – Guitarra
Laurie Frink – Trompeta
Earl Gardner – Trompeta, fliscorno
Diva Gray – Coros
Gordon Grodie – Coros
Loni Groves – Coros
Stan Harrison – Saxofón alto
Erdal Kizilcay – Teclados, batería, bajo, trompeta, coros, guitarra (en «Time Will Crawl»), violines (en «Bang Bang»)
Sid McGinnis – Guitarra (en «Bang Bang», «Time Will Crawl», «Day-In Day-Out»)
Lenny Pickett – Saxofón tenor
Carmine Rojas – Bajo
Mickey Rourke – Rap (en «Shining Star (Makin' My Love)»)
Philippe Saisse – Piano, teclados
En «Zeroes» solamente:
Aglae – Coros
Joe Jones – Coros
Clement – Coros
Coco – Coros
John – Coros
Charuvan Suchi – Coros
Sandro Sursock – Coros

Portada
Greg Gorman – Fotografía
Mick Haggerty – Diseño y dirección artística

Cara Uno
«Day-In Day-Out»/ «Time Will Crawl»/ «Beat Of Your Drum»/ «Never Let Me Down»/ «Zeroes»

Cara Dos
«Glass Spider»/ «Shining Star (Makin' My Love)»/ «New York's In Love»/ «'87 And Cry»/ «Too Dizzy»/ «Bang Bang»

Fecha de lanzamiento
27 de abril de 1987

Sello discográfico y número de catálogo
Vinilo: EMI America AMLS 3117
CD: EMI America CDP 7 46677 2

Máxima posición en las listas para la fecha de lanzamiento
Reino Unido: 6 / Estados Unidos: 34

Notas
Todos los temas compuestos por David Bowie, excepto: tema cuatro de la cara uno, por David Bowie/ Carlos Alomar; tema cinco de la cara dos, por David Bowie/ Erdal Kizilcay; tema seis de la cara dos, por Iggy Pop/ Ivan Kral. La edición original de vinilo del Reino Unido contiene versiones editadas de los temas «Day-In Day-Out»/ «Beat Of Your Drum»/ «Glass Spider»/ «Shining Star (Makin' My Love)»/ «New York's In Love»/ «'87 And Cry»/ «Bang Bang». El álbum se lanzó en 2004 en un set de 2 CD junto con *Tonight*. Reeditado en CD en 1995 por Virgin (CDVUS98) sin el tema «Too Dizzy» pero con los temas adicionales: «Julie»/ «Girls»/ «When The Wind Blows»; en 1999, por EMI (7243 521894 0 3), versión remasterizada.

TIN MACHINE 1989

Grabado en Mountain Studios
Rue du Théâtre 9, Montreux, Suiza
Compass Point Studios
West Bay Street, Nassau, Bahamas
Producido por Tin Machine y Tim Palmer

Músicos
David Bowie – Voces, guitarra
Kevin Armstrong – Guitarra, órgano Hammond B3
Reeves Gabrels – Guitarra
Hunt Sales – Batería, voces
Tony Sales – Bajo, voces

Portada
Masayoshi Sukita – Fotografía

Cara Uno
«Heaven's In Here»/ «Tin Machine»/ «Prisoner Of Love»/ «Crack City»/ «I Can't Read»/ «Under The God»

Cara Dos
«Amazing»/ «Working Class Hero»/ «Bus Stop»/ «Pretty Thing»/ «Video Crime»/ «Run» (no disponible en vinilo)/ «Sacrifice Yourself» (no disponible en vinilo)/ «Baby Can Dance»

Fecha de lanzamiento
22 de mayo de 1989

Sello discográfico y número de catálogo
Vinilo: EMI Estados Unidos MTLS 1044
CD: EMI Estados Unidos CDP 7-91990-2

Máxima posición en las listas para la fecha de lanzamiento
Reino Unido: 3 / Estados Unidos: 28

Notas
Todos los temas compuestos por David Bowie, excepto: temas dos y tres de la cara uno, por David Bowie/ Reeves Gabrels/ Hunt Sales/ Tony Sales; tema cinco de la cara uno, y temas uno y tres de la cara dos, por David Bowie/ Reeves Gabrels; tema dos de la cara dos, por John Lennon; temas cinco y siete de la cara dos, por David Bowie/ Hunt Sales/ Tony Sales; tema seis de la cara dos, por Kevin Armstrong/ David Bowie. Las ediciones originales en vinilo, CD y cassette tienen todas distintas fotografías de portada. Reeditado en CD en 1999 por Virgin (CDVUS99) con el tema adicional: «Bus Stop (live Country Version)»; en 1998, por EMI (493 1012); en 1999, por EMI (7243 521910 0 0), versión remasterizada.

TIN MACHINE II 1991

Grabado en Studios 301
18 Mitchell Road, Sídney, Australia
A&M Studios
1416 North La Brea Avenue, Hollywood, Estados Unidos
Producido por Tin Machine y Tim Palmer
(«One Shot» por Hugh Padgham)

Músicos
David Bowie – Voces, guitarra, piano, saxofón
Kevin Armstrong – Piano (en «Shopping For Girls»), guitarra (en «If There Is Something»)
Reeves Gabrels – Guitarra, coros, vibradores, drano, órgano
Tim Palmer – Piano, percusión
Hunt Sales – Batería, percusión, voces
Tony Sales – Bajo, coros

Portada
Edward Bell – Ilustración

Cara Uno
«Baby Universal»/ «One Shot»/ «You Belong In Rock 'n' Roll»/ «If There Is Something»/ «Amlapura»/ «Betty Wrong»

Cara Dos
«You Can't Talk»/ «Stateside»/ «Shopping For Girls»/ «A Big Hurt»/ «Sorry»/ «Goodbye Mr. Ed»

Fecha de lanzamiento
2 de septiembre de 1991

Sello discográfico y número de catálogo
Vinilo: London Victory 828 2721
CD: London Victory 828 2722

Máxima posición en las listas para la fecha de lanzamiento
Reino Unido: 23 / Estados Unidos: 126

Notas
Todos los temas compuestos por David Bowie/ Reeves Gabrels, excepto: tema dos de la cara uno, y tema uno de la cara dos, por David Bowie/ Reeves Gabrels/ Hunt Sales/ Tony Sales; tema cuatro de la cara uno, por Bryan Ferry; tema dos de la cara dos, por Hunt Sales/ David Bowie; tema cuatro de la cara dos, por David Bowie; tema cinco de la cara dos, por Hunt Sales; tema seis de la cara dos, por David Bowie/ Hunt Sales/ Tony Sales. La edición original estadounidense salió con la portada censurada de Victory (314 511 216-2); también salió un estuche digipack no censurado en edición limitada, de Victory (314 511 575-2).

BLACK TIE WHITE NOISE 1993

Grabado en Mountain Studios
Rue du Théâtre 9, Montreux, Suiza
38 Fresh Recording Studios
1119 North Las Palmas Avenue, Hollywood, Estados Unidos
The Hit Factory
421 West 54th Street, Nueva York, Estados Unidos
Producido por David Bowie y Nile Rodgers

Músicos
David Bowie – Voces, guitarra, saxofón, dog alto
Tawatha Agee – Coros
Lamya Al-Mughiery – Coros
Pugi Bell – Batería
Lester Bowie – Trompeta
Barry Campbell – Bajo
Sterling Campbell – Batería
Dennis Collins – Coros
Maryl Epps – Coros
Reeves Gabrels – Guitarra (en «You've Been Around»)
Mike Garson – Piano (en «Looking For Lester»)
Richard Hilton – Teclados
Curtis King Jr. – Coros
Connie Petruk – Coros
John Regan – Bajo
Michael Reisman – Arpa, campanas tubulares
Dave Richards – Teclados
Nile Rodgers – Guitarra, coros
Mick Ronson – Guitarra (en «I Feel Free»)
Philippe Saisse – Teclados
George y Frank Simms – Coros
David Spinner – Coros

Wild T Springer – Guitarra (en «I Know It's Gonna Happen Someday»)
Al B Sure! – Voces (en «Black Tie White Noise»)
Richard Tee – Teclados
Fonzi Thornton – Coros
Gerardo Velez – Percusión
Brenda White-King – Coros

Portada
Peter Gabriel – Fotografía
Nick Knight – Fotografía

Cara Uno
«The Wedding» (no disponible en vinilo)/ «You've Been Around»/ «I Feel Free»/ «Black Tie White Noise»/ «Jump They Say»/«Nite Flights»/ «Pallas Athena»

Cara Dos
«Miracle Goodnight»/ «Don't Let Me Down & Down»/ «Looking For Lester»/ «I Know It's Gonna Happen» «Someday»/ «The Wedding Song»/ «Jump They Say (alternate mix)» (no disponible en vinilo)/ «Lucy Can't Dance» (solo en CD)

Fecha de lanzamiento
5 de abril de 1993

Sello discográfico y número de catálogo
Vinilo: BMG/Arista 74321 13697 1
CD: BMG/Arista 74321 13697 2

Máxima posición en las listas para la fecha de lanzamiento
Reino Unido: 1 / Estados Unidos: 39

Notas
Todos los temas compuestos por David Bowie, excepto: tema dos de la cara uno, por David Bowie/ Reeves Gabrels; tema tres de la cara uno, por Jack Bruce/ Pete Brown; tema seis de la cara uno, por Noel Scott Engel; tema dos de la cara dos, por Tarha/ Martine Valmont; tema tres de la cara dos, por David Bowie/ Nile Rodgers; y tema cuatro de la cara dos, por Morrissey/ Mark Nevin. Reeditado en CD en 2003 en un set como CD doble y DVD de edición limitada por EMI (7243 584814 0 2) con los temas adicionales: «Real Cool World»/ «Lucy Can't Dance»/ «Jump They Say (rock mix)»/ «Black Tie White Noise (3rd Floor US Radio Mix)»/ «Miracle Goodnight (Make Believe mix)»/ «Don't Let Me Down & Down (indonesian vocal version)»/ «You've Been Around (Dangers 12" mix)»/ «Jump They Say (Brothers In Rhythm 12" remix)»/ «Black Tie White Noise (Here Come Da Jazz)»/ «Pallas Athena (Don't Stop Praying, remix No. 2)»/ «Nite Flights (Moodswings Back To Basics remix)»/ «Jump They Say (Dub Oddity)»; DVD con el vídeo de «Black Tie White Noise».

THE BUDDHA OF SUBURBIA 1993

Grabado en Mountain Studios
Rue du Théâtre 9, Montreux, Suiza
O'Henry Sound Studios
4200 West Magnolia Blvd, Burbank, Estados Unidos
Producido por David Bowie y David Richards

Músicos
David Bowie – Voces, teclados, sintetizadores, guitarra, saxofones, percusión de teclado
Mike Garson – Piano (en «South Horizon» y «Bleed Like A Craze, Dad»)
Erdal Kizilcay – Teclados, trompeta, bajo, guitarra, batería en vivo, percusión
Lenny Kravitz – Guitarra (en «Buddha Of Suburbia», segunda versión)
3D Echo – Batería, bajo, guitarra (en «Bleed Like A Craze, Dad»)

Portada
John Jefford/ BBC – Fotografía (edición del Reino Unido)
Frank Ockenfels 3 – Fotografía (edición y reedición estadounidenses)

Cara Uno
«Buddha Of Suburbia»/ «Sex And The Church»/ «South Horizon»/ «The Mysteries»/ «Bleed Like A Craze, Dad»

Cara Dos
«Strangers When We Meet»/ «Dead Against It»/ «Untitled No. 1»/ «Ian Fish, U.K. Heir»/ «Buddha Of Suburbia»

Fechas de lanzamiento
Reino Unido: 8 de diciembre de 1993
Estados Unidos: 24 de octubre de 1995

Sello discográfico y número de catálogo
Reino Unido: BMG/Arista 74321 170042 / Estados Unidos: Virgin 7243 8 40988 2 7

Máxima posición en las listas para la fecha de lanzamiento
Reino Unido: 87 / Estados Unidos: no llegó a las listas

Notas
Todos los temas compuestos por David Bowie. Disponible también en CD de edición especial de Arista/BMG, con el libro de Hanif Kureishi en estuche plástico transparente (BMG 4321178222). Reeditado en Estados Unidos en CD, en 1995, por Virgin (7243 8 40988 2 7) con una carátula monocromática distinta; en 2007, por EMI (5004632) con un grafismo en la edición estadounidense en color.

1.OUTSIDE 1995

Grabado en Mountain Studios
Rue du Théâtre 9, Montreux, Suiza
The Hit Factory

1 West 54th Street, Nueva York, Estados Unidos
roducido por David Bowie, Brian Eno y David Richards

Músicos
David Bowie – Voces, guitarra, saxofones, teclados
Carlos Alomar – Guitarra
Kevin Armstrong – Guitarra (en «Thru' These Architects Eyes»)
Joey Barron – Batería
Sterling Campbell – Batería
Bryony, Lola, Josey y Ruby Edwards – Coros (en «Hearts Filthy Lesson», «I Am With Name»)
Brian Eno – Sintetizadores, tratamientos, estrategias
Yossi Fine – Bajo
Tom Frish – Guitarra (en «Strangers When We Meet»)
Reeves Gabrels – Guitarra
Mike Garson – Piano
Erdal Kizilcay – Bajo, teclados

Portada
Denovo – Diseño
David Bowie – Ilustración
John Scarisbrick – Fotografía

Temas
«Leon Takes Us Outside»/ «Outside»/ «The Hearts Filthy Lesson»/ «A Small Plot Of Land»/ «Segue – Baby Grace (A Horrid Cassette)»/ «Hallo Spaceboy»/ «The Motel»/ «I Have Not Been To Oxford Town»/ «No Control»/ «Segue – Algeria Touchshriek»/ «The Voyeur Of Utter Destruction (As Beauty)»/ «Segue – Ramona A. Stone»/ «I Am With Name»/ «Wishful Beginnings»/ «We Prick You»/ «Segue – Nathan Adler»/ «I'm Deranged»/ «Thru' These Architects Eyes»/ «Segue – Nathan Adler»/ «Strangers When We Meet»

Fecha de lanzamiento
25 de septiembre de 1995

Sello discográfico y número de catálogo
BMG-Arista 7432130339 2 / RCA 74321 310662 (+ Digibook)

Máxima posición en las listas para la fecha de lanzamiento
Reino Unido: 8 / Estados Unidos: 21

Notas
Temas uno, tres, cuatro, cinco diez, doce y quince por David Bowie/ Reeves Gabrels/ Mike Garson/ Erdal Kizilcay/Sterling Campbell; tema dos por Kevin Armstrong/ David Bowie; temas seis, ocho, nueve, trece, quince, dieciséis y dieciocho por David Bowie/ Brian Eno; temas siete y diecinueve por David Bowie; tema once por David Bowie/ Brian Eno/ Reeves Gabrels; tema diecisiete por David Bowie/ Reeves Gabrels. Todas las letras por David Bowie. Hay versión en vinilo de 1995 con el nombre *Excerpts From 1.Outside*, por Arista/RCA (74321307021) con versiones editadas de «Leon Takes Us Outside»/ «The Motel»; no incluye los temas «No Control»/ «Segue – Algeria Touchshriek»/ «Wishful Beginnings»/ «Thru' These Architects Eyes»/ «Segue –Nathan Adler (No. 2)»/ «Strangers When We Meet». Reeditado en CD en 1999 por Arista/BMG (74321 36009 2) con el nombre *1.Outside Version 2*, y el tema adicional: «Hallo Spaceboy (Pet Shop Boys Remix)», no incluye el tema: «Wishful Beginnings»; en 2004, por ISO/Columbia en Estados Unidos (CK 92100) y en el Reino Unido en 2003 (511934 2) con el tema adicional: «Get Real»; en 2004 en dos CD de edición limitada, por ISO/Columbia (511934 9) con los temas adicionales: «The Hearts Filthy Lesson (Trent Reznor alternative mix)»/ «Hearts Filthy Lesson (Rubber mix)»/ «The Hearts Filthy Lesson (Simple Text mix)»/«Hearts Filthy Lesson (Filthy mix)»/ «Hearts Filthy Lesson (mix Good Karma by Tim Simenon)»/ «A Small Plot Of Land (*Basquiat*)»/ «Hallo Spaceboy (12-inch remix)»/«Hallo Spaceboy (Double Click mix)»/ «Hallo Spaceboy (instrumental)»/ «Hallo Spaceboy (Lost In Space mix)»/ «I Am With Name (album version)»/ «I'm Deranged (Jungle mix)»/ «Get Real»/ «Nothing To Be Desired». La edición de dos CD fue reeditada en 2004 en un box set de dos CD (edición limitada) con versiones remasterizadas de *Earthling* y *'hours...'*

EARTHLING 1997

Grabado en Looking Glass Studios
632 Broadway, Nueva York, Estados Unidos
Mountain Studios
Rue du Théâtre 9, Montreux, Suiza
Producido por David Bowie

Músicos
David Bowie – Voces, guitarra, saxofones, samples, teclados
Zachary Alford – Drum Loops, batería acústica, percusión electrónica
Gail Ann Dorsey – Bajo, voces
Reeves Gabrels – Programación, sintetizadores, guitarra, muestreos de guitarra, voces
Mike Garson – Piano
Mark Plati – Loops de programación, samples, teclados

Portada
Davide De Angelis – Diseño
Frank Ockenfels – Fotografía

Temas
«Little Wonder»/ «Looking For Satellites»/ «Battle For Britain (The Letter)»/ «Seven Years In Tibet»/ «Dead Man Walking»/ «Telling Lies»/ «The Last Thing You Should Do»/ «I'm Afraid Of Americans (new version)»/ «Law (Earthlings On Fire)»

Fecha de lanzamiento
3 de febrero de 1997

Sello discográfico y número de catálogo
Reino Unido: RCA 74321 44944 2 / Estados Unidos: Virgin 7243 8 42627 23

Máxima posición en las listas para la fecha de lanzamiento
Reino Unido: 6 / Estados Unidos: 39

Notas
Todos los temas compuestos por David Bowie/ Reeves Gabrels/ Mark Plati, excepto: temas cuatro, cinco y nueve por David Bowie/ Reeves Gabrels; tema seis por David Bowie; tema ocho por David Bowie/ Brian Eno. Todas las letras por David Bowie. Hay edición limitada en vinilo, en el Reino Unido, por RCA (74321 449441) y en Estados Unidos por Arista (74321 43077 1). Reeditado en CD en 2003 en el Reino Unido por ISO/Columbia (511935 2); en 2004 en Estados Unidos por ISO/Columbia (CK 92098) con los temas adicionales: «Little Wonder (Danny Saber Dance mix)»/ «I'm Afraid Of Americans (NIN V1 mix)»/ «Dead Man Walking (Moby Mix 2)»/ «Telling Lies (Adam F mix)»; en 2004 en el Reino Unido, en dos CD de edición limitada por ISO/Columbia (COL 511935 9) con los temas adicionales: «Little Wonder (Censored Video Edit)»/ «Little Wonder (Junior Vasquez Club mix)»/ «Little Wonder (Danny Saber Dance mix)»/ «Seven Years In Tibet (Mandarin version)»/ «Dead Man Walking (Moby Mix 1)»/ «Dead Man Walking (Moby Mix 2)»/ «Telling Lies (Feelgood mix)»/ «Telling Lies (Paradox mix)»/ «I'm Afraid Of Americans (Showgirls OST version)»/ «I'm Afraid Of Americans (Nine Inch Nails V1 mix)»/ «I'm Afraid Of Americans (Nine Inch Nails clean edit)»/ «V-2 Schneider (Live in Amsterdam as Tao Jones Index)»/ «Pallas Athena (Live in Amsterdam as Tao Jones Index)». La edición de dos CD se lanzó también en 2004 en un box set de edición limitada con las versiones remasterizadas de los dos CD de *1.Outside* y *'hours...'*.

'HOURS...' 1999

Grabado en Seaview Studios,
Bermudas
Looking Glass Studios
632 Broadway, Nueva York, Estados Unidos
Chung King Studios
170 Varick Street, Nueva York, Estados Unidos
Producido por David Bowie y Reeves Gabrels

Músicos
David Bowie – Voces, teclados, guitarra acústica, programación de batería Roland 707
Everett Bradley – Percusión (en «Seven»)
Sterling Campbell – Batería (en «Seven», «New Angels Of Promise», «The Dreamers»)
Reeves Gabrels – Guitarra, Drum Loops, programación de sintetizador y batería
Chris Haskett – Guitarra (en «If I'm Dreaming My Life»)
Mike Levesque – Batería
Holly Palmer – Coros (en «Thursday's Child»)
Mark Plati – Bajo, guitarra, programación de sintetizador y batería, Mellotron (en «Survive»)
Marcus Salisbury – Bajo (en «New Angels Of Promise»)

Portada
Rex Ray – Diseño
Tim Bret Day – Ilustración y fotografía
Frank Ockenfels 3 – Fotografía

Temas
«Thursday's Child»/ «Something In The Air»/ «Survive»/ «If I'm Dreaming My Life»/ «Seven»/ «What's Really Happening?»/ «The Pretty Things Are Going To Hell»/ «New Angels Of Promise»/ «Brilliant Adventure»/ «The Dreamers»

Fechas de lanzamiento
Descarga de internet: 21 de septiembre de 1999
CD: 4 de octubre de 1999

Sello discográfico y número de catálogo
Virgin CDVX 2900/7243 8 48158 20

Máxima posición en las listas para la fecha de lanzamiento
Reino Unido: 5 / Estados Unidos: 47

Notas
Todos los temas compuestos por David Bowie/ Reeves Gabrels, excepto el tema seis, por David Bowie/ Reeves Gabrels/ Alex Grant. Las primeras 450.000 copias tenían la portada lenticular. Reeditado en CD en 2003 en el Reino Unido por ISO/Columbia (511936 2); en 2004 en Estados Unidos, por ISO/Columbia (CK 92099) con los temas adicionales: «Something In The Air (*American Psycho* remix)»/ «Survive (Marius de Vries mix)»/ «Seven (demo)»/ «The Pretty Things Are Going To Hell (*Stigmata* Film Version)»/ «We All Go Through»; en 2004 en el Reino Unido, por ISO/ Columbia (511936 9) en dos CD de edición limitada con los temas adicionales: «Thursday's Child (Rock Mix)»/ «Thursday's Child (*Omikron: The Nomad Soul Slower* Version)»/ «Something In The Air (*American Psycho* remix)»/ «Survive (Marius de Vries mix)»/ «Seven (Demo Version)»/ «Seven (Marius de Vries mix)»/ «Seven (Beck mix No. 1)»/ «Seven (Beck mix No. 2)»/ «The Pretty Things Are Going To Hell (Edit)»/ «The Pretty Things Are Going To Hell (*Stigmata* Film Version)»/ «The Pretty Things Are Going To Hell (*Stigmata* Film Only Version)»/ «New Angels Of Promise (*Omikron: The Nomad Soul* Version)»/ «The Dreamers (*Omikron: The Nomad Soul* Longer Version)»/ «1917»/ «We Shall Go To Town»/ «We All Go Through»/ «No One Calls»; en 2012, por Friday Music/Columbia (48157) como edición de coleccionista con los temas adicionales: «Something In the Air (*American Psycho* remix)»/ «Survive (Marius de Vries mix)»/ «Seven (demo)»/ «The Pretty Things Are Going To Hell (*Stigmata* Film Version)»/ «We All Go Through». La edición de dos CD se lanzó también en 2004 como un box set de edición

…itada con versiones remasterizadas de los dos CD de *1.Outside* …*Earthling*.

HEATHEN 2002

Grabado en Allaire Studios,
486 Pitcairn Road, Shokan, Nueva York, Estados Unidos
Looking Glass Studios
632 Broadway, Nueva York, Estados Unidos
Producido por David Bowie y Tony Visconti («Afraid» por Mark Plati y David Bowie; «Everyone Says 'Hi'» por Brian Rawling y Gary Miller)

Músicos
David Bowie – Voces, teclados, guitarra, saxofón, estilófono, batería
Solá Ackingbolá – Percusión (en «Everyone Says 'Hi'»)
Carlos Alomar – Guitarra
Matt Chamberlain – Batería, programación Loop, percusión
Sterling Campbell – Batería, percusión
Dave Clayton – Teclados (en «Everyone Says 'Hi'»)
Lisa Germano – Violín
Dave Grohl – Guitarra (en «I've Been Waiting For You»)
Gerry Leonard – Guitarra
Tony Levin – Bajo
Gary Miller – Guitarra (en «Everyone Says 'Hi'»)
Mark Plati – Guitarra, bajo
John Read – Bajo (en «Everyone Says 'Hi'»)
Jordan Ruddess – Teclados
Philip Sheppard – Violonchelo eléctrico (en «Everyone Says 'Hi'»)
David Torn – Guitarra, Loops de guitarra, omnicordio
Pete Townshend – Guitarra (en «Slow Burn»)
Tony Visconti – Bajo, guitarra, flautas dulces, arreglos de cuerdas, coros
Kristeen Young – Coros, Piano
The Scorchio Quartet:
Greg Kitzis – Primer violín
Martha Mooke – Viola
Meg Okura – Segundo violín
Mary Wooten – Violonchelo
The Borneo Horns:
Steve Elson – Saxofón tenor
Stan Harrison – Saxofón alto
Lenny Pickett – Saxofón barítono

Portada
Indrani/ Barnbrook Design – Diseño
Jonathan Barnbrook – Tipografía
Marcus Klinko – Fotografía

Temas
«Sunday»/ «Cactus»/ «Slip Away»/ «Slow Burn»/ «Afraid»/ «I've Been Waiting For You»/ «I Would Be Your Slave»/ «I Took A Trip On A Gemini Spaceship»/ «5.15 The Angels Have Gone»/ «Everyone Says 'Hi'»/ «A Better Future»/ «Heathen (The Rays)»

Fecha de lanzamiento
10 de junio de 2002

Sello discográfico y número de catálogo
Reino Unido: ISO/Columbia 508222 2/9 / Estados Unidos: ISO/ Columbia CK86630

Máxima posición en las listas para la fecha de lanzamiento
Reino Unido: 5 / Estados Unidos: 14

Notas
Todos los temas compuestos por David Bowie, excepto: tema dos por Black Francis; tema seis por Neil Young; y tema ocho por Norman Carl Odam. Disponible originalmente en vinilo en Estados Unidos por ISO/Columbia (C 86630) y en el Reino Unido (508222 1). Disponible originalmente en su lanzamiento por ISO/Columbia (508222 9) en dos CD de edición limitada con los temas adicionales: «Sunday (Moby remix)»/ «A Better Future (remix By Air)»/ «Conversation Piece (re-recorded 2002)»/ «Panic In Detroit (Outtake From a 1979 Recording)»; en Estados Unidos, por ISO/Columbia (CK 86657) y en el Reino Unido (508222 0) en CD de edición especial en carátula de 12 pulgadas. Reeditado en vinilo en 2011 por Music On Vinyl (MOVLP470).

REALITY 2003

Grabado en Looking Glass Studios
632 Broadway, Nueva York, Estados Unidos
Allaire Studios,
486 Pitcairn Road, Shokan, Nueva York, Estados Unidos
The Hitching Post Studio
Bell Canyon, Estados Unidos
Producido por David Bowie y Tony Visconti

Músicos
David Bowie – Voces, teclados, guitarra, saxofón barítono, estilófono, percusión, sintetizadores
Carlos Alomar – Guitarra (en «Fly» para el disco adicional en edición limitada)
Sterling Campbell – Batería
Matt Chamberlain – Batería (en «Bring Me The Disco King», «Fly» para el disco adicional en edición limitada)
Gail Ann Dorsey – Coros
Mike Garson – Piano
Bill Jenkins – Piano (en «The Loneliest Guy»)
Gerry Leonard – Guitarra
Mario J McNulty – Percusión adicional, ingeniería adicional, Batería (en «Fall Dog Bombs The Moon»)
Mark Plati – Guitarra, bajo

Catherine Russell – Coros
Earl Slick – Guitarra
David Torn – Guitarra
Tony Visconti – Bajo, guitarra, teclados, coros

Portada
Rex Ray – Ilustración
Jonathan Barnbrook – Tipografía
Frank Ockenfels 3 – Fotografía

Temas
«New Killer Star»/ «Pablo Picasso»/ «Never Get Old»/ «The Loneliest Guy»/ «Looking For Water»/ «She'll Drive The Big Car»/ «Days»/ «Fall Dog Bombs The Moon»/ «Try Some, Buy Some»/ «Reality»/ «Bring Me The Disco King»

Fecha de lanzamiento
15 de septiembre de 2003

Sello discográfico y número de catálogo
Reino Unido: ISO/Columbia 512555 2/9 / Estados Unidos: ISO/ Columbia CK 90576/90660

Máxima posición en las listas para la fecha de lanzamiento
Reino Unido: 3 / Estados Unidos: 29

Notas
Todos los temas compuestos por David Bowie, excepto el tema dos, por Jonathan Richman; y el tema nueve, por George Harrison. Disponible originalmente en Estados Unidos por ISO/Columbia (CK90660) y en el Reino Unido (COL 512555 9) en dos CD de edición limitada con los temas adicionales: «Fly»/ «Queen Of All The Tarts (Overture)»/ «Rebel Rebel (2002 Recording)»; por ISO/Columbia (512555 3) como el CD y el DVD de la gira, con el tema adicional: «Waterloo Sunset», y el DVD grabado en vivo en los estudios Hammersmith Riverside, en Londres, el 8 de septiembre de 2003, con los temas: «New Killer Star»/ «Pablo Picasso»/ «Never Get Old»/ «The Loneliest Guy»/ «Looking For Water»/ «She'll Drive The Big Car»/ «Days»/ «Fall Dog Bombs The Moon»/ «Try Some, Buy Some»/ «Reality»/ «Bring Me The Disco King». Reeditado en CD en 2004 en Estados Unidos por ISO/Columbia (CN 90743) y en 2005 en el Reino Unido (512555 7) en edición dual de álbum CD y DVD mezclado en sonido surround 5.1 con material adicional, que incluye la película *Reality* con vídeos exclusivos de los temas: «Never Get Old»/ «The Loneliest Guy»/ «Bring Me The Disco King»/ «New Killer Star».

THE NEXT DAY 2013

Grabado en The Magic Shop
49 Crosby Street, Nueva York, Estados Unidos
Human
Nueva York, Estados Unidos
Producido por David Bowie y Tony Visconti

Músicos
David Bowie – Voces, teclados, guitarra acústica, arreglos de cuerdas
Alex Alexander – Percusión (en «I'll Take You There», en la edición de lujo)
Zachary Alford – Batería, percusión
Sterling Campbell – Batería, pandereta
Gail Ann Dorsey – Bajo, coros
Steve Elson – Saxofón barítono, clarinete contrabajo
Henry Hey – Piano
Gerry Leonard – Guitarra, teclados
Tony Levin – Bajo
Maxim Moston – Cuerdas
Janice Pendarvis – Coros
Antoine Silverman – Cuerdas
Earl Slick – Guitarra
Hiroko Taguchi – Cuerdas
David Torn – Guitarra
Tony Visconti – Bajo, guitarra, flauta dulce, cuerdas, arreglos de cuerdas
Anja Wood – Cuerdas

Portada
Jonathan Barnbrook – Diseño
Masayoshi Sukita – Fotografía original de «Heroes»
Jimmy King – Fotografía interior

Temas
«The Next Day»/ «Dirty Boys»/ «The Stars (Are Out Tonight)»/ «Love Is Lost»/ «Where Are We Now?»/ «Valentine's Day»/ «If You Can See Me»/ «I'd Rather Be High»/ «Boss Of Me»/ «Dancing Out In Space»/ «How Does The Grass Grow?»/ «(You Will) Set The World On Fire»/ «You Feel So Lonely You Could Die»/ «Heat»

Fecha de lanzamiento
11 de marzo de 2013

Sello discográfico y número de catálogo
ISO/Columbia 88765 46186 2

Máxima posición en las listas para la fecha de lanzamiento
Reino Unido: 1 / Estados Unidos: 2

Notas
Todos los temas compuestos por David Bowie, excepto el tema nueve y el tema adicional tres (*véase* a continuación), por David Bowie/ Gerry Leonard; y el tema once, por David

wie/ Jerry Lordan (con interpolación de «Apache»). Disponible riginalmente en CD en edición de lujo por ISO/Columbia (88765 46192 7) con los temas adicionales: «So She»/ «Plan»/ «I'll Take You There»; y como LP doble en vinilo (88765 4618 61) con el mismo contenido de la edición en CD de lujo. Reeditado en noviembre de 2013 como *The Next Day Extra* (ISO/Columbia 88883 7878 128), con un CD adicional que contiene los tres temas extras de la edición de lujo además de «Atomica»/ «Love Is Lost (Hello Steve Reich mix for The DFA)»/ «The Informer»/ «I'd Rather Be Hight (Venetian mix)»/ «Like a Rocket Man»/ «Born in a UFO»/«God Bless The Girl». La edición también contiene un DVD de los vídeos de los cuatro singles lanzados para el álbum original.

★ (BLACKSTAR) 2016

Grabado en The Magic Shop
49 Crosby Street, Nueva York, Estados Unidos
Human
Nueva York, Estados Unidos
Producido por David Bowie y Tony Visconti

Músicos
David Bowie – Voces, guitarra acústica, guitarra Fender (en «Lazarus»), arreglos de cuerdas (en «Blackstar»)
Mark Guiliana – Batería, percusión
Tim Lefebvre – Bajo
Jason Lindner – Piano, órgano Wurlitzer, teclados
Donny McCaslin – Saxofón, flauta, vientos
Ben Monder – Guitarra
James Murphy – Percusión (en «Sue (Or In A Season Of Crime)» y «Girl Loves Me»)
Erin Tonkon – Coros (en «'Tis A Pity She Was A Whore»)
Tony Visconti – Cuerdas (en «Blackstar»)

Portada
Jonathan Barnbrook – Diseño
Jimmy King – Fotografía interior
Johan Renck – Fotografía interior

Temas
«★ (Blackstar)»/ «'Tis A Pity She Was A Whore»/ «Lazarus»/ «Sue (Or In A Season Of Crime)»/ «Girl Loves Me»/ «Dollar Days»/ «I Can't Give Everything Away»

Fecha de lanzamiento
8 de enero de 2016

Sello discográfico y número de catálogo
ISO/Columbia 88875 173862

Máxima posición en las listas para la fecha de lanzamiento
Reino Unido: 1 / Estados Unidos: 1

Notas
Todos los temas compuestos por David Bowie, excepto el tema cuatro: David Bowie/Maria Schneider/Paul Bateman y Bob Bharma (como «Plastic Soul»). La descarga digital incluye el vídeo de «Blackstar» como extra. También disponible en ISO/Columbia como LP en vinilo (88875 173871), con el mismo contenido que el CD.

ÁLBUMES EN VIVO

DAVID LIVE

Lanzado en Octubre de 1974
RCA/Victor APL 2 0771
Posición en las listas: Reino Unido: 2 / Estados Unidos: 8
Grabado en el Tower Theater, de Filadelfia, los días 8-12 de julio de 1974

Temas «1984»/ «Rebel Rebel»/ «Moonage Daydream»/ «Sweet Thing»/ «Changes»/ «Suffragette City»/ «Aladdin Sane»/ «All The Young Dudes»/ «Cracked Actor»/ «Rock 'n' Roll With Me»/ «Watch That Man»/ «Knock On Wood»/ «Diamond Dogs»/ «Big Brother»/ «The Width Of A Circle»/ «The Jean Genie»/ «Rock 'n' Roll Suicide»

Notas
Reeditado en vinilo en 1984 por RCA (PL80771); en 1990, por Rykodisc/EMI (164 79 5362 1). Reeditado en CD en 1990 en Estados Unidos por Rykodisc (RCD 10138/39) y en el Reino Unido por EMI (CDP 79 5364 2) con los temas adicionales: «Here Today... Gone Tomorrow»/ «Time»/ «Band Intro»; en 2005 en Estados Unidos por Virgin, en el Reino Unido por EMI (7243 8 74304 2 5), remasterizado con temas adicionales y en el orden de presentación en vivo: «1984»/ «Rebel Rebel»/ «Moonage Daydream»/ «Sweet Thing»/ «Candidate»/ «Sweet Thing (reprise)»/ «Changes»/ «Suffragette City»/ «Aladdin Sane»/ «All The Young Dudes»/ «Cracked Actor»/ «Rock 'n' Roll With Me»/ «Watch That Man»/ «Knock On Wood»/ «Here Today... Gone Tomorrow»/ «Space Oddity»/ «Diamond Dogs»/ «Panic In Detroit»/ «Big Brother»/ «Time»/ «The Width Of A Circle»/ «The Jean Genie»/ «Rock 'n' Roll Suicide».

STAGE

Lanzado en septiembre de 1978
RCA/Victor PL 02913 (2)
Posición en las listas: Reino Unido: 5 / Estados Unidos: 44
Grabado en el Spectrum Arena de Filadelfia, los días 28-29 de abril de 1978; en el Civic Centre de Providence, el 5 de mayo de 1978, y en el New Boston Garden Arena de Boston, el 6 de mayo de 1978

Temas «Hang On To Yourself»/ «Ziggy Stardust»/ «Five Years»/ «Soul Love»/ «Star»/ «Station To Station»/ «Fame»/ «TVC 15»/ «Warszawa»/ «Speed Of Life»/ «Art Decade»/ «Sense Of Doubt»/ «Breaking Glass»/ «"Heroes"»/ «What In The World»/ «Blackout»/ «Beauty And The Beast»

Notas
Primera reedición en CD en 1983 en Alemania por RCA (PD 89002 2); en 1991 en Estados Unidos, por Rykodisc (RCD 10144/45) y en el Reino Unido, por EMI (EMD1030) con el tema adicional: «Alabama Song»; en 2005 en Estados Unidos, por Virgin, y en el Reino Unido, por EMI (7243 8 63436 28), remasterizado con temas adicionales y en el orden de presentación en vivo: «Warszawa»/ «"Heroes"»/ «What In The World»/ «Be My Wife»/ «Blackout»/ «Sense Of Doubt»/ «Speed Of Life»/ «Breaking Glass»/ «Beauty And The Beast»/ «Fame»/ «Five Years»/ «Soul Love»/ «Star»/ «Hang On To Yourself»/ «Ziggy Stardust»/ «Art Decade»/ «Alabama Song»/ «Station To Station»/ «Stay»/ «TVC15».

ZIGGY STARDUST AND THE SPIDERS FROM MARS (THE MOTION PICTURE)

Lanzado en octubre de 1983
RCA PL 84862
Posición en las listas: Reino Unido: 17 / Estados Unidos: 89
Grabado en el Hammersmith Odeon de Londres, el 3 de julio de 1973

Temas «Hang On To Yourself»/ «Ziggy Stardust»/ «Watch That Man-Wild Eyed Boy From Freecloud-All The Young Dudes-Oh! You Pretty Things (medley)»/ «Moonage Daydream»/ «Space Oddity»/ «My Death»/ «Cracked Actor»/ «Time»/ «The Width Of A Circle»/ «Changes»/ «Let's Spend The Night Together»/ «Suffragette City»/ «White Light-White Heat»/«White Heat»/ «Rock 'n' Roll Suicide»

Notas
Reeditado en 2003 en Edición 30 Aniversario (edición limitada) en vinilo rojo, por EMI (ZIGGYRIP 3773) con temas adicionales y en el orden original de presentación en vivo: «Intro»/ «Hang On To Yourself»/ «Ziggy Stardust»/ «Watch That Man»/ «Wild Eyed Boy From Freecloud»/ «All The Young Dudes»/ «Oh! You Pretty Things»/ «Moonage Daydream»/ «Changes»/ «Space Oddity»/ «My Death»/ «Intro»/ «Cracked Actor»/ «Time»/ «The Width Of A Circle»/ «Let's Spend The Night Together»/ «Suffragette City»/ «White Light-White Heat»/ «Farewell Speech»/ «Rock 'n' Roll Suicide». Reeditado en CD en 1992 en Estados Unidos por Rykodisc (RCD 40148), y en el Reino Unido, por EMI (0777 7 80411 22); en 2003 en Edición 30 Aniversario, por EMI (72435 41979 25) con temas adicionales y en el orden original de presentación en vivo (*superior*).

TIN MACHINE-LIVE: OY VEY, BABY

Lanzado en julio de 1992
Vinilo: London 828 3281; CD: London 828 3282
Posición: Reino Unido y Estados Unidos: no llegó a las listas
Grabado en el Orpheum Theatre de Boston, el 20 de noviembre de 1991; en el Academy de Nueva York, los días 27–29 de noviembre de 1991; en el Riviera de Chicago, el 7 de diciembre de 1991; en el NHK Hall de Tokio, los días 5–6 de febrero de 1992; en el Koseinenkin Kaikan de Sapporo, los días 10–11 de febrero de 1992

Temas «If There Is Something»/ «Amazing»/ «I Can't Read»/ «Stateside»/ «Under The God»/ «Goodbye Mr. Ed»/ «Heaven's In Here»/ «You Belong In Rock 'n' Roll»

SANTA MONICA '72

Lanzado en abril de 1994
Golden Years/Trident Music International GY002
Grabado en el Civic Auditorium de Santa Mónica, el 20 de octubre de 1972

Posición: Reino Unido: 74 / Estados Unidos: no llegó a las listas

Temas «Intro»/ «Hang On To Yourself»/ «Ziggy Stardust»/ «Changes»/ «The Supermen»/ «Life On Mars?»/ «Five Years»/ «Space Oddity»/ «Andy Warhol»/ «My Death»/ «The Width Of A Circle»/ «Queen Bitch»/ «Moonage Daydream»/ «John, I'm Only Dancing»/ «Waiting For The Man»/ «The Jean Genie»/ «Suffragette City»/ «Rock 'n' Roll Suicide»

Notas
Reeditado en vinilo en el Reino Unido por Golden Years (GYLP 002). Reeditado en CD en Estados Unidos en 1995 por Griffin Music Inc. (GCD 392 2); en 1995 en estuche digipack de edición limitada, por Griffin Music Inc. (GCD-357-1/2) con un single adicional de 7 pulgadas; en 2008, por EMI (07243 583221) en versión remasterizada y retitulado *Live Santa Monica '72*.

LIVEANDWELL.COM

Lanzado en septiembre de 2000
Virgin/Risky Folio
Solo disponible por suscripción a BowieNet en CD doble de edición limitada
Grabado en el Paradiso de Amsterdam, el 10 de junio de 1997; en el Phoenix Festival de Stratford-upon-Avon, el 19 de julio de 1997; en la entrega de los premios *GQ* Awards, en el Radio City Music Hall de Nueva York, el 15 de octubre de 1997; en el Metropolitan de Río de Janeiro, el 2 de noviembre de 1997

Temas Disco 1: «I'm Afraid Of Americans»/«Hearts Filthy Lesson»/ «I'm Deranged»/ «Hallo Spaceboy»/ «Telling Lies»/ «The Motel»/ «The Voyeur Of Utter Destruction (As Beauty)»/ «Battle For Britain (The Letter)»/ «Seven Years In Tibet»/ «Little Wonder»; Disco 2: «Fun (Dillinja mix)»/ «Little Wonder (Danny Saber Dance mix)»/ «Dead Man Walking (Moby Mix 1)»/ «Telling Lies (Paradox mix)»

GLASS SPIDER

Junio de 2007
Reino Unido: EMI 09463 91002 24 / Estados Unidos: EMI 09463 90979 20

…abado en el Olympic Stadium de Montreal, el 30 de agosto de 1987
…anzado como CD doble acompañado de DVD con vídeo del concierto

Temas Disco 1: «Intro»/ «Up The Hill Backwards»/ «Glass Spider»/ «Day-In Day-Out»/ «Bang Bang»/ «Absolute Beginners»/ «Loving The Alien»/ «China Girl»/ «Rebel Rebel»/ «Fashion»/ «Scary Monsters (And Super Creeps)»/ «All The Madmen»/ «Never Let Me Down»; Disco 2: «Big Brother»/ «'87 And Cry»/ «"Heroes"»/ «Sons Of The Silent Age»/ «Time Will Crawl»/ «Band Intro»/ «Young Americans»/ «Beat Of Your Drum»/ «The Jean Genie»/ «Let's Dance»/ «Fame»/ «Time»/ «Blue Jean»/ «Modern Love»

VH1 STORYTELLERS

Lanzado en julio de 2009
EMI 509999 649 0921
Grabado en los estudios Manhattan Center Studios de Nueva York, el 23 de agosto de 1999
Lanzado en CD acompañado de DVD con vídeo grabado en vivo

Temas «Life On Mars?»/ «Rebel Rebel (truncated)»/ «Thursday's Child»/ «Can't Help Thinking About Me»/ «China Girl»/ «Seven»/ «Drive-In Saturday«/ Word On A Wing»

Notas
Cuatro de los temas del DVD se pudieron después descargar de internet: «Survive»/ «I Can't Read»/ «Always Crashing In The Same Car»/ «If I'm Dreaming My Life».

A REALITY TOUR

Lanzado en enero de 2010
ISO/Sony 8 8697 58827 24
Posición: Reino Unido: 53 / Estados Unidos: no llegó a las listas
Grabado en The Point de Dublín, los días 22-23 de noviembre de 2003

Temas Disco 1: «Rebel Rebel»/ «New Killer Star»/ «Reality»/ «Fame»/ «Cactus»/ «Sister Midnight»/ «Afraid»/ «All The Young Dudes»/ «Be My Wife»/ «The Loneliest Guy»/ «The Man Who Sold The World»/ «Fantastic Voyage»/ «Hallo Spaceboy»/ «Sunday»/ «Under Pressure»/ «Life On Mars?»/ «Battle For Britain (The Letter)»; Disco 2: «Ashes To Ashes»/ «The Motel»/ «Loving The Alien»/ «Never Get Old»/ «Changes»/ «I'm Afraid Of Americans»/ «"Heroes"»/ «Bring Me The Disco King»/ «Slip Away»/ «Heathen (The Rays)»/ «Five Years»/ «Hang On To Yourself»/ «Ziggy Stardust»/ «Fall Dog Bombs The Moon»/ «Breaking Glass»/ «China Girl»

Notas
Se puede descargar de internet con dos temas adicionales: «5.15 The Angels Have Gone»/ «Days».

LIVE NASSAU COLISEUM '76

Lanzado en septiembre de 2010
Grabado en el Nassau Coliseum, Uniondale, en Nueva York, el 23 de marzo de 1976
Lanzado como CD doble acompañado de una reedición de 2010 de *Station To Station* (EMI BOWSTSX2010)

Temas Disco 1: «Station To Station»/ «Suffragette City»/ «Fame»/ «Word On A Wing»/ «Stay»/ «Waiting For The Man»/ «Queen Bitch»; Disco 2: «Life On Mars?»/ «Five Years»/ «Panic In Detroit»/ «Changes»/ «TVC 15»/ «Diamond Dogs»/ «Rebel Rebel»/ «The Jean Genie»

Notas
Se puede descargar de internet junto con una versión no editada de «Panic In Detroit».

RECOPILACIONES PRINCIPALES

Ha habido docenas de recopilaciones del trabajo de David Bowie, y lo variado de su carrera dificulta al recopilador crear algo que sea verdaderamente representativo del artista. A continuación, se mencionan algunas de las colecciones de su obra musical más perdurables, más interesantes y más vendidas.

THE WORLD OF DAVID BOWIE

Lanzado en marzo de 1970
Decca SPA 58

Temas «Uncle Arthur»/ «Love You Till Tuesday»/ «There Is A Happy Land»/ «Little Bombardier»/ «Sell Me A Coat»/ «Silly Boy Blue»/ «The London Boys»/ «Karma Man»/ «Rubber Band»/ «Let Me Sleep Beside You»/ «Come And Buy My Toys»/ «She's Got Medals»/ «In The Heat Of The Morning»/ «When I Live My Dream»

Notas
Reeditado en 1973 con una fotografía de Ziggy en la portada.

IMAGES 1966–1967

Lanzado en febrero de 1973
Estados Unidos: London BP 628/9

Temas «Rubber Band»/ «Maid Of Bond Street»/ «Sell Me A Coat»/ «Love You Till Tuesday»/ «There Is A Happy Land»/ «The Laughing Gnome»/ «The Gospel According To Tony Day»/ «Did You Ever Have A Dream»/ «Uncle Arthur»/ «We Are Hungry Men»/ «When I Live My Dream»/ «Join The Gang»/ «Little Bombardier»/ «Come And Buy My Toys»/ «Silly Boy Blue»/ «She's Got Medals»/ «Please Mr

Gravedigger»/ «The London Boys»/ «Karma Man»/ «Let Me Sleep Beside You»/ «In The Heat Of The Morning»

Notas
Reeditado en 1975 en el Reino Unido por Deram (DPA 3017/18).

CHANGESONEBOWIE
Lanzado en mayo de 1976
Reino Unido: RCA Victor RS 1055 / Estados Unidos: RCA APL1 1732
Posición en las listas: Reino Unido: 2 / Estados Unidos: 10

Temas «Space Oddity»/ «John, I'm Only Dancing»/ «Changes»/ «Ziggy Stardust»/ «Suffragette City»/ «The Jean Genie»/ «Diamond Dogs»/ «Rebel Rebel»/ «Young Americans»/ «Fame»/ «Golden Years»

Notas
Reeditado en vinilo y CD en 1984 por RCA (PL/PD 81732).

THE BEST OF BOWIE
Lanzado en diciembre de 1980
K-Tel NE 1111
Posición en el Reino Unido: 3

Temas «Space Oddity»/ «Life On Mars?»/ «Starman»/ «Rock 'n' Roll Suicide»/ «John, I'm Only Dancing»/ «The Jean Genie»/ «Breaking Glass (live)»/ «Sorrow»/ «Diamond Dogs»/ «Young Americans»/ «Fame»/ «Golden Years»/ «TVC 15»/ «Sound And Vision»/ «"Heroes"»/ «Boys Keep Swinging»

CHANGESTWOBOWIE
Lanzado en noviembre de 1981
Reino Unido: RCA BOW LP 3 / Estados Unidos: RCA AFL1 4202
Posición en las listas: Reino Unido: 24 / Estados Unidos: 68

Temas «Aladdin Sane (1923-1938-197?)»/ «Oh! You Pretty Things/ Starman»/ «1984»/ «Ashes To Ashes»/ «Sound And Vision»/ Fashion»/ «Wild Is The Wind»/ «John, I'm Only Dancing (Again)»/ «D. J.»

Notas
Reeditado en vinilo y CD en 1984 por RCA (PL84202/ PCD14202).

BOWIE RARE
Lanzado en diciembre de 1982
RCA PL45406
Posición en el Reino Unido: 34

Temas «Ragazzo Solo, Ragazza Sola»/ «Round And Round»/ «Amsterdam»/ «Holy Holy (1972)»/ «Panic In Detroit (live)»/ «Young Americans»/ «Velvet Goldmine»/ «"Helden"»/ «John, I'm Only Dancing (Again)»/ «Moon of Alabama»/ «Crystal Japan»

LOVE YOU TILL TUESDAY
Lanzado en abril de 1984
Reino Unido: Deram BOWIE1 / Estados Unidos: Deram 820 083 1
Posición en las listas: Reino Unido: 53 / Estados Unidos: no llegó a las listas

Temas «Love You Till Tuesday»/ «The London Boys»/ «Ching-A-Ling»/ «The Laughing Gnome»/ «Liza Jane»/ «When I'm Five»/ «Space Oddity»/ «Sell Me A Coat»/ «Rubber Band»/ «Let Me Sleep Beside You»/ «When I Live My Dream»

Notas
Reeditado en CD en 1992 por Pickwick (PWKS 4131 P).

SOUND+VISION
Lanzado en septiembre de 1989
Rykodisc RCD 90120/21/22/RCDV1018
Posición en Estados Unidos: 97

Temas Disco 1: «Space Oddity (demo)»/ «Wild Eyed Boy From Freecloud (Acoustic)»/ «The Prettiest Star (1970)»/ «London Bye Ta-Ta (1970)»/ «Black Country Rock»/ «The Man Who Sold The World»/ «The Bewlay Brothers»/ «Changes»/ «Round And Round»/ «Moonage Daydream»/ «John, I'm Only Dancing (sax version)»/ «Drive-In Saturday»/ «White Light-White Heat»/ «Panic In Detroit»/ «Ziggy Stardust (live 1973)»/ «White Light»/ «White Heat (live 1973)»/ «Rock 'n' Roll Suicide (live 1973)»; Disco 2: «Anyway, Anyhow, Anywhere»/ «Sorrow»/ «Don't Bring Me Down»/ «1984»-«Dodo»/ «Big Brother»/ «Rebel Rebel (rare single version)»/ «Suffragette City (live 1974)»/ «Watch That Man (live 1974)»/ «Cracked Actor (live 1974)»/ «Young Americans»/ «Fascination»/ «After Today»/ «It's Hard To Be A Saint In The City»/ «TVC 15»/ «Wild Is The Wind; Disco 3: «Sound And Vision»/ «Be My Wife»/ «Speed Of Life»/ «"Helden" (remix 1989)»/ «Joe The Lion»/ «Sons Of The Silent Age»/ «Station To Station (live 1978)»/ «Warszawa (live 1978)»/ «Breaking Glass (live 1978)»/ «Red Sails»/ «Look Back In Anger»/ «Boys Keep Swinging»/ «Up The Hill Backwards»/ «Kingdom Come»/ «Ashes To Ashes»; Video CD: «John, I'm Only Dancing (live 1972)»/ «Changes (live 1972)»/ «The Supermen (live 1972)/ Ashes To Ashes (CD Video Version)

Notas
Reeditado en 1995 por Rykodisc (RCD 90330/31/32); en 2003, por EMI (7243 9451121) con temas adicionales: «Wild Eyed Boy

ɔm Freecloud (Rare Side B Version)»/ «London Bye Ta-Ta (stereo ıix no editado anteriormente)»/ «Round And Round»/ «Baal's Hymn»/ «The Drowned Girl»/ «Cat People (Putting Out Fire)»/ «China Girl»/ «Ricochet»/ «Modern Love (live)»/ «Loving The Alien»/ «Dancing With The Big Boys»/ «Blue Jean»/ «Time Will Crawl»/ «Baby Can Dance»/ «Amazing»/ «I Can't Read»/ «Shopping For Girls»/ «Goodbye Mr. Ed»/ «Amlapura»/ «You've Been Around»/ «Nite Flights (Moodswings Back To Basics remix radio edit)»/ «Pallas Athena (Gone Midnight mix)»/ «Jump They Say»/ «Buddha Of Suburbia»/ «Dead Against It»/ «South Horizon»/ «Pallas Athena (live).

CHANGESBOWIE

Lanzado en marzo de 1990
Reino Unido: EMI DBTV1 / Estados Unidos: Rykodisc RCD 20171
Posición en las listas: Reino Unido: 1 / Estados Unidos: 39

Temas «Space Oddity»/ «John, I'm Only Dancing»/ «Changes»/ «Ziggy Stardust»/ «Suffragette City»/ «The Jean Genie»/ «Diamond Dogs»/ «Rebel Rebel»/ «Young Americans»/ «Fame 90 (Gass mix)»/ «Golden Years»/ «"Heroes"»/ «Ashes To Ashes»/ «Fashion»/ «Let's Dance»/ «China Girl»/ «Modern Love»/ «Blue Jean»

Notas
La edición británica tiene los temas adicionales «Life On Mars?»/ «Starman»/ «Sound and Vision»

EARLY ON (1964-1966)

Lanzado en agosto de 1991
Rhino R2 70526

Temas «Liza Jane»/ «Louie Louie Go Home»/ «I Pity The Fool»/ «Take My Tip»/ «That's Where My Heart Is»/ «I Want My Baby Back»/ «Bars Of The County Jail»/ «You've Got A Habit Of Leaving»/ «Baby Loves That Way»/ «I'll Follow You»/ «Glad I've Got Nobody»/ «Can't Help Thinking About Me»/ «And I Say To Myself»/ «Do Anything You Say»/ «Good Morning Girl»/ «I Dig Everything»/ «I'm Not Losing Sleep»

THE SINGLES COLLECTION

Lanzado en noviembre de 1993
Reino Unido: EMI CDEM 1512
Posición en el Reino Unido: 9

Temas «Space Oddity»/ «Changes»/ «Starman»/ «Ziggy Stardust»/ «Suffragette City»/ «John, I'm Only Dancing»/ «The Jean Genie»/ «Drive-In Saturday»/ «Life On Mars?»/ «Sorrow»/ «Rebel Rebel»/ «Rock 'n' Roll Suicide»/ «Diamond Dogs»/ «Knock On Wood (live)»/ «Young Americans»/ «Fame»/ «Golden Years»/ «TVC15»/ «Sound And Vision»/ «"Heroes"»/ «Beauty And The Beast»/ «Boys Keep Swinging»/ «DJ»/ «Alabama Song»/ «Ashes To Ashes»/ «Fashion»/ «Scary Monsters (And Super Creeps)»/ «Under Pressure/ Wild Is The Wind»/ «Let's Dance»/ «China Girl»/ «Modern Love»/ «Blue Jean»/ «This Is Not America»/ «Dancing In The Street»/ «Absolute Beginners»/ «Day-In Day-Out»

THE SINGLES 1969 TO 1993

Lanzado en noviembre de 1993
Estados Unidos: Rykodisc RCD 10218/19

Temas «Space Oddity»/ «Changes»/ «Oh! You Pretty Things»/ «Life On Mars?»/ «Ziggy Stardust»/ «Starman»/ «John, I'm Only Dancing»/ «Suffragette City»/ «The Jean Genie»/ «Sorrow»/ «Drive-In Saturday»/ «Diamond Dogs»/ «Rebel Rebel»/ «Young Americans»/ «Fame»/ «Golden Years»/ «TVC15»/ «Be My Wife»/ «Sound And Vision»/ «Beauty And The Beast»/ «"Heroes"»/ «Boys Keep Swinging»/ «DJ»/ «Look Back In Anger»/ «Ashes To Ashes»/ «Fashion»/ «Scary Monsters (And Super Creeps)»/ «Under Pressure»/ «Cat People»/ «Let's Dance»/ «China Girl»/ «Modern Love»/ «Blue Jean»/ «Loving The Alien»/ «Dancing In The Street»/ «Absolute Beginners»/ «Day-In Day-Out»/ «Never Let Me Down»/ «Jump They Say»

BOWIE AT THE BEEB

Lanzado en septiembre de 2000
EMI 7243 528958 2 4
Posición: Reino Unido: 7 / Estados Unidos: no llegó a las listas

Temas Disco 1: «In The Heat Of The Morning»/ «London Bye Ta-Ta»/ «Karma Man»/ «Silly Boy Blue»/ «Let Me Sleep Beside You»/ «Janine»/ «Amsterdam»/ «God Knows I'm Good»/ «The Width Of A Circle»/ «Unwashed And Somewhat Slightly Dazed»/ «Cygnet Committee»/ «Memory Of A Free Festival»/ «Wild Eyed Boy From Freecloud»/ «Bombers»/ «Looking For A Friend»/ «Almost Grown»/ «Kooks»/ «It Ain't Easy»; Disco 2: «The Supermen»/ «Eight Line Poem»/ «Hang On To Yourself»/ «Ziggy Stardust»/ «Queen Bitch»/ «Waiting For The Man»/ «Five Years»/ «White Light/White Heat»/ «Moonage Daydream»/ «Hang On To Yourself»/ «Suffragette City»/«Ziggy Stardust»/ «Starman»/ «Space Oddity»/ «Changes»/«Oh! You Pretty Things»/ «Andy Warhol»/ «Lady Stardust»/«Rock 'n' Roll Suicide»

Notas
Disco Uno: los temas uno a cuatro fueron grabados para el programa *Top Gear*, el 13 de mayo de 1968; los temas cinco y seis para *The Dave Lee Travis Show*, el 20 de octubre de 1969; los temas siete a doce para *The Sunday Show*, el 5 de febrero de 1970; el tema trece es de *Sounds Of The 70s*, grabado el 25 de marzo de 1970 (como promoción publicitaria); los temas catorce a dieciocho se grabaron para *In Concert: John Peel*, el día 3 de junio de 1971. Disco Dos: los temas uno y dos fueron grabados para *Sounds Of The 70s*, el 21 de septiembre de 1971; los temas tres a siete para *Sounds Of The 70s*, el 18 de enero de 1972; los temas ocho a doce para *Sounds Of The 70s*, el 16 de mayo de 1972; los temas trece a dieciséis se grabaron para *The Johnnie Walker Lunchtime*

Show, el 22 de mayo de 1972; los temas diecisiete a diecinueve para *Sounds Of The 70s*, el 23 de mayo de 1972. Disponible en un set de tres CD de edición limitada junto con *BBC Radio Theatre, London, June 27, 2000* (7243 528958 2 3), con temas adicionales: «Wild Is The Wind»/ «Ashes To Ashes»/ «Seven»/ «This Is Not America»/ «Absolute Beginners»/ «Always Crashing In The Same Car»/ «Survive»/ «Little Wonder»/ «The Man Who Sold The World»/ «Fame»/ «Stay»/ «Hallo Spaceboy»/ «Cracked Actor»/ «I'm Afraid Of Americans»/ «Let's Dance»

NOTHING HAS CHANGED (THE VERY BEST OF DAVID BOWIE)

Lanzado en noviembre de 2014
Reino Unido: Parlophone 825646205769 / Estados Unidos: Legacy/Columbia 88875030982 SC1
Posición: Reino Unido: 9 / Estados Unidos: 57

Temas (Edición de lujo con 3 CD) Disco 1: «Sue (Or In A Season Of Crime)»/ «Where Are We Now?»/ «Love Is Lost (Hello Steve Reich mix by James Murphy)»/ «The Stars (Are Out Tonight)»/ «New Killer Star (radio edit)»/ «Everyone Says "Hi"»/ «Slow Burn (radio edit)»/ «Let Me Sleep Beside You»/ «Your Turn To Drive»/ «Shadow Man»/ «Seven (Marius de Vries mix)»/ «Survive (Marius de Vries mix)»/ «Thursday's Child»/ «I'm Afraid Of Americans (V1)»/ «Little Wonder»/ «Hallo Spaceboy (Pet Shop Boys remix)»/ «The Hearts Filthy Lesson»/ «Strangers When We Meet»; Disco 2: «The Buddha Of Suburbia»/ «Jump They Say»/ «Time Will Crawl (MM remix)»/ «Absolute Beginners»/ «Dancing In The Street»/ «Loving The Alien (single remix)»/ «This Is Not America»/ «Blue Jean»/ «Modern Love»/ «China Girl»/ «Let's Dance»/ «Fashion»/ «Scary Monsters (And Super Creeps)»/ «Ashes To Ashes»/ «Under Pressure»/ «Boys Keep Swinging»/ «"Heroes"»/ «Sound And Vision»/ «Golden Years»/ «Wild Is The Wind (2010 Harry Maslim mix)»; Disco 3: «Fame»/ «Young Americans (2007 Tomy Visconti mix single edit)»/ «Diamond Dogs»/ «Rebel Rebel»/ «Sorrow»/ «Drive-In Saturday»/ «All The Young Dudes»/ «The Jean Genie (original single remix)»/ «Moonage Daydream»/ «Ziggy Stardust»/ «Starman»/ «Life On Mars?» (2003 Ken Scott mix)/ «Oh! You Pretty Things»/ «Changes»/ «The Man Who Sold The World»/ «Space Oddity»/ «In The Heat Of The Morning (stereo mix)»/ «Silly Boy Blue»/ «Can't Help Thinking About Me»/ «You've Got A Habit Of Leaving»/ «Liza Jane»

Notas
Lanzado también como edición de 2 CD (Reino Unido: Parlophone 825646205745 / Estados Unidos: Legacy/Columbia 888750309723).

BANDAS SONORAS

Las canciones de David Bowie han servido de música de fondo en más de setenta películas de cine y televisión. A continuación, se mencionan aquellas en la que su música ha tenido una participación destacada o en las que hay canciones que no se encuentran en otros sitios, o bien porque son mezclas de interés.

JUST A GIGOLO

Lanzado en junio de 1979
Jambo Records JAM 1
Tema de David Bowie: «Revolutionary Song»

CHRISTIANE F. WIR KINDER VOM BAHNHOF ZOO

Lanzado en abril de 1981
Alemania: RCA BL 43606
Reeditado en julio de 2001 por EMI (7243 5 33093 29)
Temas de David Bowie: «V-2 Schneider»/ «TVC 15»/ «"Helden"»/«Boys Keep Swinging»/ «Sense Of Doubt»/ «Station To Station»/«Look Back In Anger»/ «Stay»/ «Warszawa»

DAVID BOWIE IN BERTOLT BRECHT'S BAAL

Lanzado en febrero de 1982
Reino Unido: RCA BOW11 / Estados Unidos: RCA CPL1-4346
Posición en las listas del Reino Unido: 29
Disponible como descarga en 2007
Temas de David Bowie: «Baal's Hymn»/ «Remembering Marie A.»/ «Ballad Of The Adventurers»/ «The Drowned Girl»/ «The Dirty Song»

CAT PEOPLE

Lanzado en abril de 1982
Reino Unido: MCA MCF3138 / Estados Unidos: MCA 1498
Temas de David Bowie: «Cat People (Putting Out Fire)»/ «The Myth»

THE FALCON AND THE SNOWMAN

Lanzado en abril de 1985
Vinilo: EMI America SV17150
CD:EMI-Manhattan Records CDP 7 484112
Tema de David Bowie (con Pat Metheny Group): «This Is Not America»

ABSOLUTE BEGINNERS

Lanzado en abril de 1986
Reino Unido (Vinilo): Virgin V2386
Reino Unido (LP doble): Virgin VD2514
Reino Unido (CD): Virgin CDV 2386
Estados Unidos (Vinilo): EMI/Virgin SV-17182

…ición en las listas: Reino Unido: 19 / Estados Unidos: 62
…eeditado en CD en 1991 por Virgin (VVIPD112)
…emas de David Bowie: «Absolute Beginners»/
«That's Motivation»/ «Volare»
El single de vinilo no contiene «Volare»

LABYRINTH
Véase la discografía principal

WHEN THE WIND BLOWS
Lanzado en noviembre de 1986
Reino Unido (Vinilo): Virgin V2406
Reino Unido (CD) Virgin CDV 2406
Estados Unidos: Virgin 7 90599 4
Tema de David Bowie: «When The Wind Blows»

THE CROSSING
Lanzado en noviembre de 1990
Chrysahs CCD/CHR 1826
Tema de David Bowie (Tin Machine): «Betty Wrong»

SONGS FROM THE COOL WORLD
Lanzado en diciembre de 1992
Alemania: Warner Bros. 9 45009 2/9362 450782
Tema de David Bowie: «Real Cool World»

THE BUDDHA OF SUBURBIA
Véase la discografía principal

BASQUIAT
Lanzado en julio de 1996
Island 3145242602
Tema de David Bowie: «A Small Plot of Land»

LOST HIGHWAY
Lanzado en febrero de 1997
Interscope INTD 90090
Tema de David Bowie: «I'm Deranged (edit)»/ «I'm Deranged (reprise)»

THE ICE STORM
Lanzado en octubre de 1997
Velvel VEL 79713
Tema de David Bowie (Tin Machine): «I Can't Read»

STIGMATA
Lanzado en agosto de 1999
UK Virgin CDVUS 161
US Virgin 7243 8 47753 2 2
Tema de David Bowie: «The Pretty Things are Going to Hell»

AMERICAN PSYCHO
Lanzado en abril de 2000
Koch Records KOC-CD 8164
Tema de David Bowie: «Something In The Air (*American Psycho* remix)»

INTIMITÉ
Lanzado en marzo de 2001
France Virgin 7243 8 1 0058 2 8
Temas de David Bowie: «Cadidate»/
«The Motel»

MOULIN ROUGE
Lanzado en mayo de 2001
Reino Unido: Twentieth Century Fox/
Interscope 493 035 2
Estados Unidos: Twentieth Century Fox/
Interscope 490 507 2
Temas de David Bowie: «Nature Boy»/ «Nature Boy (with Massive Attack)»
Tiene también la portada de «Diamond Dogs» por Beck y Timbaland

TRAINING DAY
Lanzado en septiembre de 2001
Priority 7243 8 11278 2 7
Tema de David Bowie: «American Dream»

MAYOR OF SUNSET STRIP
Lanzado en marzo de 2004
Shout! Factory DK 34096
Tema de David Bowie: «All The Madmen (live intro/ versión original del LP)»

SHREK 2
Lanzado en mayo de 2004
Dreamworks/Geffen 9862698
Tema de David Bowie: «Changes»
Dúo con Butterfly Boucher

THE LIFE AQUATIC WITH STEVE ZISSOU

Lanzado en diciembre de 2004
Hollywood 2061 1624942
Temas de David Bowie: «Life On Mars?»/ «Queen Bitch»
Tiene también las portadas de «Starman»/ «Rebel Rebel»/ «Rock 'n' Roll Suicide»/ «Life On Mars?»/ «Five Years», por Seu Jorge

STEALTH

Lanzado en julio de 2005
Epic/Sony 5204202
Tema de David Bowie: «(She Can) Do That»

Página siguiente: «One Magical Moment», gira Station To Station, Wembley Empire Pool, Londres, mayo de 1976

CRÉDITOS FOTOGRÁFICOS

Se han hecho todos los esfuerzos por localizar a los propietarios de los derechos de auto y hacer los correspondientes agradecimientos. Pedimos disculpas por cualquier omisión involuntaria que pueda haberse producido. Agradecemos cualquier comunicación que permita subsanar dicha omisión involuntaria y nos comprometemos a añadir los créditos correspondientes en futuras ediciones. A continuación se recogen todas las fuentes propietarias de derechos de autor, en los casos aplicables, correspondientes a las imágenes presentadas en el libro.

Clave S: superior; I: inferior; D: derecha; IZ: izquierda; C: centro

Getty Images: 10 SC, 11 S, 14, 24, 41, 42, 43 D, 78 S, 96, 115 S, 135 IZ, 259 (Archivos de Michael Ochs); 18 (Popperfoto); 30 S (Frank Barratt); 48, 49, 238 (Redferns); 52 (Michael Putland); 71 (Justin de Villeneuve); 76-77 (Banco de Fotografías NBCU/ NBC); 81, 89, 93, 94-95, 199 (Terry O'Neill); 82, 86 IZ (Redferns/ Gijsbert Hanekroot); 84 IZ, 127 S (Redferns/ Archivos Gab); 97 S (Ron Galella); 116 (Redferns/ Beth Gwinn); 120 IZ (*Evening Standard*); 154-155, 165 (Denis O'Regan); 157 (Peter Still); 172-173, 174, 177 D (George DeKeerle); 178 SD (Time Life Pictures/ DMI/ Ann Clifford); 178 CD (Dave Hogan); 179 (Richard Young); 191 (Ebert Roberts); 214, 224-225, 234 (WireImage/ KMazur); 218 (Evan Agostini); 219, 240-241 (Dave Benett); 226 S (Online USA, Inc/ Miramax); 251 (WireImage/ L Cohen);261 (AFP/Justin Tallis); **Mick Rock** 1973, 2012: 1, 47 S, 51, 56-57, 59 SD, 69, 72; **Rex Features:** 10 SIZ, 178 SD, 203, 235 IZ (Rex Features); 13, 19, 20-21 (Dezo Hoffman); 26, 30 S, 31, 38 (Ray Stevenson); 39 S (Peter Sanders); 87 IZ (Roger Bamber); 97 SIZ (Stephen Morley); 117 (Les Lambert), 160 D (Everett Collection), 202 (Andre Csillag); 204-205, 217 (Richard Young); **London Features:** 10 SC (Pictorial Press); 29, 132-133 (London Features); 33 (Govert de Roos); 122-123 (Andy Kent); 245 (Scope); **Alamy:** 11 S, 23, 34, 35 S, 36-37, 85, 109 SIZ, 208 (Pictorial Press); 108 S (Mug Shot); 160 IZ (Pictorial Press/ UA/ MGM); 170 (Alan Burles); **Photoshot: 17** (Unfried/ Good Times/ Vanit); 148 (Starstock); 161 (London Features); **Barry Plummer:** 28, 131; **Mirrorpix:** 39 S (Dennis Stone); 45 (Ron Burton); 149 IZ (Albert Cooper); **Kevin Cann:** 43 IZ; **Sukita:** 55, 61, 65, 77 D, 79 SD, 125, 134, 152, 153, 188, 194, 197, 237, 242, 257; **Joe Stevens:** 57, 66, 75 SI; **Photo Duffy/ Duffy Archive:** 62, 110-111, 137, 142-143, 145, 146, 151; **Brian Ward/ David Bowie:** 67 IZ; **Geoff MacCormack:** 67 D, 102, 103, 104; **Alpha Press:** 68, 90, 92, 105, 166; **Allstar/ Cinetext Collection:** 99 (British Lion Film Company); **Corbis:** 100, 114 (Steve Schapiro); 118-119, 128-129, 138 (Sygma/ Christian Simonpietri); 140 (Lynn Goldsmith); 171, 193 (Neal Preston); 182 (Denis O'Regan); 187 (LGI Stock); 200, 207, 211 (Albert Sánchez); 213 (Gavin Evans); 221 (Michael Benabit); 222 (Reuters); 229, 230 (Jill Greenberg); 233 (Kipa/ Fabrice Vallon); 246 (Sari Gustafsson); 248 (Ian Hodgson); 250 (David W. Cerny), 253 (Rune Hellestad); **Andrew Kent:** 106-107, 108 S, 288; **Phil King:** 15 D, 109 SD & CD; **Norman Parkinson Ltd./ por cortesía de los Archivos de Norman Parkinson:** 113; **Celebrity Pictures:** 126 (Clive Arrowsmith); 158 (Tony McGee); **Fotografía por Snowdon, Camera Press, Londres:** 141; **Denis O'Regan:** 162-163, 168, 168-169, 180-181, 185, 216; **The Kobal Collection:** 176 (Jim Henson Productions); **Baver Media:** 254 D; **Splash News:** 256.

Coleccionables impresos (obtenidos por cortesía de Simon Halfon): 6, 10 SIZ, 10 SD, 16 D, 53, 58 D, 73, 83 S, 97 SD, 115 S, 120 D, 127 SD, 139 D, 149 D, 178 IZ, 183, 201 IZ, 201 D, 215 IZ, 223 IZ (varios), 10 SD (Vocalion), 84 D (*Strange People* por Frank Edwards, Pan Books, 1966), 86 S (Guy Peellaert/ RCA), 87 SD & SD, 121 (RCA), 109 SIZ (British Lion Film Company), 127 SIZ (*A Grave For A Dolphin* por Alberto Denti di Pirajno, Andre Deutsch, 1956), 209 (*The Buddha Of Suburbia* por Hanif Kureishi, Faber & Faber, 2009) 226 S (Miramax Films), 257. **Otros materiales:** 259 (ISO/Columbia). **Portadas de álbumes/singles** (obtenidos a través de Kevin Cann, gracias a Tris Penna y Michael Setek/ Art4Site por escanearlas; el sello de lanzamiento original se indica entre paréntesis): 12, 15 IZ (Deram); 16 IZ (Coral); 22 (Philips); 25 IZ, 32, 35 S (Mercury); 25 D (Decca); 40, 46 D, 50, 59 SD, 59 SIZ, 59 SC, 60, 63, 70, 78 SD, 79 SIZ, 80, 83 S, 88, 91, 98, 101, 109 SD, 112, 124, 135 SD& S, 136, 139 IZ, 143 D, 144, 147, 150, 215 D, 223 D (RCA); 6 IZ (CBS/ Columbia); 47 S (Cotillion); 59 CIZ (Barclay); 78 SIZ, 195 (London); 156, 159, 164, 167, 172 IZ, 175, 180, 186, 189 (EMI); 172 D, 177 SIZ (Virgin/UK/ EMI); 192 (Victory Music/London); 198 (BMG/Arista); 206 (BMG/Arista/UK/ Virgin); 212, 220 (RCA/UK/Virgin); 228, 235 D (Virgin); 236, 239, 243, 244 (ISO/Columbia). Las ilustraciones de *Diamond Dogs* que aparecen en las páginas 60, 85 y 87: © Herederos de Guy Pellaert; 256 (ISO/Columbia).

AGRADECIMIENTOS

La cronología al comienzo de cada capítulo es obra de James Hodgson.

Agradecimientos del autor:
Mi más sincero agradecimiento a Nick, Russ, Sox y Wahl (The Spiders From Salisbury), así como a Kevin Cann por su profunda visión de la obra de este gran hombre.